Ontdek
Toscane

afgeschreven

Inhoud

Reisinformatie, adressen, websites

Kennismaking – Feiten en cijfers, achtergronden

Onderweg in Toscane

Inhoud

Op ontdekkingsreis

Kaarten en plattegronden

▶ Dit symbool verwijst naar de uitneembare kaart

In vogelvlucht

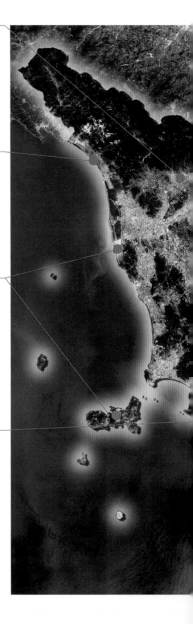

Prato, Pistoia en Lucca
Het nuchtere Prato is als textielcentrum
een heerlijke stad om kleding te kopen.
Pistoia valt op door zijn fijnzinnigheid en
prachtige Piazza del Duomo, terwijl Lucca
de mooiste stadsmuren van Toscane en
een prettige sfeer heeft te bieden. Lucca is
bovendien de toegangspoort tot de groene
Garfagnana. Blz. 126

Carrara en de Versilia
Vanuit de stad die zijn naam aan het
beroemde marmer heeft gegeven, slingeren smalle wegen zich de bergen in langs
talrijke steengroeven en karakteristieke
dorpen. Na een bezoek aan de fascine-
rende bergwereld is het heerlijk ontspannen aan de kust met zijn kilometerslange
zandstranden. Blz. 152

Pisa, Livorno en de Toscaanse archipel
Traditioneel zijn het grote vijanden: Pisa,
de stad van de scheve toren, en Livorno,
de stad van de macchiaioli, de Toscaanse
impressionisten. Wie alle eilanden van
Toscane wil bezoeken, moet daar de
nodige tijd voor uittrekken, want ze liggen ver uit elkaar. Elba en Giglio zijn de
makkelijkst bereikbare en populairste
eilanden.
Blz. 168

Grosseto en het zuiden
De prettige provinciehoofdstad Grosseto
is een goede uitvalsbasis voor uitstapjes
naar de bezienswaardigheden van de
Maremma. De kust van het zuidelijke deel
van Toscane is met zijn lange zandstranden en dichte dennenbossen een paradijs
voor strandliefhebbers. Blz. 202

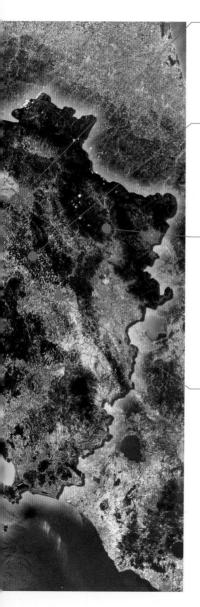

Florence en omgeving

De hoofdstad van de regio is soms over-
stroomd met bezoekers, maar Florence is
hoe dan ook een stad waar men geweest
moet zijn – in de eerste plaats natuurlijk
vanwege de vele unieke kunstschatten en
de elegante straten en pleinen. Blz. 78

De Chianti

Het heuvelgebied tussen Florence en Siena
hoort tot de beroemdste wijngebieden van
de wereld en is bezaaid met kastelen en
schitterend gelegen ommuurde dorpen –
en uiteraard heeft de bezoeker er tal van
mogelijkheden om de chiantiwijnen ter
plekke te proeven en kopen. Blz. 106

Arezzo en de Casentino

De antiekwinkels en -markten van Arezzo
zijn voor velen al reden genoeg om een
bezoek aan de stad te brengen. Kunstliefhebbers kennen Arezzo vooral vanwege de
schitterende fresco's van Piero della Francesca in de kerk van San Francesco. Het
achterland van de stad is de heerlijk ruige
Casentino met zijn dichte kastanjebossen
en compacte dorpen die rond kastelen zijn
gegroeid. Blz. 260

Siena en het zuidoosten

Met zijn gotische paleizen en indrukwekkende centrale plein, de schelpvormige
Piazza del Campo, geldt Siena als een van
de mooiste steden van Italië. Verder naar
het zuiden liggen prachtige plaatsjes als
Pienza en het wijnstadje Montepulciano,
maar u vindt er ook de beboste hellingen
van de Monte Amiata en de Etruskische
steden, terwijl u er kunt ontspannen in
een van de heerlijke thermale baden.
Blz. 224

Bakermat van Europese cultuur

Beginnen uw ogen direct te glanzen als u de naam Toscane hoort vallen? Loopt het water u al in de mond als u aan de culinaire specialiteiten en de wijnen van de streek denkt?

Toscane, dat zijn cipressenlanen naar eenzame boerderijen, bekroond met een colombaia, een lage toren waarin vroeger duiven werden gehouden. Toscane is ook de streek van olijfbomen met zilverglanzende blaadjes en wijngaarden die in de herfst in rode tinten verschieten. Toscane, dat zijn herinneringen aan de karakteristieke tanninesmaak van de chianti's en de kruidige geuren van vleesschotels in een landelijke trattoria, herinneringen aan puur en onvergetelijk genot.

Stedelijke cultuur

De provinciehoofdsteden zijn de culturele centra van de regio: de metropool Florence, het baksteenrode Siena met zijn Palio, Lucca met zijn imposante stadsmuren en warmbloedige inwoners, waarvan een deel nog altijd een goed belegde boterham in de zijde-industrie verdient, Pisa, dat niet alleen van de roem van zijn scheve toren leeft, en Arezzo, de stad van de beroemde fresco's van Piero della Francesca en het kleurige ruitertoernooi op de fraaie Piazza Grande, waar bovendien eens per maand antiekhandelaren en –liefhebbers samenkomen.

Maar ook in kleine stadjes als San Gimignano, Volterra, Colle Val d'Elsa en Cortona kunt u schitterende kunstwerken bewonderen, net als in de vestingstadjes Castiglion Fiorentino en Certaldo, en in Montalcino, beroemd om zijn brunellowijnen, en Montalcino met zijn eveneens dieprode vino nobile.

En natuur

Hebt u zich bij uw eerste bezoek aan Toscane er ook over verwonderd dat grote delen van de regio bedekt zijn met macchia, het secundaire bos dat heel dicht is en heerlijk naar wilde kruiden kan geuren? En over het feit dat zelfs de wijnstreek Chianti voor ongeveer de

helft met bossen en macchia is bedekt? Een schitterende aanblik bieden ook de fraaie *pinete*, de grote, schaduwrijke bossen van parasoldennen die vooral langs de kust zijn te vinden en die sommige stranden van het achterland scheiden of liever gezegd afschermen. Een deel van die stranden behoort tot de mooiste van Italië: in het noordwesten liggen de goudgele zandstranden van de Versilia met chique badplaatsen als Forte dei Marmi, Viareggio en ten zuiden van Pisa Tirrennia. Verder naar het zuiden vind u minder aangeharkte stranden, waar de *Toscani* zelf graag met de hele familie en een rijk gevulde picknickmand komen. En dan zijn er nog de eilanden van de Toscaanse archipel, met op de eerste plaats natuurlijk Elba, direct gevolgd door de sprookjesachtige granietrots Giglio – maar alle eilanden zijn duikparadijzen en uiteraard ook geschikt voor andere watersporten. Ze beschikken bovendien allemaal over een voortreffelijke infrastructuur.

Een actieve vakantie

Wie op vakantie ook graag sportief bezig is, vindt in Toscane talrijke mogelijkheden om te wandelen en fietsen, terwijl golfliefhebbers uit een twintigtal banen kunnen kiezen.

Creatieve ambities

Wilt u leren schilderen of beeldhouwen? In deze streek vol beroemde kunst is er uiteraard een groot aanbod aan scholen en cursussen. U vindt ze natuurlijk in Florence en de andere kunststeden, maar ook buiten de stad op het land, waar vele West-Europeanen zich gevestigd hebben en lessen aanbieden in sfeervolle oude huizen in een prachtig landschap, zoals in de Chianti of de Crete, in de Valdinievole ten noorden van Montecatini of de Val di Chiana ten zuiden van Arezzo.

Ontspannen mag ook

Bent u vooral op zoek naar rust? Dan zijn de natuurparken van Toscane de ideale bestemming, met op de eerste plaats het streng beschermde Parco regionale dell'Uccellina in het zuidwesten en het gebied rond de Monte Amiata, de hoogste berg van Zuid-Toscane. Maar u kunt natuurlijk ook een eenzaam gelegen vakantiehuis huren.

Monteriggioni − een ommuurd
middeleeuws dorp, blz. 119

Indrukwekkend uitzicht vanaf de Rocca
Federiciana in San Miniato, blz. 139

Favorieten

De reisgidsen uit de ANWB-serie Ont-
dek zijn geschreven door auteurs die
hun boek voortdurend actualiseren en
daarvoor steeds weer dezelfde plaatsen
opzoeken. Dan kan het niet uitblijven
dat de schrijver een voorkeur krijgt
voor bepaalde plekken, die zijn/haar

favorieten worden. Dorpen die buiten
de gebaande toeristische paden vallen,
een bijzonder strand, een uitnodigend
plein waar terrasjes lonken, een stuk
ongerepte natuur − gewoon plekken
waar ze zich lekker voelen en waar ze
steeds weer naar terugkeren.

Een paradijs om bij te komen: het eiland
Giglio, blz. 200

Ontspannen in de damp: een thermaal
bad bij San Casciano dei Bagni, blz. 223

Als een arendsnest boven de Garfagnana: Barga, blz. 150

Tussen zee en macchia: Suvereto, blz. 183

Kunstgenot en lekker eten: Abbazia di Monte Oliveto Maggiore, blz. 242

En must voor romantici: Bagno Vignoni, blz. 255

Reisinformatie, adressen, websites

Calcio Storico, het belangrijkste evenement op de Florentijnse feestkalender

Informatie

Internet

www.anwb.nl Op de website van de ANWB vindt u veel praktische tips voor uw vakantie en kunt u ook meteen een vakantie boeken.

www.toscanapromozione.it Officiële website van de regio voor de promotie van Toscane met talrijke goede links (zie onder) in het Italiaans en Engels.

www.agriturismointoscana.com Uitstekende website voor het vinden van onderdak in Toscane, of dat nu in een agriturismo op het land, in een B&B, een villa of hotel is. Italiaans en Engels.

www.bedandbreakfastitaly.nl Nederlandstalige website waar u op plaats kunt zoeken en doorgelinkt wordt naar B&B's of bij het ontbreken daarvan naar hotels ter plekke.

www.regione.toscana.it Website van de regio Toscane met links naar toeristische informatie.

www.turismo.intoscana.it Prima website ingedeeld naar vakantieactiviteiten met de mogelijkheid onderdak te zoeken en talrijke nuttige links. Cultuur, natuur, zee, bergen, golf en kuuroorden. Ook in het Engels.

www.intoscana.it Officiële website van Toscane voor het toerisme, samengesteld uit vele andere webpagina's over de regio. Helaas is het deel over vrouwen op reis komen te vervallen, maar u kunt er veel andere goede tips vinden. Er zijn ook beschrijvingen van trektochten die u op eigen houtje kunt doen, maar bij voorkeur toch met begeleiding onderneemt.

www.turismoinmaremma.it Website met informatie voor wie zijn vakantie in de Maremma in het zuiden van Toscane wil doorbrengen. In het Italiaans, Engels en Duits.

www.ilm.it/nl Website van het Istituto linguistico mediterraneo, dat taalcursussen in Pisa aanbiedt.

www.davidschool.com Website (ook in het Nederlands) van het Istituto il David, een taalschool in hartje Florence. Behalve cursussen Italiaans organiseert het instituut ook creatieve cursussen en workshops.

www.maggiofiorentino.com Website van de Maggio Musicale Fiorentino, het beroemde muziekfestival dat in mei/juni in Florence wordt gehouden. Italiaans en Engels.

www.bandierablu.org Website van de blauwe vlag, het symbool voor schone stranden en de beste jachthavens van Italië. Italiaans.

Verkeersbureaus

Italiaanse Nationale Dienst voor Toerisme (ENIT)

Op de website van de ENIT, www.enit.it/nl, kunt u brochures over Toscane en andere bestemmingen in Italië aanvragen of downloaden.

... in België

ENIT
Vrijheidslaan 12
1000 Brussel
tel. 00 32 26 47 11 54
fax 00 32 26 40 56 03
brussel@enit.it

Toeristenbureaus in Toscane

De regio Toscane richt zich steeds meer op het internet als medium voor het geven van toeristische informatieve met als gevolg dat steeds meer informatiebureaus van de APT de deuren sluiten. De lokale toeristenbureaus (zie reisgedeelte) worden daardoor juist belangrijker als bron van informatie voor de reiziger.

... voor de afzonderlijke provincies

In het onderstaande overzicht van APT-filialen worden de volgende afkortingen voor de provincies gebruikt: AR = Arezzo, FI = Florence, GR = Grosseto, LI = Livorno, LU = Lucca, MS = Massa-Carrara, PI = Pisa, PO = Prato, PT = Pistoia, SI = Siena.

De medewerkers van de bureaus spreken over het algemeen diverse talen en kunnen nuttige tips voor uitstapjes geven, terwijl ze ook over uitvoerig informatiemateriaal en stadsplattegronden beschikken.

APT Versilia: Viale Carducci 10, 55049 Viareggio (LU), tel. 0584 96 22 33, fax 0584 44 73 36, www.aptversilia.it

APT Arcipelago Toscano: Viale Elba 4, 57037 Portoferraio (LI), tel. 0565 91 46 71, fax 0565 91 63 50, www.aptelba.it

APT Montecatini Terme, Val di Nievole: Viale Verdi 66, 51016 Montecatini Terme (PT), tel./fax 0572 77 22 44, www.montecatini.turismo.toscana.it

APT Chianciano Terme, Val di Chiana: Piazza Italia 67, 53042 Chianciano Terme (SI), tel. 0578 67 11 22, fax 0578 6 32 77, www.chiancianoterme.info

APT Firenze: Via Manzoni 16, 50121 Firenze, tel. 055 233 20, fax 055 234 62 86, www.firenzeturismo.it

APT Grosseto: Viale Monterosa 206, 58100 Grosseto, tel. 0564 46 26 11, fax 0564 45 46 06, www.provincia.grosseto.it en www.lamaremma.it

APT Livorno: Piazza Cavour 6, 57126 Livorno, tel. 0586 89 81 11, fax 0586 89 61 73, www.costadeglietruschi.it

APT Massa-Carrara: Lungolago Vespucci 24, 54037 Marina di Massa (MS), tel. 0585 24 00 46, fax 0585 86 90 15 (ook voor het noordelijke deel van de Versilia), www.aptmassacarrara.it

APT Pisa: Piazza Arcivescovada 8, 56124 Pisa, tel. 050 92 97 77, fax 050 92 97 64, www.pisaunicaterra.it, toeristenbureau op het station

APT Siena: Via di Città 43, 53100 Siena, tel. 0577 422 09, fax 0577 28 10 41, www.terresiena.it; toeristenbureau: Piazza del Campo 56

APT Arezzo: Piazza della Libertà 1, 52100 Arezzo, tel. 0575 239 52, fax 0575 280 42, www.apt.arezzo.it

APT Abetone/Pistoia/Monti Pistoiesi: Via Marconi 70, 51028 San Marcello Pistoiese, tel. 0573 63 01 45, fax 0573 62 21 20, www.pistoia.turismo.toscana.it

APT Lucca: Piazza Guidiccioni 2, 55100 Lucca, tel. 0583 919 91, fax 0583 49 07 66, www.luccaturismo.it, toeristenbureau: Piazza Santa Maria 35

APT Prato: Piazza Duomo 8, 59100 Prato (PO), tel./fax 0574 60 79 25, www.prato-turismo.it

APT Amiata: Via Montana 97, 53021 Abbadia San Salvatore (SI), tel. 0577 77 58 11, fax 0577 77 58 77, www.amiataturismo.it

Kleinere toeristisch interessante plaatsen hebben eigen toeristenbureaus onder de naam Pro Loco of Informazioni, maar ze hebben vaak een beperkte openingstijd; adressen vindt u in het routedeel.

Toscana Promozione: 50134 Firenze, Via Vittorio Emanuele II, 62-64, tel. 055 46 28 01, fax 055 462 80 39, www.toscanapromozione.it. Deze organisatie is eigenlijk voor reisbureaus en pers bedoeld en dus niet voor individuele toeristen, maar de website bevat goede informatie.

Boeken over Toscane

ANWB Kunstreisgids Toscane (2011). Reisgids die extra diep op de kunst en cultuur van Toscane ingaat.

ANWB Navigator Florence en Toscane (2013). Deze met fraaie foto's geïllustreerde gids bevat naast beschrijvingen van de bezienswaardigheden ook tal van tips voor winkelen, uitgaan, uit eten en overnachten.

Beevor, Kinta: *Een jeugd in Toscane*. Het Spectrum 1998. Kinta Beevor beschrijft in dit boek haar jeugd in Toscane aan het begin van de 20e eeuw.

Blasi, Marlena de: *Duizend dagen in Toscane*. Muntinga B.V. 2007. Een Amerikaanse chef-kok en haar Venetiaanse echtgenoot gaan in Toscane op zoek naar de ingrediënten voor het goede leven. Met veel recepten.

Bronnen, Barbara: *Reisleesboek Toscane*. Het Spectrum 2005. Beschrijving van de bevolking, leefgewoonten, cultuur en natuur van Toscane.

De zilveren lepel: *Toscane*. Van Dishoeck 2012. Kookbijbel met talloze recepten uit Toscane.

Dijkman, Henk: *Tuinengids Toscane*. Kosmos Uitgevers 1998. Reisgids voor de tuinen van Toscane met algemene informatie en verhalen over de tuinen van de regio, gevolgd door een beschrijving van twintig mooie tuinen in Toscane.

Diverse auteurs: *Als een god in Toscane*. Bruna 2004. Verhalen van diverse bekende auteurs over Toscane.

Doran, Phil: *Toscane tegen wil en dank*. Prometheus 2005. Een Amerikaanse producer en schrijver van tv-comedy's beschrijft zijn belevenissen in Toscane, waarbij hij 'de Italiaan in zichzelf' ontdekt.

Genovesi, Fabio: *Vissen voeren*. Signatuur 2012. Roman van een Italiaanse schrijver over het Toscane van de gewone Italianen.

Kent, Christobel: *Najaar in Toscane*. Arena 2004, 2001. Spannend verhaal over vijf vrienden die op een eenzame boerderij in Toscane samenkomen, vol vragen over de verdwijning van Evie.

Kleyn, Onno H.: *Het beste van Toscane*. Van Holkema & Warendorf 2001. Wijngids met beknopte informatie over de beste wijnen van de regio.

Lateur, Patrick (samensteller): *Toscane: een literaire ontdekkingsreis*. Davidsfonds/ Literair, Het Spectrum 2002. Bloemlezing van teksten uit de binnen- en buitenlandse literatuur en uit heden en verleden over Toscane.

Mayes, Frances: *Toscane in huis*. Prometheus 2004. Vanuit haar huis in Toscane doet een Amerikaanse verslag van haar leven daar, het werken aan het huis, de inrichting, de tuin en het koken van Italiaanse gerechten.

De auteur schreef nog drie boeken over Toscane die in Nederlandse vertaling verkrijgbaar zijn: *Elke dag in Toscane*, *Bella Toscane* en *Een huis in Toscane*.

Mayr, Thomas: *Wielrennen in Toscane*. Deltas Centrale Uitgeverij 2012. Gids voor wie Toscane op de racefiets wil verkennen. Met een beschrijving van achttien routes, kaarten en tips over het opbouwen van uw conditie.

Medici, Lorenza de: *Toscane, een culinaire reis*. Lantaarn B.V. 2008. Foto- en kookboek over de keuken van Toscane van de grande dame van de Italiaanse culinaire wereld (zie blz. 112, Badia a Coltibuono).

Nolthenius, Helene: *Moord in Toscane*. Querido 2009. Twee historische detectiveromans waarin een veertiende-eeuwse Italiaanse minderbroeder de hoofdrol speelt.

Origo, Iris: *De koopman van Prato*. Het Spectrum 2001. Historische roman over Francesco di Marco Datini, de rijke 14e-eeuwse koopman uit Prato wiens volledige archief bewaard is gebleven (zie blz. 128).

Weer en reisseizoen

Klimaat

Een groot deel van Toscane kent een mediterraan klimaat: 's zomers is het er warm en droog, terwijl het in de lager gelegen vlakten, en dan vooral in de steden die in die vlakten liggen, heet en drukkend kan zijn. In hoger gelegen steden als Siena, Montepulciano, Volterra en San Gimignano is het ook hartje zomer heel goed uit te houden. Hetzelfde geldt voor de plaatsen langs de kust en de verder landinwaarts gelegen plaatsjes die door de zeewind worden bereikt, zoals Vetulonia, Vinci, Certaldo en San Miniato. De wintermaanden zijn meestal mild, sneeuwval is er meestal alleen hoger in de bergen. De meeste regen valt tussen oktober en maart, met een piek in oktober en november. De maximumtemperaturen liggen in Florence tussen 8°C (januari) en 31°C (juli), in Siena is dat 8°C respectievelijk 28°C.

Het beste reisseizoen

Voor strandliefhebbers zijn de zomermaanden, van juni tot in september, de mooiste tijd, maar wie voor de cultuur komt of de natuur in wil, kan het beste in het voorjaar (maart tot en met mei/juni) of het najaar (september tot half november, dus van de wijn- tot de olijvenoogst) gaan. Dat geldt nog eens extra voor Florence en de andere steden aan de Arno, want daar kan het in de zomer ondraaglijk warm en drukkend zijn.

Kleding en uitrusting

Zo lang u niet van plan bent om in luxehotels te logeren en om restaurants

met Michelinsterren te bezoeken, volstaat het om lichte kleding mee te nemen. Neem ook 's zomers een trui en een jack voor 's avonds mee, want het weer kan opeens omslaan, vooral in de Chianti en de nog hoger gelegen gebieden. Overdag kunt u in de zomer het beste luchtige kleding en natuurlijke weefsels als katoen dragen.

Voor een strandvakantie zijn lichte, luchtige kleding en een hoofdbedekking noodzakelijk. Draag echter geen badkleding als u naar een restaurant gaat.

Wie een kerk of klooster wil bezoeken, dient zich fatsoenlijk te kleden en dus niet, zoals maar al te veel toeristen proberen, om met korte broek en mouwloos shirt of laag uitgesneden kleding naar binnen te lopen. Ook wie niet gelovig is, hoort in een kerk uiteraard de gevoelens van de gelovigen te respecteren door zich passend te kleden en te gedragen.

Klimaatabel Toscane (Florence)

J	F	M	A	M	J	J	A	S	O	N	D
10	12	15	19	23	27	31	31	27	21	15	10

Dagtemperatuur in °C

| 1 | 3 | 5 | 8 | 11 | 15 | 17 | 17 | 14 | 10 | 6 | 2 |

Nachttemperatuur in °C

| 4 | 5 | 5 | 7 | 10 | 10 | 11 | 10 | 7 | 6 | 3 | 3 |

Aantal zonuren per dag

| 9 | 8 | 9 | 9 | 9 | 6 | 4 | 6 | 6 | 7 | 10 | 9 |

Aantal dagen regen per maand

Rondreizen

Een week Florence met trips en strandbezoek

Voor een eerste kennismaking met de hoofdstad van Toscane moet u minstens drie dagen uittrekken, zeker als u ook nog in de omgeving enkele van de villa's wilt bezichtigen die de Medici lieten bouwen. Om de belangrijkste musea te bezoeken zonder lang en misschien zelfs vergeefs in de rij te staan, kunt u het beste de kaartjes online reserveren.

Ten westen van Florence en ten noorden van de Arno ligt de Montalbano, een lieflijke streek van wijngaarden en zilverglanzende olijfgaarden. Hier werd in 1452 bij het stadje Vinci het genie Leonardo da Vinci geboren.

Prato en Pistoia hebben beide een klein maar interessant oud centrum, terwijl het prachtige Lucca wordt omgeven door brede verdedigingswallen waarover u een fraaie wandeling of fietstocht kunt maken met schitterend uitzicht over de oude stad met zijn rode pannendaken en talrijke torens. In Pisa is meer te zien dan alleen het overweldigende 'Plein der Wonderen', bijvoorbeeld de nieuwste opgravingen, die zich niet ver van de Piazza dei Miracoli bevinden. Vanuit Florence en de andere genoemde steden is Pisa eenvoudig per bus of trein bereikbaar.

Vanuit Pisa is het niet ver meer naar zee: Marina di Pisa, het huisstrand van de stad, is een van de parels in het snoer van badplaatsjes met fraaie stranden dat Toscane bezit. De restaurants op palen hier zijn een bijzonderheid en een lust voor het oog.

Tien dagen door het hart van Toscane

De Chianti is een heerlijke plek om te verblijven, bij voorkeur in een huisje of boerderij op het land of in een van de kleine hotels in de karakteristieke wijnstadjes van de streek, zoals Castellina, Radda, Gaiole of Greve. Als u dan nog wat uitstapjes maakt in het hart van Toscane, bent u verzekerd van een vakantie vol onvergetelijke indrukken. Daarbij komt een bezoek aan Siena, misschien wel de mooiste stad van Toscane, op de eerste plaats. Trek voor Siena minstens een dag uit.

In de buurt van Buonconvento ligt het beroemde kloostercomplex van de Abbazia di Monte Oliveto Maggiore. De rit erheen leidt door de zachtgolvende heuvels van de Crete. Het is mogelijk om in het klooster te overnachten en u kunt er lekker eten en goede wijnen proeven. Daarna gaat het verder naar de wijnstadjes Montepulciano, beroemd om zijn vino nobile, en Montalacino, de stad van de brunello, twee heerlijke wijnen waar u net als voor de stadjes zelf de tijd moet nemen. Tussen de twee ligt Pienza, het kleine renaissancestadje van paus Pius II. Vergeet in deze buurt niet om een bezoek te brengen aant Sant'Antimo, een schitterende kloosterkerk die eenzaam in het landschap ligt. Een andere bezienswaardigheid die een omweg waard is, is de romantische kloosterruïne van San Galgano.

Wie vanaf Sant'Antimo verder naar het zuiden gaat, komt vanzelf bij de Monte Amiata, met 1738 m de hoogste berg binnen de regio. U kunt er goed wandelen en een bezoek brengen aan het Parco Faunistico, waar de Apennijnse wolf te bewonderen is.

Dan zijn er nog twee fraaie uitstapjes van elk twee dagen in het hart van Toscane: het ene gaat naar Sorano, Pitigliano en Sovana met hun Etruskische necropolissen, af te sluiten met een bezoek aan de thermale wateren van Saturnia. Het andere heeft het kustgebied van de Maremma als doel, met eventueel een strandbezoek bij Castigione della Pescaia met zijn fraaie lagune of bij Orbetello, dat toegang geeft tot het schiereiland Monte Argentario.

De wijngaarden van de Chianti zijn in de herfst op hun mooist

Reizen naar Toscane

Douane

Voor EU-burgers die als toerist naar Toscane gaan, gelden geen speciale douanebepalingen. Als u met uw eigen auto gaat, is het verstandig de groene verzekeringskaart mee te nemen, al is die niet meer verplicht.

Heenreis

Met het vliegtuig

De internationale luchthavens van Toscane liggen bij Pisa en Florence. De KLM en Alitalia vliegen vanaf Schiphol rechtstreeks op Florence, terwijl Brussels Airlines dat vanaf Zaventem doet. Transavia vliegt vanaf Schiphol op Pisa, Ryanair doet dat vanuit Brussel-Charleroi, Maastricht en Eindhoven. Meer informatie vindt u op www.pisa-airport.com en www.aeroporto.firenze.it.

Met de trein

Wie met de trein naar Toscane wil, zal een lange reis voor lief moeten nemen. De meest voor de hand liggende route is via Duitsland, maar u kunt ook met de tgv via Parijs naar Milaan reizen. Wie graag de eigen auto meeneemt maar geen zin heeft in de lange rit, kan een autotrein boeken. Vanuit Den Bosch vertrekken autoslaaptreinen naar Livorno en Alessandria. Vanuit Düsseldorf rijden de autotreinen op Alessandria en Verona. Kijk voor meer informatie bijvoorbeeld op www.autoslaaptrein.nl; www.treinreiswinkel.nl; www.ns.nl; www.belgianrail.be.

Met de bus

Diverse reisorganisaties bieden busreizen met een compleet programma naar Toscane aan. Andere rijden alleen heen en terug, als een soort lijndienst, of combineren een busticket met hotelreserveringen.

Met de auto

Vanuit Nederland en België rijdt u via Duitsland of Frankrijk naar Basel in Zwitserland. U kunt vervolgens via de Gotthardtunnel naar Milaan gaan, waar u de A1/E35 neemt die via Bologna naar Florence en dwars door Toscane naar Rome leidt. U kunt ook bij Parma de A15/E31 en A12/E80 naar La Spezia nemen, waarna u bij de Versilia in Toscane komt. Vanuit Zwitserland kunt u ook via de Grote St.-Bernhardpas/tunnel naar Italië. Voor de snelwegen in Italië en de Grote St.-Berhardtunnel moet tol worden betaald.

Wie geen haast heeft en van het landschap wil genieten, kan via een van de kronkelwegen over de passen van de Appennino Tosco-Emiliano naar Toscane rijden. Van west naar oost zijn dat onder meer de Passo della Cisa, de Passo del Cerreto, de Passo dell'Abetone, de Passo della Porretta en de Passo della Futa.

Reizen in Toscane

Bus en trein

Toscane beschikt over een voortreffelijk netwerk van lijnbussen waardoor alle grotere plaatsen en vakantieoorden probleemloos te bereiken zijn. Bussen naar kleinere dorpen rijden vaak maar twee of drie keer per dag. Op de route Florence-Lucca rijden snelbussen, in Lucca kunt u vervolgens overstappen, bijvoorbeeld om naar Pisa en Livorno of naar Viareggio en de badplaatsen daarboven te gaan. Andere snelbussen rijden van Florence naar Arezzo en Cortona, en van Florence naar Siena. De buskaartjes zijn relatief goedkoop (zowel voor de snelbussen als de bussen die over de Via Cassia gaan en vaak stoppen).

Het spoornetwerk is minder fijnmazig, maar alle grote steden zijn per trein bereikbaar. De belangrijkste trajecten zijn: Florence-Siena, Florence-Arezzo en Florence-Prato-Pistoia-Lucca-Pisa-Livorno-Grosseto met bij Lucca de aftakking Lucca-Viareggio-Massa-Carrara.

Huurauto

Autoverhuurbedrijven vindt u op de luchthavens (Pisa en Florence) en in de grote steden (reserveer in het hoogseizoen uw auto tijdig). U kunt ook via uw hotel een auto reserveren. Het is niet noodzakelijk om de auto bij het filiaal waar u hem gehuurd hebt in te leveren (maar er is wel een toeslag voor elders inleveren). Alle bekende internationale verhuurbedrijven hebben vestigingen in Toscane, bijvoorbeeld AVIS (Florence, Livorno, Montecatini, Pisa/luchthaven, Porto Ercole, Prato, Viareggio); EuropCar/Interrent (Florence, Pisa, Viareggio); Hertz (Florence, Livorno, Piombino, Pisa/luchthaven en stad, Prato) en het Italiaanse Maggiore (Florence).

Taxi

Taxistandplaatsen zijn in de grote steden bij de stations en de centrale toeristische plekken te vinden, maar buiten de steden zijn er weinig taxi's. De ritprijzen liggen iets lager dan bij ons. Taxi's zijn uitgerust met een taximeter.

Oversteken naar de Toscaanse eilanden

Als u in juli of augustus, of met Pasen of Pinksteren naar Elba wilt, is het belangrijk om de overtocht tijdig te boeken (dat kunt u thuis al doen).

De particuliere rederij NAV.AR.MA. vaart meermalen per dag tussen Piombino op het vasteland en Portoferraio op Elba; de semioverheidsrederij TO.RE.MAR vaart vanuit zowel Piombino als Livorno op Portoferraio. Tussen Portoferraio, Cavo en Piombino varen daarnaast ook draagvleugelboten, die veel sneller zijn dan gewone veerboten (30 resp. 40 minuten voor de overtocht; twee keer zo duur).

Elba beschikt over een vliegveld, waar vanaf diverse Italiaanse luchthavens op gevlogen wordt.

Op Giglio varen vanuit Porto Santo Stefano dagelijks veerboten. Als u met de auto bent, kunt u die het beste in een garage in Porto Santo Stefano zetten en op Giglio de bus of taxi nemen (sommige hotels halen u in de haven op).

Monte Argentario met als hoofdplaats Porto Santo Stefano is met drie dammen (waarvan twee berijdbaar) met het vasteland verbonden.

TO.RE.MAR vaart ook op de kleinere Toscaanse eilanden: Porto Azzurro/Elba-Pianosa, Piombino-Rio Marina-Porto Azzurro-Pianosa; Gorgona en Capraia zijn vanuit Livorno bereikbaar. Het natuurreservaat Montecristo kan vanuit Elba alleen met een excursie worden bezocht.

De overtochten zijn relatief goedkoop, waarbij kinderen tussen de 4 en 12 jaar de halve prijs betalen en kinderen onder de 4 jaar gratis mee mogen.

Autorijden/verkeersregels

De Italiaanse snelwegen zijn (met uitzondering van de *superstrade*) tolwegen. Behalve contant kunt u de tol ook met een creditcard betalen, dat scheelt vaak wachttijd.

De gratis snelwegen van Toscane zijn: de superstrada Florence-Siena, de strada statale 3bis in het oosten en de Via Aurelia, die vanaf Livorno vlak langs de kust naar het zuiden naar Rome loopt. Dan is er nog de SS73 van Siena naar Sinalunga, die verder naar Umbrië gaat, en de zogeheten FI-PI-LI, die van Florence naar Pisa en Livorno loopt.

De provinciale wegen in Toscane zijn vaak erg bochtig, maar ze worden goed onderhouden. Kastelen, wijngoederen en afgelegen huizen zijn vaak alleen via onverharde wegen (*strade bianche*) bereikbaar.

De meeste historische centra van de steden en stadjes zijn verkeersvrij. Hotelgasten mogen vaak alleen op bepaalde tijdstippen tot voor hun hotel rijden, maar taxi's zijn vrijgesteld van die regels.

Informatie

Maximumsnelheden: ma.-vr. buiten de bebouwde kom 90 km/h, op *superstrade* 110 km/h, op tolwegen 130 km/h, op zon- en feestdagen en tijdens spitsuren kunnen er afwijkende maximumsnelheden gelden: buiten de bebouwde kom 90 km/h, en slechts 110 km/h op tolwegen; op enkele zesbaanswegen mag 150 km/h worden gereden als dat met borden is aangegeven.

Promillagegrens: 0,5.

Autolichten: buiten de bebouwde kom is het ook overdag verplicht de dimlichten aan te hebben!

Parkeerverboden: Gele strepen wijzen op een parkeerverbod! Boetes voor foutparkeren zijn hoog. Een bord waarop staat wanneer de straat wordt schoongemaakt, betekent dat er voor die tijdstippen een parkeerverbod geldt.

Pech onderweg

Automobilclub ACI: gratis pannehulp voor leden van de ANWB en andere automobielclubs, tel. 80 31 16.

Stijlvolle oldtimer in de chique badplaats Forte dei Marmi

Overnachten

Toscane heeft de naam bijzonder duur te zijn. Dat klopt en klopt toch ook weer niet. Het hoogseizoen is in ieder geval de duurste tijd, ongeacht wat voor soort onderdak u zoekt. Het is dus verstandig deze periode te mijden als dat mogelijk is en u niet aan schoolvakanties bent gebonden. Hoe langer u ergens blijft, hoe goedkoper het onderdak per dag is, dat geldt meestal ook voor hotels. Italianen huren een vakantiewoning of -huis gewoonlijk voor de hele zomer en in ieder geval voor een hele maand.

Hotels en pensions

Alle grote plaatsen in Toscane beschikken over een uitstekend aanbod aan accommodaties. De prijzen liggen over het algemeen hoog en stijgen steeds verder. In kleine plaatsen kan het in de drukke perioden lastig zijn om een vrije hotelkamer te vinden. Het is daarom belangrijk tijdig een kamer te reserveren, vooral in de drukke periode rond Pasen en van juli tot diep in oktober.

Tijdens beurzen en tentoonstellingen, bijvoorbeeld tijdens de modeweken, is er in Florence geen vrije kamer meer te vinden, vaak is alles tot in een straal van 50 tot 60 km om de stad heen volgeboekt. Hetzelfde geldt voor de periode van de Maggio Musicale (mei/juni) in Florence en tijdens de Palio in Siena.

Vakantiehuizen zijn in de winter zelden goedkoper omdat de huizen dan verwarmd moeten worden en de energiekosten erg hoog liggen. De hotelprijzen liggen in het laagseizoen wel vaak een stuk lager, vooral als u de kamer via een internetsite of thuis via een reisbureau boekt, de prijs kan dan tot 30% lager liggen.

Hotelcategorieën en prijzen

De luxeuste hotels hebben vijf sterren, daarna volgen hotels met vier sterren (1e categorie), drie (2e categorie, middenklasse), twee (2e categorie) en één ster (4e categorie). Voor een tweepersoonskamer inclusief belastingen en ontbijt betaalt u in de luxeklasse vanaf € 400, in de 1e categorie vanaf € 250, in de 2e categorie vanaf € 150, in de 3e categorie vanaf € 80 en in de steeds zeldzamer wordende 4e categorie vanaf € 40-50. Eenpersoonskamers doen in goede hotels in afmetingen en uitrusting nauwelijks onder voor een tweepersoonskamer, maar kosten rond 40% minder.

In veel toeristenoorden gelden de prijzen voor een verblijf van minimaal drie nachten, wie korter blijft, moet vaak een toeslag betalen.

Het ontbijt is vaak duur in hotels waar het niet is inbegrepen, in de hoogste categorieën € 20 of meer per persoon! Italianen en mensen die het land goed kennen, gaan voor hun ontbijt liever naar een bar voor een *caffè* of *cappuccino* met een *cornetto*.

Vakantiehuizen en appartementen

In het hoofdseizoen zijn de prijzen voor vakantiehuizen en appartementen tot vier keer zo hoog als in het laagseizoen. Het aanbod is breed, van eenvoudig tot luxueus. De huurprijzen liggen gemiddeld rond de € 400-2000 per week.

Verhuurders

Cuendet: I-30172 Venezia, Mestre, Viale Ancona 15, tel. 041 251 61 00, www.cuendet.nl, internationaal verhuurbedrijf uit Italië.

Interhome: www.interhome.nl, tel. 070

414 10 00. Dit van oorsprong Zwitserse bedrijf is de grootste aanbieder van vakantiehuizen in Europa.

Huizen in Toscane: www.huizen-in-toscane.nl, tel. 06 497 681 67. Een kleine verhuurder die vooral huizen in het zuiden van Toscane aanbiedt.

To Toscane: www.to-toscane.nl, tel. 020 893 23 85. Gespecialiseerd in huizen in Toscane en Umbrië.

Appartement Toscane: www.apparte menttoscane.com, tel 0518 85 03 38. Verhuur van appartementen, woningen en villa's in Toscane.

Daarnaast kunt u natuurlijk ook bij uw plaatselijke reisbureau binnen stappen, want slechts weinig reisorganisaties laten Toscane links liggen. Kijk bijvoorbeeld op www.tui.nl.

Jeugdherbergen

Er zijn meer dan twintig *ostelli*, jeugdherbergen, in Toscane, onder andere in Abetone, Arezzo, Castelfiorentino, Cavriglia, Cortona, op Elba, drie in Florence, Greve in Chianti, Livorno, Lucca, twee in Marina di Massa, Montaione, San Gimignano, San Giugliano, Siena, Tavernelle Val di Pesa en Volterra. Kijk voor meer informatie op www.ostelli dellagioventu.org (ook ander goedkoop onderdak).

Agriturismo

Een agriturismo is een boerenbedrijf waar u een kamer, appartement of huisje kunt huren. De producten van het bedrijf zijn te koop voor de gasten en als de agriturismo over een restaurant beschikt, komen daar de eigen producten op tafel. Een agriturismo kan behalve een boerderij ook een kasteel zijn, waar de gasten in bijgebouwen worden ondergebracht, terwijl het landgoed

rond het kasteel wijn en olijfolie produceert. Ook boerenbedrijven waar de producten direct aan huis te koop zijn, maar die niet over onderdak voor toeristen beschikken, afficheren zich soms als agriturismo.

Terranostra Toscana: Via della Villa Demidoff 64/D, 50127 Firenze, tel. 055 324 50 11, fax 055 324 66 12, www.terranostra. it of www.campagnamica.it

Agriturist: Associazione Regionale Toscana, Piazza San Firenze 3, 50121 Firenze, tel. 055 28 78 38, fax 055 230 22 85, op de site www.agriturist.it vindt u een link naar Toscane.

Turismo Verde: Via Verdi 5, 50122 Firenze, tel. 055 200 22, fax 055 234 50 39, www.turismoverde.it. Verhuurorganisatie van de CIA (Confederazione Italiana Agricoltori), Via Iacopo Nardi 41, 50132 Firenze, tel. 055 233 89 11, fax 055 233 89 88, www.cia.it.

Meer tips op internet op www. turismointoscana.it.

Campings

Campings, in het Italiaans *campeggi* geheten, zijn er in overvloed, vooral langs de kust, terwijl de campings in het binnenland soms fraai in het karakteristieke Toscaanse landschap liggen. In de campinggidsen van de ANWB staan ze beschreven.

Voor een gegarandeerd hoge standaard, gewaarborgd door regelmatige controles, kunt u terecht op de campings en vakantieparken van de **FAITA** (Federazione Associazione Italiane per il Turismo all'Area Aperta). Hun brochure is gratis verkrijgbaar bij de kantoren van de ENIT en bij de FAITA Toscana, Via Santa Caterina d'Alessandria 4, 50122 Firenze, tel. 055 427 41, www.faita.it. Een lijst van de aangesloten campings is te vinden op www.campeggi.com/nl, klik op de link naar Toscane.

Eten en drinken

Over het algemeen liggen de prijzen in de Toscaanse restaurants iets lager dan die in Nederland. Vooral in kleinere plaatsjes en in zijstraatjes kunt u goedkope eethuisjes vinden, zelfs in Florence. De kwaliteit is bijna zonder uitzondering goed tot zeer goed. Daarnaast bestaan er ook chique en modieuze restaurants met hoge prijzen.

En gewone restaurantmaaltijd met een voorgerecht (*antipasto*) of een eerste gang (*primo piatto*), bijvoorbeeld pasta of groentesoep, een hoofdgerecht (*secondo piatto*) van vlees of vis (*carne, pesce*) met een bijgerecht (*contorno*), en eventueel een nagerecht (*dolce*), kaas (*formaggio*), fruit (*frutta*) of ijs (*gelato*) kost per persoon rond € 25-40. Reken voor een pizza op € 6-12. In een restaurant kost een karaf met 1 l goede chianti vanaf € 12, net als een fles eenvoudige tafelwijn (0,75 l), daarboven zijn in prijs en kwaliteit de mogelijkheden onbegrensd.

In deze reisgids staat de menuprijs, tenzij anders vermeld, voor een voorgerecht of een *primo*, gevolgd door een hoofdgerecht met bijgerecht. De prijs is inclusief bediening en de zogenaamde *coperto*, het dekken van de tafel.

De Toscaanse keuken

De Toscaanse keuken is een boerenkeuken, gebaseerd op de verse en kwalitatief goede producten van het land: olijfolie, vlees, vis, schaal- en schelpdieren, groente, fruit, kaas en wijn. De Toscani eten veel groenten, vaak rauw, licht gestoofd of gegrild en altijd met wat olijfolie besprenkeld. Ze worden geserveerd als voorgerecht of bijgerecht, bijvoorbeeld gebakken aubergine (*melanzane*), artisjokken (*carciofi*), venkel (*finocchio*), groene asperges (*asparagi verdi*).

Tegenwoordig staan overal in Toscane pasta en risotto als *primo piatto* op de menukaart, maar de Toscani zelf geven in bijna alle provincies de voorkeur aan groentesoep of een soep op basis van granen (bijvoorbeeld spelt).

Als *secondi,* dat wil zeggen de tweede gang, het eigenlijke hoofdgerecht, wordt vis, gevogelte of vlees geserveerd. De beroemdste specialiteit van Toscane is de voortreffelijke, maar dure *bistecca fiorentina,* een forse T-bonesteak die boven houtskool wordt gegrild en met witte boontjes met wat olijfolie en zout en peper wordt geserveerd. De steak weegt minstens 600 g per persoon (inclusief bot), maar het beste kan men er een met zijn tweeën bestellen, want hoe groter, hoe sappiger. Het vlees mag alleen afkomstig zijn van het lokale chianinarund. Als het kort gegrilde vlees in plakken gesneden wordt geserveerd, heet het gerecht *tagliata*. Het vlees is dan vaak gekruid met rozemarijn en vers gemalen peper en besprenkeld met goede

Genieten in de oogsttijd

De druivenoogst vindt in Toscane gewoonlijk in september plaats en loopt soms tot in oktober door. In november volgt de olijvenoogst, waarna de olijven direct verwerkt worden. Overal op het land hangt dan de geur van vers geperste olijfolie. De herfst is in de bergen van de Garfagnana en de Casentino de tijd van de kastanjes, wilde paddenstoelen en de jacht. Eekhoorntjesbrood wordt echter van de zomer tot ver in de herfst geplukt. Truffels staan vanaf november de hele winter door op de menukaarten. Het hoogtepunt van het truffelseizoen is de truffelbeurs van San Miniato al Tedesco.

olijfolie. Een andere specialiteit is de *trippa fiorentina,* in wijn gegaarde pens. Er zijn zelfs speciale restaurants voor dit gerecht (bijvoorbeeld de *trippaioli* in Florence).

Gevogelte is ook geliefd in Toscane, vooral parelhoen *(faraona),* net als mals lamsvlees *(agnello),* geitenbokjes *(capretto)* en konijn *(coniglio),* terwijl in de herfst regelmatig wild *(selvaggina)* op tafel komt.

Ook paddenstoelen worden in Toscane veel gegeten: de regio is beroemd om zijn eekhoorntjesbrood *(funghi porcini),* maar deze delicatesse is even duur als een goed stuk vlees. Nog duurder is de truffel *(tarfufo),* en dan vooral de truffels die in de buurt van San Miniato worden gevonden.

Aan zee staan vis en schaal- en schelpdieren op het menu, terwijl in de bergen van de Garfagnana en de Casentino forellen en bij de riviermondingen jonge paling *(anguille)* geliefd zijn.

Als nagerecht kunt u bijvoorbeeld kiezen voor *ricciarelli* (amandelkoekjes), *panforte* uit Siena, *biscotti* of *cantucci di Prato,* harde amandelkoekjes, die bij voorkeur in de droge dessertwijn vinsanto worden gedoopt.

Worst, kaas, brood en olijfolie

Toscane kent diverse karakteristieke vleeswaren, zoals de *finocchiona,* een met venkelzaad gekruide grove worst, en de

Een klasse apart: de oude, edele wijnen uit de Chianti

prosciutto aromatico, een kruidige ham uit Siena. Op markten en tijdens feesten wordt vaak *porchetta* verkocht, een met kruiden en knoflook gevuld en knapperig gebraden speenvarken, dat in plakken wordt gesneden.

De schapenkaas uit Pienza en omgeving heeft een goede reputatie, net als de *pecorino* uit de Maremma. Over het algemeen geldt: hoe langer de pecorino gerijpt is, hoe pittiger hij smaakt en ook hoe duurder hij is.

Het Toscaanse brood, een stevig wit brood met harde korst, is traditioneel zoutloos en leent zich goed om te roosteren en naar smaak te kruiden, bijvoorbeeld als *bruschetta*: geroosterd brood ingewreven met knoflook en besprenkeld met olijfolie. Een andere specialiteit

zijn de *crostini,* kleine boterhammetjes bestreken met bijvoorbeeld een smeersel van kippenlevers.

De Toscaanse olijfolie is troebel en groenig als hij als *extra vergine,* dat wil zeggen van de eerste koude persing, en ongefilterd wordt gepresenteerd.

Toscaanse wijnen

Rode wijnen

De Chianti, de wijnstreek die ruwweg tussen Florence in het noorden en Siena in het zuiden ligt, bestaat uit meerdere wijngebieden. De bekendste wijn is de zware, donkerrode **chianti classico**, afkomstig uit het kerngebied van de streek tussen Florence en Siena. Deze chianti is gewoonlijk voorzien van de zwarte haan van het *Consorzio del Marchio Storico,* waar veel wijnboeren bij aangesloten zijn. Ten noorden van het eigenlijke kerngebied wordt in de omgeving van Florence de meestal wat lichtere **chianti putto** gemaakt. Uit de wijngaarden van de Rufina ten oosten van Florence komen wijnen van buitengewoon hoge kwaliteit.

De **vino nobile di montepulciano** is een andere stevige wijn met een grote reputatie, net als de peperdure, dieprode **brunello di montalcino**. Ook de uit de Maremma afkomstige rode **morellino di scansano,** die net als de brunello van sangiovesedruiven wordt gemaakt, is van hoge kwaliteit, net als veel andere wijnen uit de Maremma.

Witte wijnen

De bekendste witte wijn van Toscane is de **vernaccia di san gimignano,** maar kwalitatief beter zijn de ten zuiden van Montecatini Terme verbouwde, veel minder bekende **montecarlo** en de **bianco di pitigliano**. De witte, lichte **galestro** uit de Chianti is momenteel erg in de mode.

Actieve vakantie, sport en wellness

Zwemmen en duiken

De lange, met fijn zand bedekte stranden van het noorden van Toscane zijn grotendeels verpacht en vormen zo een lange reeks *bagni* met kleurige kleedhokjes, rijen parasols en ligstoelen, en een bar of restaurant. Hier kan de strandliefhebber makkelijk een dag doorbrengen zonder last te hebben van honger of dorst – en zonder zich te vervelen, want langs de stranden kunnen allerlei watersporten worden beoefend. Zo liggen er meestal waterfietsen op klanten te wachten en kunt u bij de jachthavens zeilplanken en zeilboten huren, als u die ten minste niet zelf hebt meegenomen.

De mooiste en bekendste stranden zijn die van de Versilia (Forte dei Marmi en Viareggio), gevolgd door die van Tirrenia iets naar het zuiden, aan de andere kant van de monding van de Arno. Verder naar het zuiden volgen kleinere stranden met *bagni,* waarbij vooral Castiglioncello erg fraai ligt. Daarna volgen de dichte dennenbossen bij Punta Ala, waar een mooie jachthaven en luxehotels te vinden zijn, terwijl bij Castiglione della Pescaia een prachtig lagune-

landschap is te vinden. Verder naar beneden volgen weer dichte dennenbossen met smalle, lange zandstranden, die tot aan de grens met Lazio lopen, met badplaatsen als Marina di Grosseto, de stranden van het Parco regionale della Maremma en de lagune van Orbetello.

In het noorden loopt een mooie strandvakantie al snel in de papieren, terwijl er verder naar het zuiden stranden en hotels in alle categorieën zijn te vinden. En dan zijn er natuurlijk nog de Toscaanse eilanden, ware paradijzen voor duikers en andere liefhebbers van de zee. Een andere fraaie duiklocatie is te vinden in de Golfo di Baratti aan de voet van Populonia. Meer informatie vindt u bij de plaatsbeschrijvingen.

Golfen

Toscane beschikt over een twintigtal golfbanen en vrijwel allemaal behoren ze tot de top van mooiste golfbanen van Italië met op de eerste plaats de oudste baan van Toscane (Ugolino) ten zuiden van Florence met zijn enorme parasoldennen. Meer informatie vindt u bij de plaatsbeschrijvingen, of kijk op www. cc-villas.com/Golf, op www.golfreiswijzer.nl (klik op Italië en vervolgens op Toscane) of op www.leadingcourses. com.

Fietsen en mountainbiken

De beste parcoursen vindt u rond de Monte Amiata en ten noorden van Pistoia en Lucca richting Abetone. Vooral in het weekend zult u de routes met Italiaanse liefhebbers moeten delen, want wielrennen is in Toscane, net als in de

Fietstips en gidsen

Op www.opvakantienaartoscane.info vindt u behalve veel informatie over Toscane ook een link naar fietsen in Toscane. Op deze pagina staan nuttige links naar andere websites over fietsen in de regio. De website www.opdefiets. net/italie is gewijd aan een gids met fietsroutes in Toscane en Umbrië. Een andere nuttige site is www.fiabtoscana. it van de Italiaanse fietsersbond, maar die is alleen in het Italiaans.

rest van Italië, erg populair. Minder inspannend maar ook erg mooi zijn de routes die in de Chianti en de Mugello zijn te vinden (zie kader blz. 28).

Paardrijden

Toscane heeft ruiters veel te bieden en beschikt zelfs over enkele speciale ruiterhotels. Voor meer informatie kunt u terecht bij de Italiaanse federatie voor ruitersport FISE-SPORT, voor Toscane: Via Felice Cavalotti 31, 55049 Viareggio (LU), tel. 0584 94 41 82/3, fax 0584 323 54, www.fisetoscana.com.

In de Chianti en langs de kust van de Versilia zijn de nodige mogelijkheden om paard te rijden, maar het echte ruiterparadijs van Toscane is het binnenland van de Maremma. Natuurlijk is het niet noodzakelijk in een ruiterhotel te logeren, u kunt ook bij een manege les nemen of meegaan op ruitertochten. De meeste maneges organiseren tochten door de omgeving, tips vindt u bij de plaatsbeschrijvingen.

Wandelen

Wandelliefhebbers kunnen in Toscane uit steeds meer gemarkeerde paden kiezen. De meeste routes zijn uitgezet door de Italiaanse bergsportvereniging CAI (zie onder). Tot de mooiste wandelgebieden horen het zuiden van de Chianti, waar u tussen de kastelen en wijnboerderijen loopt, de beboste Garfagnana ten noorden van Lucca, de Maremma bij Grosseto, de Casentino ten noorden van Arezzo en rond de Monte Amiata, de hoogste berg binnen de grenzen van Toscane (1738 m). Maar ook in de Mugello ten noorden van Florence, waar de Florentijnen de zomerse hitte ontvluchten, zijn fraaie gemarkeerde paden te vinden.

De Italiaanse bergsportvereniging CAI organiseert wandel- en trektochten met gids. Voor meer informatie: CAI Club Alpino Italiano, Via del Mezzetta 2/m, 50135 Firenze (FI), tel. 055 612 04 67, fax 055 612 31 26, www.caitoscana.it.

Wellness

Zelfs de kleinste hotels en sommige agriturismi adverteren tegenwoordig met een wellnessaanbod. Bij het reserveren van een kamer is het daarom verstandig goed te informeren waaruit het aanbod daadwerkelijk bestaat. De beste wellnesshotels zult u in de kuuroorden aantreffen, waar wellness met thermale baden gecombineerd kan worden. U vindt ze onder andere in Montecatini Terme en Chianciano Terme. Voor hypermodern design in een historische omgeving kunt u naar San Giuliano Terme, Monsummano Terme en San Casciano dei Bagni, helemaal in het zuidoosten van Toscane (zie Plaatsbeschrijvingen). Kijk voor meer informatie op www.turismo.intoscana.it, klik op het Britse vlaggetje en dan op Spas, of ga naar www.termetoscane.com. In de grotere steden komen ook steeds meer wellnesscentra, in Florence bijvoorbeeld in fraaie oude *palazzi*.

Kaarten en wandelgidsen

Bij de kantoren van de ENIT en bij lokale toeristenbureaus zijn gratis goede kaarten te krijgen. U kunt ook een wandelgids kopen, bijvoorbeeld *ANWB Actief Toscane* (2013). Hierin staan naast wandelingen ook fietstochten en autoroutes beschreven.
Kompass wandelkaarten: Lago Trasimeno, Val di Chiana, Chianciano Terme (Innsbruck 2009) en Pienza, Montalcino, Monte Amiata (Innsbruck 2010).

Feesten en evenementen

Een historisch feest

De inwoners van Florence zijn over het algemeen kalme mensen, maar op 24 juni staat de hele stad op zijn kop, want dan is het de feestdag van hun schutspatroon Johannes de Doper, de dag waarop het laatste 'bedrijf' van het **Calcio Storico** plaatsvindt, het voetbaltoernooi in historische kostuums. Het spektakel doet nog het meeste aan een gigantische vechtpartij denken, waarbij de kleurige kostuums aan flarden worden gescheurd, maar naar verluidt liggen er toch voetbalregels aan ten grondslag. Na een fraaie optocht in renaissance-kostuums door de straten van de oude stad vinden de wedstrijden plaats op de piazza voor de fraaie gevel van de kerk van Santa Croce.

Religieuze feesten

Vergeleken met het Calcio Storico gaat het er op eerste paasdag bijna rustig aan toe tijdens de **Scoppio del Carro**, de 'explosie van de kar'. Deze traditie bestaat al minstens sinds 1622 in Florence, het jaar waarin de kleurige originele kar werd gebouwd. De kar ligt op een soort oorlogsmachine en wordt door twee prachtige, grote runderen door de stad getrokken naar de plaats van de explosie, het plein tussen de Paradijspoort van het baptisterium en de voorgevel van de kathedraal. De hoofdportalen van de kerk staan open zodat vanaf het hoogaltaar een nagemaakte duif langs een gespannen koord op de kar kan worden geschoten, waarna er een oorverdovend vuurwerk uit de kar knalt.

Het gaat bij de Scoppio del Carro niet alleen om het lawaai en het spektakel, in ieder geval niet in de ogen van de Florentijnen. Als de vlucht van de duif namelijk vlekkeloos verloopt, dan staat Florence een goed jaar te wachten, maar als er wat fout gaat, ja dan ...

De schutspatroon van Pisa wordt op 17 juni geëerd met de naar hem genoemde **Regata di San Ranieri**. Deze regatta was het voorbeeld voor de *Regata Storica delle Repubbliche Marinare*, die ieder jaar afwisselend in een van de vier historische zeerepublieken van Italië wordt gehouden: in Pisa, Genua, Amalfi en Venetië. Tijdens dit feest vindt er in Pisa, zoals nu eenmaal hoort bij een Toscaans feest, een grandioze optocht in historische kostuums en met vendelzwaaiers plaats.

Wedstrijden tussen wijken

Het beroemdste feest van Toscane, en een dat op een lange geschiedenis kan terugblikken, is de paardenrennen van Siena, de **Palio** (zie blz. 72), waarbij ook een optocht in historische kostuums (*corteo storico*) hoort. Twee maal per jaar vaardigen tien *contrade* (stadswijken) een ruiter met paard voor de bloedstollende race op het centrale plein af.

De **Gioco del Ponte** in Pisa vindt gewoonlijk op de laatste zondag van juni plaats op de Ponte di Mezzo, de brug over de Arno die het noordelijke deel van Pisa met het zuidelijke deel van de stad verbindt. Ook in Pisa trekken de rond zeshonderd deelnemers eerst in prachtige historische kostuums door de feestelijk versierde stad, de ene groep door het noordelijke deel van Pisa, de andere door het zuidelijke deel. Vervolgens stellen de strijders zich op de brug op, waar een zware wagen op rails staat. De eigenlijke wedstrijd bestaat eruit dat de sterkste mannen van de twee stadsdelen onder luide aanmoedigingen van hun wijkgenoten proberen de wagen naar de kant van de tegenstander te duwen.

De **Giostra del Saracino** in Arezzo is een ruiterspel op de eerste zondag van september, waarbij elke wijk van de stad twee ruiters afvaardigt. Met hun lans moeten de ruiters proberen het schild van de saraceen, een draaibare pop van hout, te raken. Als de ruiter niet goed uitkijkt, wordt hij door de twee ijzeren kogels die de zwarte saraceen aan lange ijzeren kettingen vasthoudt, uit het zadel geworpen.

Het sportiefste feest vindt op de tweede zondag van september in Sansepolcro plaats: de **Palio della Balestra**, een kleurig spektakel waarbij de wijken van de stad met elkaar wedijveren in het kruisboogschieten. Deze sport heeft een lange traditie in het uiterste noordoosten van Toscane en wordt tot op de dag van vandaag met veel overgave beoefend. Ook de productie van kruisbogen floreert in het fraaie stadje.

Feestagenda

Januari
Driekoningen, Epifania: 6 jan. Het Italiaanse Sinterklaas, de zoete kindertjes krijgen cadeautjes van de heks Befana.

Maart/april
Pasen: in Florence vindt op eerste paasdag de *Scoppio del Carro* plaats. Tweede paasdag (*Pasquetta*) is een wettelijke feestdag in Italië en is *de* dag waarop gezinnen een uitstapje maken.
Bevrijdingsdag (van de Duitse bezetting, 1945): 25 april

Mei
Balestra del Girifalco: op de eerste zondag na 20 mei, kruisboogschieten in Massa Marittima.
Calcio in Costume in Florence: gewoonlijk vanaf de laatste zondag van mei, voetbal in historische kostuums.
Hemelvaart en **Sacramentsdag:** in mei of juni, de data hangen van Pasen af.

Juni
Dag van de Republiek: de eerste zondag na 2 juni.
Regata di San Ranieri: 17 juni in Pisa.
Finale van Calcio in Costume: 24 juni, ter ere van de schutspatroon van Florence, San Giovanni Battista.
Gioco del Ponte: laatste zondag van juni in Pisa met 600 deelnemers in renaissancekostuum.

Juli/augustus
Palio: 2 juli, paardenrennen in Siena.
Balestra del Girifalco: tweede zondag van augustus, in Massa Marittima.
Maria-Hemelvaart: 15 augustus.
Ferragosto: 15 augustus, traditioneel het begin van de zomervakantie, al nemen steeds meer Italianen eerder vrij. Niettemin is het nog steeds een drukke dag op de Italiaanse wegen!
Tweede Palio: 16 augustus in Siena.

September
Giostra del Saracino: eerste zondag van september, in Arezzo.
Kruisboogschieten: tweede zondag van september, in Sansepolcro.
Processie van de Volto Santo: 13 sept., in Lucca

November
Allerheiligen: 1 nov.
Dag van de Strijdkrachten: de zaterdag na 4 nov.

December
Maria Onbevlekte Ontvangenis: 8 dec.
Kerstmis: 25 en 26 dec.
Jaarwisseling: 31 dec./1 jan.

Praktische informatie van A tot Z

Ambassades en consulaten

Ereconsulaat België

Via dei Servi 28, 50123 Firenze, tel. 055 28 20 94

Nederlands Honorair Consulaat

Via Cavour 81, 50129 Firenze, tel. 055 47 52 49

Italiaanse ambassade

... in België: Emile Clausstraat 28, 1050 Brussel, tel. 02 643 38 50
... in Nederland: Alexanderstraat 12, 2514 JL Den Haag, tel. 070 302 10 30

Apotheken

Een apotheek heet een *farmacia* in het Italiaans; u vindt er vrijwel alle internationaal gangbare medicijnen. De apotheken van dienst (bij alle apotheken aangegeven) blijven 24 uur per dag open, maar buiten de reguliere openingstijden kan er een toeslag worden gerekend.

Feestdagen

1 januari: Nieuwjaar
6 januari: Driekoningen (*Epifania*)
Pasen: tweede paasdag (*pasquetta*) is in heel Italië een officiële feestdag
25 april: Bevrijdingsdag
1 mei: Dag van de Arbeid
Hemelvaart en **Sacramentsdag:** data afhankelijk van Pasen
Zondag na 2 juni: Dag van de Republiek
15 augustus: Maria-Hemelvaart
8 september: Geboorte van Maria
1 november: Allerheiligen
8 december: Onbevlekte Ontvangenis van Maria
25 en 26 december: Kerstmis

Fooi

De bediening is gewoonlijk in de restaurantrekening inbegrepen (behalve in Florence!), als dat niet het geval is, staat er op de menukaart 'Servizio 10%'. Als u tevreden bent, kunt u nog 5-15% fooi bij de rekening doen.

In hotels hoort het kamermeisje minimaal € 1 per dag verblijf te krijgen, hetzelfde bedrag krijgt degene die uw bagage omhoog draagt per stuk bagage, maar in een luxehotel liggen deze bedragen natuurlijk hoger. Vergeet niet om als u half- of volpension hebt geboekt in het hotelrestaurant apart een fooi neer te leggen.

Na een taxirit kunt u de prijs omhoog afronden tot rond 10% fooi, hetzelfde geldt voor de kapper.

Geld

Vrijwel alle Italiaanse hotels, restaurants, winkels en tankstations accepteren creditcards. Er zijn ruim voldoende geldautomaten om geld te pinnen, waarbij afhankelijk van de bank vrij lage maximumbedragen per dag gelden, soms maar € 250 per dag.

Kinderen

Kinderen van het ene museum naar het andere slepen is een beproefd recept voor lange gezichten. Het is beter een vakantiehuisje te huren en af en toe een cultureel uitstapje te maken, afhankelijk van de leeftijd van de kinderen. Langs de veelal vlak aflopende stranden van Toscane is voldoende vermaak voor kinderen te vinden. Met uitzondering van de horeca in de op gezinnen gerichte badplaatsen en campings hebben maar weinig restaurants in Toscane speciale kindermenu's.

Media

De Italianen lezen over het algemeen weinig kranten, ze kijken liever televisie en consumeren daarbij vooral dat wat de commerciële zenders hen voorschotelen. Het meest gelezen worden het liberale dagblad *Corriere della Sera* uit Milaan en de gematigd progressieve *La Repubblica* uit Rome.

In de grote steden en de belangrijkste badplaatsen zijn actuele Nederlandse kranten verkrijgbaar, soms in vakantie-uitgave.

Medische verzorging

De medische zorg in Toscane is vergelijkbaar met die in West-Europa. Zelfs kleine plaatsen beschikken over een medisch centrum, waar toeristen indien nodig geholpen worden. Bij de receptie van uw hotel kan men u naar een arts of medisch centrum verwijzen. Met een Nederlandse of Belgische ziektekostenverzekering en het bezit van een Europese Zorgpas (EHIC) wordt u meestal gratis geholpen in ziekenhuis of *ambulatorio*. In privéklinieken wordt de Europese ziekteverzekeringskaart vaak niet erkend. U dient de rekening ter plekke te voldoen. Bewaar alle bonnetjes om thuis de kosten bij uw verzekeraar te claimen. Zoek voor vertrek wel uit wat uw verzekeraar dekt en overweeg een aanvullende reisverzekering af te sluiten.

Noodgevallen

Politie en ambulance: 113
Wegenwacht (ACI): 80 31 16
Blokkeren van bankpas of creditcard: +31 30 283 53 72 (Nederland) of +32 70 34 43 44 (België). Noteer voor vertrek ook het nummer van uw provider om uw mobieltje of tablet te blokkeren in geval van verlies of diefstal.

Omgangsvormen

De inwoners van Toscane zijn over het algemeen formele mensen. Ze waarderen het als de buitenlandse gast enige afstand bewaart, vooral in de stad, maar ook langs de kust en op het land. Overdag dient men zich bij officiële aangelegenheden en bij kerkbezoek passend te kleden: geen minirok of laag uitgesneden kleding, terwijl voor mannen een jasje op een jeans voldoende is, ook in de goede restaurants, al ziet men daar 's avonds graag dat de gasten goed gekleed gaan. Als u bij Italianen thuis voor het eten wordt uitgenodigd, is het gebruikelijk om een klein cadeau mee te nemen, bijvoorbeeld een doos bonbons of een kleinigheidje voor de kinderen als u weet dat uw gastheer en gastvrouw die hebben.

Openingstijden

Winkels en apotheken: in de winter gewoonlijk ma.-za. 8.30-12.30, 15.30-19.30, in de zomer 's middags 16-20 uur. Op zondag zijn de meeste winkels dicht, maar in badplaatsen en de centra van grote steden zijn veel winkels ook dan open. Levensmiddelenwinkels zijn zondagochtend vaak open, maar maandagmiddag gesloten. In veel plaatsen zijn levensmiddelenwinkels ook op woensdagmiddag gesloten.

Banken: ma.-vr. gewoonlijk ca. 8.30-13.20, 14.45-15.30 uur, wisselkantoren in toeristische centra als Florence zijn ook zaterdagochtend open en vaak hanteren ze langere openingstijden en gaan tussen de midag niet dicht.

Postkantoren: gewone postkantoren zijn ma.-vr. 8.25-14 (in kleine plaatsen tot 12), za. tot 12 uur open. Hoofdpostkantoren zijn meestal de hele dag open.

Musea en bezienswaardigheden: zie de beschrijvingen, maar ze veranderen nogal eens. In juli en augustus zijn de belangrijkste musea 's avonds tot 22-23 uur open.

Reizen met een handicap

Steeds meer musea in Toscane worden toegankelijk gemaakt voor gehandicapten. Helaas geldt dat nog niet voor de kerken en diverse andere bezienswaardigheden. Nieuwe hotels en hotels die gerenoveerd worden, moeten afhankelijk van het aantal kamers minimaal

Beste reistijd

Tijdens het hoogseizoen, dat wil zeggen de periode rond Pasen, rond Pinksteren, mei, juli/augustus en september/oktober, bedraagt de huur van bijvoorbeeld een vakantiehuis soms wel het viervoudige van wat u er in het laagseizoen voor betaalt. Niettemin is het lang niet zeker dat u in de gewenste tijd ook het beste weer treft. Daarnaast is het in het hoogseizoen vaak zo druk in de bekende musea dat u de kunstwerken in het gedrang van de toeristen nauwelijks ziet. Wie vooral voor de kunst in de belangrijke musea naar Toscane komt, kan daarom maar beter buiten deze perioden gaan en kan zelfs overwegen om in de winter naar Italië te komen.

een kamer hebben die geschikt is voor gehandicapten.

Souvenirs

Tot de beste souvenirs uit Toscane horen lederwaren uit Florence, waar u ook mode van hoge kwaliteit en – naast gouden en zilveren sieraden – fraaie modeaccessoires kunt vinden. In Arezzo en de Chianti kunt u vlechtwerk en smeedijzer kopen, in Impruneta en omgeving keramiek (tegels, serviesgoed), terwijl Empoli bekend staat om zijn glaswaren. Volterra is beroemd om zijn doorschijnende albast.

Toscane is een paradijs voor liefhebbers van antiek, met de beste winkels in Florence en Arezzo (maandelijkse antiekmarkt en in september een antiekbeurs). Ook in Cortona (waar ook een antiekmarkt wordt gehouden) en de hele Val di Chiana kunt u veel antiek vinden.

De voortreffelijke levensmiddelen van Toscane behoren tot de populairste souvenirs: *pecorino* (schapenkaas, bij voorkeur lang gerijpte kazen) uit Pienza of de Maremma; extra vergine olijfolie uit Lucca, Vinci, Pienza of de Chianti. Uit Pescia stammen de beste *biscotti di Prato* (amandelkoekjes) terwijl *panforte*, het zware, kruidige en rijkgevulde kerstbrood traditioneel uit Siena komt. En dan zijn er natuurlijk nog de wijnen, zoals de chianti, vino nobile di montepulciano, brunello di montalcino, bianco di pitigliano, vernaccia di san gimignano, morellino di scansano en vele andere.

Telefoon

De telefoon- en telegraafkantoren van Telecom Italia zijn van de postkantoren afgesplitst. In de belangrijkste toeristische plaatsen zijn ze de hele dag open, minimaal 9-18 uur (maar soms 13-14 uur gesloten). In kleine plaatsen is men op winkels en bars met een publieke telefoon aangewezen, ze zijn herkenbaar aan het bordje met een telefoon boven de ingang. Deze zaken hebben gewoonlijk ook telefoonboeken van heel Italië.

In telefooncellen kan inmiddels bijna alleen nog maar met een telefoonkaart worden gebeld (te koop bij Telecomwinkels en krantenkiosken). Het normale tarief geldt ma.-vr. 8-18.30, za 8-13.30 uur; op de overige tijden en zondag geldt een lager tarief, dat rond 50% van het normale tarief bedraagt.

Telefoneren vanaf een hotelkamer is vaak drie tot vier keer zo duur als vanuit een telefooncel.

In Italië kunt u probleemloos uw mobiele telefoon gebruiken, let wel op dat roaming is ingeschakeld. Als u veel op uw telefoon wilt internetten, kan dat aardig in de papieren lopen, overweeg daarom een Italiaanse simkaart te kopen en daar beltegoed op te zetten.

Veiligheid

Helaas geldt ook voor Toscane, en dan vooral in het hoogseizoen in de toeristische centra, dat u beter niet veel contant geld op zak kunt hebben. Laat ook uw handtas niet aan de rijbaanzijde losjes over uw schouder hangen om dieven die in een auto of op een scooter voorbij rijden niet in de verleiding te brengen. Vergeet niet na het parkeren het frontje van de autoradio mee te nemen. Laat de auto 's nachts niet op een onbewaakte plek staan, parkeer in een garage of op een plek die de hotelier aanbeveelt.

Vrouwen

Toscane geldt als een veilige regio voor vrouwen om alleen te reizen. Helaas heeft de regio zijn internetportaal voor vrouwen afgeschaft. De informatie is nog wel verkrijgbaar als handboek: Benvenute in Toscana.

Pinokkio doet het altijd goed als souvenirtje voor kinderen

Kennismaking – feiten en cijfers, achtergronden

Campiglia d'Orcia in de Val d'Orcia is een burchtdorp op een heuvel

Toscane in het kort

Feiten en cijfers

Ligging en oppervlakte: Toscane ligt in Midden-Italië. De regio wordt in het noorden begrensd door de bergen van de Appennino Tosco-Emiliano, die Toscane van Ligurië en Emilia-Romagna scheiden; in het zuiden grenst Toscane aan de regio Lazio, in het westen aan de Tyrrheense Zee en in het oosten aan de regio Umbrië. Van de 22.992 km² die Toscane beslaat, is rond 25% in gebruik als landbouwgrond.

De Toscaanse vlag

Hoofdstad: Florence (rond 372.200 inwoners)

Taal: Italiaans

Inwoners: Toscane telt rond 3,7 miljoenen inwoners (waarvan 10% in de hoofdstad Florence), dat komt neer op een gemiddelde van 162 inwoners per km². Als we alleen naar het in cultuur gebrachte land kijken, is dat ca. 600 inwoners per km².

Munteenheid: euro (€)

Tijdzone: MET, dezelfde als Nederland en België

Landennummer: 0039

Geografie en natuur

Toscane is van noord naar zuid 215 km lang en van oost naar west 235 km breed. De kust met zijn talrijke baaien is 328 km lang en als de eilanden erbij worden opgeteld 580 km. De oppervlakte van Toscane bedraagt 22.994 km², inclusief de eilanden Gorgona, Capraia, Elba, Pianosa, Montecristo, Giglio en Giannutri. Daarmee beslaat Toscane 7,6% van de oppervlakte van Italië.

De regio bestaat voor 70% uit heuvelland en voor 20% uit bergen, slechts 10% is vlak. In het noorden lopen de Apennijnen met toppen tot boven de 2000 m in een grote boog over de grens tussen Toscane en Emilia-Romagna. Karakteristiek voor Toscane zijn de deels bergachtige, rond rivieren gelegen streken

als de Lunigiana, Garfagnana, Mugello, Casentino, Valdarno en Val di Chiana. In het hart van de Chianti (met heuvels tot ca. 600 m hoog) bestaat het landschap voor ongeveer 50% uit bos en macchia en voor 50% uit *cultura mista* met akkers, wijngaarden en olijfgaarden.

In het noordoosten rijst bij Vallombrosa de 1592 m hoge Pratomagno op, terwijl in het zuiden de Monte Amiata met een hoogte 1738 m de hele omgeving domineert. Ten zuidwesten van Siena liggen de Colline Metallifere (tot 1000 m hoog), die uit zandgronden en klei bestaan, maar waarin ook resten van ouder, ertshoudend gesteente en het geothermische gebied van Larderello zijn te vinden. Verder naar het zuiden beginnen de beboste heuvels van de Maremma, waar in het kustgedeelte vroeger malaria heerste. De eilanden zijn met uitzondering van Pianosa bergachtig en met macchia bedekt, waarbij het grootste, Elba, bijzonder rijk aan ertsen is.

Geschiedenis en cultuur

Toscane werd al vroeg bewoond, opgravingen hebben aangetoond dat er al rond tienduizend jaar geleden mensen woonden. Het eerste volk dat een duidelijk stempel op de regio drukte, waren de Etrusken, wier beschaving vanaf 1000 v.Chr opkwam. In de 3e eeuw v.Chr. namen de Romeinen de macht in Toscane over, zij bleven er tot 476 de baas. Daarna was het achtereenvolgens de beurt van de Ostrogoten, de Franken, het markgraafschap Tuscia en het heersersgeslacht Canossa. In 1055 verhief Hendrik III, keizer van het Heilig eRoomse Rijk, Florence tot rijksstad. In de 12e eeuw begon de tijd van de stadstaten. Vanaf de 13e eeuw werd Toscane verscheurd door de bloedige machtsstrijd tussen de Ghibellijnen, de keizergezinden, en de Welfen, die aan de kant van de paus stonden. Vanaf de 15e eeuw was Florence de dominerende macht in Toscane. In 1737 stierf de laatste Medici. In 1799 bezette Napoleon Toscane, daarna kwam de macht in handen van het huis Bourbon en weer later ging Toscane naar het huis Habsburg-Lotharingen. In 1860 kwam Toscane bij het in 1848 uitgeroepen koninkrijk Italië. Florence was in 1865-1871 hoofdstad van het verenigde Italië. In 1948 werd Toscane een regio.

Bij de overstroming van de Arno in 1966 stierven tientallen mensen en raakten talrijke kunstschatten door het water en de modder zwaar beschadigd. In 1986 was Florence de culturele hoofdstad van Europa.

Staat en politiek

Toscane is een van de twintig regio's waarin Italië bestuurlijk is ingedeeld. Het parlement van de republiek Italië bestaat uit het Huis van Afgevaardigden en de Senaat. De regio Toscane is in tien provincies verdeeld, waarvan de meeste traditioneel een centrum-links bestuur hebben. De provincies zijn vernoemd naar hun hoofdstad: Arezzo, Florence, Grosseto, Livorno, Lucca, Massa-Carrara, Pisa, Pistoia, Prato en Siena. Elke provincie is weer in gemeenten verdeeld (in totaal 287).

Economie en toerisme

In Toscane telt de beroepsbevolking 1,57 miljoen mensen, dat is 40,3% van de totale bevolking. Van hen zijn er 887.000 werkzaam in de dienstverlening (inclusief toerisme) en 486.700 in de industrie. De belangrijkste industrietakken zijn keramiek, fijnmechanica, mode, glasfabricage en de ijzerindustrie. In de landbouw verdienen 47.100 mensen hun brood, waarbij niet de mensen meegeteld zijn die werkzaam zijn in de verdere verwerking van de boerenproducten, zoals de mensen die kaas, ham of worst produceren. Verder spelen de handel in het algemeen en de winning en verwerking van marmer, vooral in en rond Carrara, een rol.

Het toerisme is van groot belang voor de Toscaanse economie in het algemeen, maar ook voor bijvoorbeeld de landbouw, want de productie en verkoop van wijn en andere agrarische producten levert veel geld op. Jaarlijks bezoeken rond 11,5 miljoen mensen de regio en zijn daarbij goed voor 43 miljoen overnachtingen.

Bevolking, taal, religie

De Italiaanse bevolking groeit al vele jaren bijna niet meer. De gemiddelde levensverwachting ligt op 79 jaar. De levensstandaard en het opleidingsniveau zijn hoog, Toscane geldt als een welvarende regio.

Het Toscaanse dialect kent een eigenaardigheid: de k wordt als h uitgesproken, zo wordt *casa* uitgesproken als *hasa* en in Toscana als *Tos-hana*.

Bijna alle Toscani behoren tot de rooms-katholieke kerk, wat nog niet wil zeggen dat ze erg religieus zijn. Kerkbezoek vindt vooral als onderdeel van feestelijke gelegenheden als huwelijken, doop en andere familiegebeurtenissen plaats.

Van de oude steentijd tot de Etrusken

Tot 10e mill. v.Chr.	Nederzettingen uit de oude steentijd in Toscane (vondsten bij Montepulciano).
4e-2e mill. v.Chr.	Steeds betere levensomstandigheden in de nederzettingen, zoals uit grafgiften in het zuidoosten van Toscane blijkt.
15e-10e eeuw v.Chr.	Mogelijk de eerste 'Toscaanse cultuur' in het noordwesten in de Lunigiana en de Garfagnana.
Rond 1000 v.Chr.	Binnendringen van de Etrusken in Toscane, waarschijnlijk vanuit het oosten. Volgens andere theorieën woonden de Etrusken van oorsprong al in dit gebied.
9e eeuw v.Chr.	Begin bloeitijd Etruskische cultuur in het huidige Toscane.
6e eeuw v.Chr.	De Etrusken breiden hun macht uit tot in de Povlakte en tot aan Napels.
4e/3e eeuw v. Chr.	De Romeinen veroveren Etruria, het land van de Etrusken.
3e eeuw v.Chr.	De Etrusken onderwerpen zich aan Rome, dat hun cultuur overneemt.
2e/1e eeuw v.Chr.	De Etrusken stichten Fiesole, Lucca, Pisa en Pistoia.
89 v.Chr.	Etruria krijgt Romeins burgerrecht.

Vroege en hoge middeleeuwen

4e eeuw	De Romeinse provincie Tuscia et Umbria wordt christelijk.
476	Einde van het West-Romeinse Rijk.
493	De Ostrogoten trekken het huidige Toscane binnen.
568/591	Komst van de Longobarden, Tuscia wordt een hertogdom.
vanaf 774	Het gebied van het huidige Toscane komt in Frankische handen.
9e eeuw	Stichting van het markgraafschap Tuscia. De steden beginnen handel te drijven, ontwikkelen hun bestuur en organiseren de landbouw.
1030-1115	Het geslacht Canossa heerst over Toscane.

1055	Keizer Hendrik III verheft Florence tot rijksstad.
1139-1266	Tijdens het keizerschap van de Hohenstaufen groeien Pisa, Florence, Lucca en Siena tot stadstaten uit.
13e/14e eeuw	Tot 1248 is het door de zeehandel rijk en machtig geworden Ghibellijnse (aan de kant van de keizer staande) Pisa dominant, maar vanaf 1302 is het Welfische (de paus steunende) Florence de machtigste stad van Toscane.
1260	Siena verslaat Florence bij Montaperti.

Florence wordt machtig

1269	Florence krijgt weer de overhand in Toscane.
1284	Genua vernietigt de Pisaanse vloot en maakt zo een einde aan de Pisaanse heerschappij op zee.
1406	Florence kan door het onderwerpen van Pisa zelf tot zeemacht uitgroeien, Siena blijft de grote rivaal.
vanaf 1434	De Medici nemen de macht in Florence in handen en brengen de stad tot grote bloei. Hun heerschappij duurt – met onderbrekingen – tot 1737.
1531	Het Toscane van de Medici wordt een hertogdom.
1559	Ook Siena valt in Florentijnse handen.
1569	Heel Toscane wordt door paus Pius IV tot groothertogdom verheven met Cosimo I de Medici als eerste groothertog.
17e eeuw	Florence en Toscane verliezen veel van hun culturele en politieke belang.
1737-1741	De laatste Medici (Gian Gastone) sterft, het groothertogdom Toscane gaat naar het huis Habsburg-Lotharingen: Frans van Lotharingen (de latere keizer Frans I van Oostenrijk), de echtgenoot van de Oostenrijkse keizerin Maria Theresia, wordt groothertog van Toscane.
1799	Napoleon bezet Toscane, dat vervolgens korte tijd onder bestuur van de Bourbons komt.
1814	Onder groothertog Ferdinand III wordt Toscane weer geregeerd door het huis Habsburg-Lotharingen.

Geschiedenis

1824-1859	Regeerperiode van Leopold II. Het is een revolutionaire periode in Italië, de tijd van de Risorgimento, de beweging die de onafhankelijkheid en eenheid van Italië nastreeft.
1847	Lucca komt bij Toscane.

Toscane in de Italiaanse republiek

1848	Eerste Italiaanse grondwet.
1860	Toscane sluit zich aan bij Piemonte-Sardinië en wordt daarmee onderdeel van het koninkrijk Italië.
1865-1871	Florence is de hoofdstad van het verenigde Italië.
1915	Italië vecht in de Eerste Wereldoorlog aan de zijde van de geallieerden.
1918	Einde van de Eerste Wereldoorlog, chaos in Italië.
1921	Stichting van de communistische partij PCI in Livorno.
1922	De ex-socialist en fascist Benito Mussolini grijpt de macht.
1939-1945	In de Tweede Wereldoorlog vecht Italië ondanks een sterke antifascistische beweging aan de zijde van Duitsland. Diverse Toscaanse steden worden door de geallieerden gebombardeerd. Tijdens de terugtocht van de Duitsers verwoest de SS dorpen en vermoordt de inwoners.
1946	Koning Vittorio Emanuele III treedt af, Italië wordt een republiek.
1948	Instelling van de zogeheten Eerste Republiek. Bestuurlijk wordt besloten Italië in regio's op te delen.
vanaf 1950	Landhervormingen en afschaffing van de *mezzadria,* waarbij de landeigenaar en pachter elk de helft van de oogst kregen.
1970	Instelling regio Toscane, dat in negen provincies wordt verdeeld.
4 nov. 1966	Verwoestende overstroming van de Arno in Florence met veel dodelijke slachtoffers en schade aan kunstwerken.
1986	Florence wordt culturele hoofdstad van Europa.
1992	Toscane krijgt er een provincie bij: Prato. Het gebied tussen Florence en Pistoia is er na een lange strijd in geslaagd zich los te maken van Florence. Toscane is nu verdeeld in tien provincies.

2001	In mei wint de centrumrechtse coalitie van Silvio Berlusconi de parlementsverkiezingen, voor veel Toscani een politieke ramp. De scheve toren van Pisa kan vanaf december weer worden beklommen, maar niet door meer dan veertig personen tegelijk.
2005	Kiesrechthervorming met een meerderheidsbonus voor de winnende coalitie en terugkeer naar het evenredigheidsbeginsel.
2006	Bij de parlementsverkiezingen haalt de centrumlinkse coalitie onder Romano Prodi met behulp van het traditioneel 'linkse' Toscane een nipte overwinning, zodat Prodi Berlusconi als premier opvolgt.
2007	Oprichting in oktober van de Partito Democratico, een fusie van de linkse Democratici di Sinistra (DS), de christendemocraten van La Margherita en zeven andere centrumlinkse partijtjes. De nieuwe partij wordt geleid door de sociaaldemocraat Walter Veltroni.
2008	De coalitiepartners van premier Romano Prodi trekken hun steun voor hem in. Half april komen er daarom vervroegde verkiezingen met Walter Veltroni als lijsttrekker voor de Partito Democratico. Zijn tegenstander Silvio Berlusconi wint de verkiezingen met zijn centrumrechtse coalitie, waartoe ook de Lega Nord en de postfascistische Alleanza Nazionale behoren. Veel Italianen geven met grote demonstraties uiting aan hun verontwaardiging.
2009	Ondanks de grote economische problemen van het hele land worden grote onderwijshervormingen gepland omdat er een tekort is aan goed opgeleide vakkrachten.
2010	Bij de regionale verkiezingen van eind maart haalt het linkse blok met 59,7% van de stemmen een duidelijke overwinning in Toscane.
2011/2012	Mario Monti, die als EU-commissaris een goede reputatie had, lost onder druk van de EU Silvio Berlusconi af als premier en begint met zijn regering van technocraten het land te hervormen – pijnlijk voor veel Italianen, maar onvermijdelijk.
2012	Op 13 januari zinkt het cruiseschip Costa Concordia voor het eilandje Giglio, er zijn diverse doden. Het wrak moet in stukken gesneden en afgevoerd worden.

Toscane is in twee betekenissen een echt cultuurlandschap: de steden in deze regio herbergen binnen hun muren talloze kunstwerken en monumenten van wereldformaat, maar ook het landschap voor hun poorten is geen ongerepte natuur, het is een kunstwerk dat in de loop van duizenden jaren door mensenhand vorm heeft gekregen.

stadstaten opkwamen en zich het omringende land toe-eigenden om economisch en daarmee ook politiek zo veel mogelijk onafhankelijk te zijn.

Naast wijngaarden telt Toscane ook steeds meer olijfgaarden, zowel in de Chianti als in de Montalbano en de Maremma, direct langs de kust. De olijventeelt heeft een lange traditie in Italië, maar in de afgelopen decennia zijn

Het Toscaanse cultuurlandschap

Wijngaarden, olijfbomen, cipressenlanen – geen enkele andere regio van Italië is zozeer het resultaat van menselijk ingrijpen als Toscane, iets dat al tot in de middeleeuwen teruggaat, toen de

er veel nieuwe olijfgaarden aangeplant omdat ze in Toscane hebben begrepen dat ze met de juiste marketing veel geld met de handel in olijfolie kunnen verdienen – meer zelfs dan met wijn.

Natuur of cultuur? Heuvellandschap met wijn- en olijfgaarden en cipressen

Waar vroeger bos was ...

Ooit was Toscane bedekt met dichte bossen – zoals vrijwel heel Italië. Maar al voor de opkomst van de Romeinen begon het ontbossen. De noordelijke delen van Toscane bleven echter grotendeels gespaard voor de houtkap of werden al vroeg weer herbebost. Nog altijd is de Garfagnana met dichte kastanjebossen begroeid, terwijl beuken- en eikenbossen kenmerkend zijn voor de Appennino Tosco-Emiliano, de Vallombrosa en in het zuiden de gebieden rond de Monte Amiata.

De in Toscane wijdverbreide mediterrane macchia is vrijwel ondoordringbaar. Het is een geurig struikgewas met laurierbomen, aardbeienbomen, oregano, salie, kamille, brem en zonneroosjes. Deze macchia is een secundair bos dat na het kappen van het primaire bos opschoot en tegenwoordig grote delen van de Maremma, de Colline Metallifere, de uitlopers van de Monte Amiata en de Toscaanse eilanden bedekt – maar ook de Chianti is er deels mee begroeid.

... groeien nu landbouwgewassen

Oeroude amandelbomen en vijgenbomen vormen fraaie accenten rond Lucca en Florence en in de Chianti. De parasoldennen met hun brede scherm en laurierbomen gedijen ook in de regio, net als de kakibomen met hun oranje vruchten en tabak. Voor kleurige accenten zorgen bloemen als rozen, lelies en anjers (die gekweekt worden rond Pistoia en Pescia), terwijl klaprozen de graanvelden rood kleuren. Ook groente en fruit worden met veel succes verbouwd, waaronder groene asperges, artisjokken, tomaten, aardappels, courgettes, aubergines, champignons en kruiden. De Toscaanse bossen leveren daarnaast

bijzondere delicatessen als het vlezige eekhoorntjesbrood (Toscane is goed voor maar liefst 25% van de Italiaanse oogst van deze paddenstoelensoort) en de fel begeerde zwarte truffel, die onder andere rond San Miniato wordt gevonden. En dan zijn er niet in de laatste plaats nog de prachtige kurkeiken rond Suvereto en de dichte bossen van tamme kastanjes van de Garfagnana, het noorden van de Mugello en de Casentino.

Rivieren en meren

Van alle rivieren in Toscane is de Arno de meest gezichtsbepalende. Deze rivier stroomt over een afstand van 200 km van oost naar west en mondt niet ver van Pisa in zee uit. Het dal van de Arno is het dichtstbevolkte deel van Toscane. Het zuidwesten van de regio is dunbevolkt, hier ligt de Maremma met als belangrijkste rivier de Ombrone, die talrijke zijrivieren heeft en waar veel kanalen op uit komen. De Serchio stroomt door de dicht beboste Garfagnana en passeert Lucca voordat hij in zee mondt.

Er zijn nauwelijks noemenswaardige meren in Toscane, en de meeste zijn dan nog eens stuwmeren. Het indrukwekkendste meer van de regio is het Lago di Massaciuccoli (ook Lago di Puccini genoemd) bij Viareggio. Dan is er helemaal in het zuiden het langgerekte kustmeer Lago di Burano en in het zuidoosten het kunstmatige Lago di San Casciano. Aan het zuidelijke uiteinde van het Canale Maestro della Chiana liggen nog twee meertjes: het Lago di Chiusi en het Lago di Montepulciano.

Wild, vis, vee

Toscane loopt door de hoge jachtdruk niet over van het wild. Wilde zwijnen zijn er vrij veel, want die worden er gefokt en uitgezet. Daarnaast horen herten, hazen en vogelsoorten als fazant, patrijs en snippen tot de belangrijkste wildsoorten.

Op de boerderijen van Toscane worden kippen, parelhoenders, schapen, geiten en runderen (*maremmane* en *chianine*) gehouden en in de laatste jaren ook steeds meer de cinta senese, een bijna uitgestorven varkensras dat veel vrije ruimte nodig heeft. In de Maremma lopen weer veel paarden rond, waarbij ze in het nationale park deels net als vroeger vrij rond kunnen zwerven (zie blz. 50).

Langs de kust komen steeds meer viskwekerijen (bijvoorbeeld voor zeewolf, goudbrasem, zeetong en paling). Maar de opbrengsten van de kweek dekken samen met duurzame vangstmethoden van wilde vis vooral in het toeristische hoogseizoen nog lang niet de vraag, zodat er flink wat vis geïmporteerd moet worden.

Karakteristiek voor Toscane

Crete: onvruchtbare, 's winters bijna geheel kale leemheuvels ten zuidoosten van Asciano, in het voorjaar zijn ze met fris groen gras bedekt en zijn het ideale schaapsweiden (zie blz. 241).

Chianti Classico: een afwisseling van wijngaarden, zilverig glanzende olijfbomen en dichte macchia (zie blz. 108).

Maremma: langs de kust bossen van parasoldennen, landinwaarts cipressen en weiden doorschoten met het rood van klaprozen (zie blz. 204).

Uitzicht van Montichiello naar Pienza: slingerende cipressenlanen tegen de heuvels en een schitterend renaissancejuweel aan de horizon (zie blz. 251).

Uitzicht van Fiesole op Florence: het mooist vanaf het terras van Hotel Villa San Michele en bij het klooster van San Francesco (zie blz. 104).

De Toscaanse olijfolie – bijna een religie

November en december zijn in Toscane de maanden van de olijvenoogst, een koele, maar vaak ook zonnige periode waarin het overal naar vers geperste olijfolie geurt. Mensen die een handje bij de oogst willen helpen, zijn graag geziene gasten. De olijfboeren kunnen elke hulp gebruiken, terwijl de vrijwilligers wel eens van nabij willen meemaken hoe de kostelijke Toscaanse olie ontstaat – zo profiteren beide zijden.

Wat een schitterende aanblik biedt de tocht naar het landgoed in Suvereto! Oeroude, grillige olijfbomen worden afgewisseld met jonge bomen, de zilverige blaadjes ritselen zachtjes in het briesje dat vanaf zee komt. Het is november, af en toe regent het, maar als de zon schijnt, loopt de temperatuur op tot rond de 20 °C en staat iedereen te popelen om te gaan oogsten.

De oogst

De ladders die tegen de stammen staan, zijn wiebelige gevallen voor iemand die niet gewend is om in bomen te klimmen. Ze worden laag tegen de hoge bomen gezet en voorzichtig tussen de twijgen vol olijven tegen de stam omhoog geschoven. Dan volgt wat duwen en trekken om te controleren of de ladder stabiel staat, en vervolgens kan de plukker die het aandurft, omhoog de boom in.

Rondom kan de plukker nu makkelijk met de handen de rijpe olijven bereiken (bij sommige olijfgaarden worden de olijven geplukt als ze nog groen zijn). De plukkers gebruiken hun handen of ritsen de olijven met plastic harkjes van de dunne twijgen. Onder de boom zijn netten uitgespreid waar de olijven zachtjes op landen zodat ze niet beschadigd raken. De echte profes-

Olijfolie – het gouden elixer van Toscane

sionals gebruiken steeds vaker elektrische of op batterijen werkende 'schudders' waarmee de takken sneller leeggeschud kunnen worden en het oogsten efficiënter gaat. Maar voor de vrijwilliger uit de grote stad is het oogsten met de hand toch het allerleukst.

Het persen

De olijven zijn kwetsbaar als ze volledig rijp geplukt worden, dat wil zeggen als ze helemaal zwart zijn, het is dan belangrijk dat ze zo snel mogelijk geperst worden. Op de *azienda* gaan de plastic kratten waarin de olijven verzameld zijn daarom zo snel mogelijk naar de eigen, volautomatische olijfpers boven het stadje. Daar worden eerst zo veel mogelijk blaadjes en andere ongerechtigheden tussen de olijven weggehaald. Daarna volgt het wassen van de vruchten onder een stevige waterstraal en het drogen met warme lucht. Vervolgens worden de olijven voorzichtig op

een lopende band gestort, die ze ratelend naar de moderne elektrische olijvenpers vervoert.

De pers vermaalt eerst de olijven met pit en al, waarna de donkere, heerlijke ruikende pulp een tijdje geroerd wordt. In de laatste stap van het proces scheidt een centrifuge de lichte olie van het zwaardere, bittere vruchtwater – waarna de goudgroen gekleurde olijfolie in een dikke straal in de klaarstaande vaten stroomt.

Er zijn in Toscane ook nog talrijke olijfmolens die traditioneel werken met molenstenen en persmatten waar de olijven op uitgespreid worden. In de ogen van vakmensen is deze manier van persen eigenlijk meer iets voor romantici omdat hij niet alleen omslachtig is, maar ook een mindere kwaliteit olie oplevert dan de moderne machines. Want alleen in een gesloten systeem, dat een betere bescherming tegen oxidatie en fermentatie biedt, kan de olie volgens de experts absoluut zuiver en het smaakvolst blijven.

De olijven worden opgevangen in netten die onder de bomen zijn uitgelegd

Soorten olijfolie

Als de olijfolie op de fles een kwaliteits-aanduidig heeft, dan moet hij voldoen aan strenge eisen op het gebied van de productie.

De beste olijfolie is de *extra vergine* (extra maagdelijk, in het Nederlands wordt meestal de Franse term *extra vierge* gebruikt), waarbij de olie een zuurgraad van minder dan 0,8% heeft (in Toscane ligt de zuurgraad gewoonlijk onder de 0,5%). Deze olie is afkomstig uit de eerste koude persing, waarbij de olijven halfrijp of volledig rijp worden geplukt en onbeschadigd binnen enkele uren bij 27°C gemalen en gecentrifugeerd worden. De olie smaakt fruitig en wat peperig en is licht bitter. De volgende categorie is *vergine*, waarbij de olijfolie een vetzuurgehalte van maximaal 2% mag hebben.

Koud geperste olie die niet voldoet aan de eisen voor het predicaat *vergine*, kan men met stoom veredelen. De smaak wordt vaak verder verbeterd door toevoeging van wat goede olie, meestal *vergine*. De zuurgraad van deze olie mag ten hoogste 1,5% bedragen. De olie die zo wordt geproduceerd, kan zich kwalitatief in geen enkel opzicht meten met olie die het predikaat *vergine* of *extra vergine* mag dragen.

Olie waarvan de zuurgraad boven de 4% ligt, geldt als schadelijk voor de gezondheid en mag niet als spijsolie verkocht en gebruikt worden. Dit soort olie vindt toepassing in de productie van cosmetica en zeep.

Bij het kopen

Bij het kopen van olijfolie moet u op het etiket kijken of de volgende zaken vermeld zijn: land van oorsprong, de plaats waar de olie vandaan komt en de producent (dat wil zeggen de naam van de 'Azienda Agricola'). Bij de dure olijf-olies staat op het etiket van de fles behalve de aanduiding dat het om olio extra vergine gaat soms ook nog het zuurgehalte en het productiejaar vermeld. Koop bij voorkeur geen olie die ouder is dan een jaar, want olijfolie begint na een jaar snel achteruit te gaan, tenzij u hem onder ideale omstandigheden bewaart (koel, droog en donker). Olijfolie uit biologisch of biodynamische teelt wordt nog strenger gecontroleerd, op het etiket van de fles staat altijd vermeld of het om biologische olie gaat.

Of olijfolie van olijven van één ras moet worden gemaakt of dat het beter is een goed gekozen mengeling van olijf-rassen te gebruiken, is iets waar kenners verhit over kunnen discussiëren. Maar olie van maar een enkel ras olijven is sowieso zeldzaam en duur en heeft daarmee de status van bijzondere delicatesse verworven.

Olijvenoogst in Falcone

Dit historische landgoed met oeroude olijfbomen op een steenworp van zee wordt door de sympathieke eigenaren zelf beheerd. In twee gerestaureerde boerderijen hebben ze negen appartementen van uiteenlopende grootte gecreëerd. Ze zijn Spartaans ingericht in een stijl die bij een vakantie op het land past. Er is een zwembad met fraai uitzicht op zee en een moestuin. Suvereto is te voet bereikbaar.

De eigenaren bieden taalcursussen aan, die steeds aan een bepaald thema zijn gewijd, bijvoorbeeld de olijvenoogst. Daarnaast worden er ook wijnproeverijen georganiseerd.

Azienda Agricola Il Falcone:
Località Falcone 186, 57028 Suvereto, tel./fax 0565 82 70 97, www.ilfalcone.net. Appartement voor twee personen € 450-730 per week.

Het voormalige jachtgebied van de Medici en later van de Lotharingers kwam in de jaren tachtig van de vorige eeuw via een omweg bij de regio Toscane. Het is nu onderdeel van het Parco Naturale della Maremma en wordt als landgoed beheerd, waarop vooral runderen en paarden worden gefokt. De belangrijkste werknemers zijn de butteri, de Toscaanse cowboys.

capo buttero voor het vee op het 4600 ha grote landgoed, de Azienda Agricola Spergolaia.

De rassen die in het natuurpark worden gefokt, zijn autochtoon, dat wil zeggen, dat ze uit de Maremma stammen of er traditioneel thuis zijn, zoals de enorme witte runderen met hun karakteristieke lange horens, en de fraaie robuuste paarden. Ze leven half wild in

Butteri – de cowboys van Toscane

Alessandro Zampieri stamt, net als de meeste inwoners van Alberese, van oorsprong uit de regio Veneto in het noordoosten van Italië. Zijn grootouders werden als goedkope arbeiders naar de Maremma gehaald om de door malaria geplaagde kuststreek in cultuur te brengen. Alessandro is trots op zijn werk. Met zijn vier medewerkers zorgt hij als

het uitgestrekte gebied en worden uitsluitend met natuurlijke, biologisch verbouwde voeding bijgevoerd.

Alessandro kent volgens zijn medewerkers de naam van elk dier. Dat is van groot belang, want alleen als de *butteri* de dieren met het blote oog uit elkaar kunnen houden, kunnen ze inteelt vermijden. Natuurlijk zijn alle gegevens

Het vrije buitenleven – cowboys in Toscane

van de runderen op het oormerk en bij de paarden in een chip onder de huid opgeslagen. Maar een *buttero* loopt niet met een scanner rond, ook als hij heel veel dieren onder zijn hoede heeft – de kudde waar Alessandro verantwoordelijk voor is, telt ruim 500 runderen. Daarnaast houdt hij ook nog toezicht op een zeventigtal paarden.

Alle dieren zijn op een natuurlijke wijze gefokt en hebben een reusachtige ruimte om over rond te zwerven. Alleen 's nachts en in de bronsttijd worden ze voor de veiligheid in omheinde delen bijeen gedreven. Over het hele landgoed zijn er honderden van die omheiningen – hoeveel het er precies zijn, weet niemand.

De maremmarunderen

Alessandro buigt zich voorover bij een van de grijswitte runderen en tilt de grote huidflap onder de hals van het dier op: 'Die werkt als een ventilator,' verklaart hij lachend. Zo wordt het bloed van het dier gekoeld.

De fraaie runderen hebben het geluk dat ze als slachtdieren niet erg in trek zijn. Hun magere vlees smaakt weliswaar uitstekend, maar juist die delen die culinair het populairste zijn, dikke achterdelen, zijn bij dit ras maar matig ontwikkeld. Als werkdieren zijn ze juist van voren goed ontwikkeld. De melk van deze koeien wordt alleen voor hun kalveren gebruikt, die zes tot acht maanden bij hun moeder mogen blijven. Het fokken van de maremmarunderen is sowieso niet op het maken van winst gericht, maar alleen op de instandhouding van het ras.

De uitrusting van de butteri

De lange, dikke, stijve mantels van de *butteri* zijn van katoen gemaakt. Alessandro's moeder bewerkt ze op traditionele wijze met lijnzaadolie om ze waterdicht te maken. De opvallende kniebeschermers worden uit de huid van een wild zwijn gemaakt. Ze zijn even onontbeerlijk als de mantel en de slappe hoed, want de cowboys van de Maremma moeten bij elk soort weer uitrijden.

Het belangrijkste werktuig van de *butteri* is de *uncino*, een lange stok met een haak van metaal of hertshoorn. Daarmee doet de *buttero* zo'n beetje alles zonder van zijn paard te hoeven stijgen: hij trekt er een pasgeboren kalf mee van de moeder weg zodat het niet in de verdrukking komt, terwijl een andere ruiter de stok gebruikt om te voorkomen dat de koe zijn makker aanvalt. De ruiter kan met de stok ook een halster vastpakken en het zadel vastmaken zonder dat het paard de ruiter kan trappen. Daarnaast kunnen de hekken van de omheiningen makkelijk met de *uncino* geopend en gesloten worden en kan een lasso snel om de hals van een paard worden gelegd.

Robuuste paarden

De Etrusken fokten al maremmapaarden, maar om ze te verbeteren werden ze in de 17e eeuw met Arabische paarden gekruist. De Toscaanse herders reden vroeger op deze paarden als ze de kudden runderen naar de zomerweiden en terug naar de winterweiden dreven.

Ruiterspektakel

Van april tot oktober laten de *butteri* op het biologische landbouwbedrijf **Corte degli Ulivi** bij Roselle het betalende publiek hun kunsten zien bij het werken met paarden en runderen (www.cortedegliulivi.net, met fraaie appartementen, voor 2 personen € 75-110, voor 6 personen € 150-210). Het bedrijf biedt ook rijtochten door de Maremma met meertalige gidsen aan en organiseert andere evenementen.
Informatie en reservering voor de shows en rijtochten bij **Equinus:** Via dell'Unione 37, 58100 Grosseto, tel. 0564 249 88, www.cavallomaremmano.it.

Tegenwoordig zijn het vooral recreatieve rijpaarden.

De paarden beschikken over eigenschappen die andere rassen niet of niet meer hebben. Ze zijn erg robuust en hebben daardoor weinig verzorging nodig, reden waarom ze veel in het leger werden gebruikt. Ze zijn zelfs immuun tegen teken – 'en tegen toeristen,' grapt Alessandro.

Er zijn acht geduldige paarden uitgekozen voor rijtochten met toeristen, maar alleen wie echt goed kan rijden, mag mee. Zo krijgt de toerist de kans de *butteri* van dicht bij aan het werk te zien. Wie wil kan ook langer dan een dag blijven, de keuze is dan tussen een verblijf in de agriturismo of in de Fattoria Granducale, een aristocratische villa uit de 14e eeuw.

De Ombrone en een ruig natuurpark

Het landgoed van de Fattoria di Spergolaia beslaat ongeveer 40% van het streng beschermde **Parco Naturale della Maremma**, dat ook de Monti dell'Uccellina en de riviermonding van de Ombrone omvat en tot de interessantste natuurgebieden van Toscane hoort. Wie over voldoende geduld beschikt, zal er in elk jaargetijde en op elk dagdeel andere in het wild levende dieren zien, met in de eerste plaats wilde zwijnen en de vele soorten watervogels, waaronder aalscholvers, reigers en eenden. Daarnaast zijn er ook veel kleinere dieren als hagedissen, kikkers enzovoort.

Voor toegang tot het natuurpark zelf moet een entreebewijs worden gekocht, maar de riviermonding en het prachtige strand zijn gratis – zolang er parkeerplek is als u met de auto komt. Voor voetgangers, fietsers en alle bezoekers die buiten het zomerseizoen komen gelden er geen beperkingen.

Biologische landbouw in Toscane

Ook in Toscane schakelen steeds meer boeren over op de biologische of biologisch-dynamische landbouw. Niet alleen omdat ze van hun land houden, maar ook omdat er een goede boterham in te verdienen valt. Niet alle Toscaanse boeren zijn overtuigd van de toekomst van de biologische landbouw, maar de inzet van degenen die dat wel zijn, is groot.

Fabio Mentomoli, opgeleid als meubelmaker en gepassioneerd boer, is een rustige, terughoudende man, een echte Toscaan. Maar als u over zijn biologisch-dynamische bedrijf begint, rolt het ene na het andere enthousiaste verhaal uit zijn mond.

Een Engelse vriendin, een schilderes die graag 'zijn' landschappen in de omgeving vastlegt, heeft Fabio op het spoor van de biologisch-dynamische landbouw gebracht. De kunstenares lijdt aan voedselallergieën en ontmoette op een van haar vele reizen in Californië boeren die hun bedrijf op biologisch-dynamische wijze voerden, waarbij ze aan nog strengere eisen moeten voldoen dan boeren die gewoon biologisch te werk gaan. Ze moeten zich bijvoorbeeld houden aan de regels die de wereldwijd bekende organisatie Demeter voorschrijft, die zich richt op de antroposofische theorieën van Rudolf Steiner.

Biologisch en biologisch-dynamisch

De integrale aanpak van de biologisch-dynamische landbouw gaat verder dan de EU-voorschriften voor biologische landbouw. Boeren die biologisch werken, mogen alleen natuurlijke meststoffen en pesticiden gebruiken. Die worden niet noodzakelijkerwijs ter plekke gemaakt, maar veelal gekocht en moeten vervolgens in de akkers, wijngaarden en olijfgaarden 'assimileren'. De biologische boer heeft daarnaast geen invloed op de verdere verwerking van zijn producten. Bij de biologisch-dynamische landbouw daarentegen wordt het volledige productieproces tot aan het eindproduct begeleid. De boerderij wordt als organisme beschouwd, waarbij niet alleen de materiële zaken van belang zijn, maar ook de 'vormgevende krachten van de kosmos'. In Italië werken rond de honderd bedrijven volgens dit principe, ze zijn vooral in het noorden van het land te vinden.

Natuurlijke plaagbestrijding

Bestrijdingsmiddelen vernietigen het natuurlijke organisme van een boerderij, dat maakt Fabio met een voorbeeld duidelijk: als de boer pesticiden gebruikt, kan dat tot sterfte onder vogels leiden. Door sommige bestrijdingsmiddelen wordt bovendien de eierschaal niet dik genoeg, waardoor het vogelembryo niet voldoende beschermd is. Als de kuikens toch nog uitkomen, dan zijn er te weinig insecten om ze te voeden omdat die door de bestrijdingsmiddelen zijn gedood. Er ontstaat een vicieuze cirkel waarbij de boer steeds afhankelijker wordt van pesticiden.

Ook onder mensen die verder weinig op hebben met Rudolf Steiner, is het al tamelijk lang bekend dat de biologische en de biologisch-dynamische landbouw gezonder zijn voor de mens. Dat het meer werk kost en dus duurder is om dit goede, gezonde voedsel te produceren dan de landbouwproducten waarbij voortdurend bestrijdingsmiddelen worden gebruikt, ligt voor de hand. De consument die voor de gezonde producten kiest, is dan ook bereid er meer voor neer te tellen. Want wat is er nu belangrijker dan je gezondheid?

In de wijngaarden bestrijden biologische boeren schimmels met kopersulfide

Zo wordt in de biologisch-dynamische landbouw met natuurlijke meststoffen gewerkt en zet de boer natuurlijke middelen in tegen insecten en andere plagen. Zo kan de olijfvlieg bijvoorbeeld bestreden worden met een mengsel van suiker, water en een beetje honing, dat in een fles in de boom wordt gehangen. Een perfecte val waar geen gif aan te pas komt.

De dynamisering van de bodem

Op het land van Fabio, dat sinds 1937 in het bezit is van de familie van zijn vrouw Elisabetta, bloeien meer bloemen dan in de omgeving. Fabio heeft zorgvuldig uitgezocht wat voor planten er hier vroeger groeiden voordat de familie van zijn vrouw met grootschalige landbouw begon en zo – net als de meeste boeren – het land uitputte. Hij heeft zijn gewassen zorgvuldig uitgezocht en de zaden van de hier thuis horende wilde bloemen en kruiden gekocht en uitgezaaid. Inmiddels zaaien deze planten zichzelf uit en zijn ze weer inheems – een belangrijk criterium in de biologisch-dynamische landbouw.

De wilde bloemen die op het land groeien, veelal grassen en vlinderbloemigen (waaronder sterke klaversoorten), zorgen voor de vruchtbaarheid van de akkers. Ze worden ondergeploegd en vormen zo een uitstekende, groene meststof, die verder alleen nog aangevuld wordt met een speciaal preparaat: homeopathisch verdunde mest van koehoorn.

Voor het vervaardigen van deze waardevolle meststof wordt een koehoorn gevuld met koeienmest en aan het begin van de herfst voor zeven maanden in de akker begraven. De mest die zo door rijping ontstaat en in de waarste zin van het woord vol leven zit, dat wil

zeggen vol micro-organismen, wordt in het voorjaar uit de hoorn gekrabd en sterk met water verdund. Dan is hij klaar om op over de akkers en de wijngaarden te worden verspreid. Het is een perfecte methode voor de dynamisering van de bodem.

Het klinkt misschien naar een hoop hocuspocus, vooral als Fabio ook nog eens over de juiste sterrenbeelden begint, maar het is een feit dat de mest werkt en op dezelfde akkers verspreid wordt als hij is ontstaan, waardoor hij gegarandeerd geassimileerd wordt, terwijl er geen gifstoffen in het voedsel komen.

Natuurlijke verwerking van de producten

In de Eerste Wereldoorlog had het Italiaanse leger voor het transport van zware artillerie gehoorzame trekpaarden nodig, die flinke lasten over zwaar terrein konden trekken. Precies zulke paarden zijn nu nog te vinden op de biologisch-dynamische landbouwbedrijven, ook op de boerderij van Fabio. Hij bezit twee geduldige trekpaarden, Sandy en Lolla. Ze trekken de ploeg over de akkers en het vat met kopersulfide door de wijngaard, dat in de biologisch-dynamische landbouw is toegestaan als bestrijdingsmiddel.

Mogelijk vindt u het allemaal maar onbegrijpelijke nonsens wat Fabio en zijn collega's uithalen. Maar wie Fabio's land ziet, de rijen wijnstokken en de weiden rondom, begrijpt dat er toch wel iets in het begrip 'biologisch-dynamisch' zit dat de natuur en daarmee uiteindelijk ook de mens goed doet.

Fabio en Elisabetta Mentomoli bieden ook accommodatie: Fattoria Castellina, 50050 Capraia e Limite (FI), Via Palandri 27, tel./fax 0571 576 31, www.fattoriacastellina.com.

Meer dan chianti –
de wijnen van Toscane

In zekere zin begint Zuid-Italië bij Toscane. Dankzij de Apennijnen, die een beschermende muur van bergen naar het noorden en oosten vormen, en dankzij de matigende invloed van de Tyrrheense Zee heeft Toscane een mild mediterraan klimaat – en daardoor heersen er ideale omstandigheden voor de wijnbouw.

Terwijl een gematigd klimaat voor de mens vooral aangenaam is, is het voor de wijnstok absoluut noodzakelijk. De in Toscane geboren Leonardo da Vinci zou ooit gezegd hebben: 'Gelukkig zijn de mensen die daar geboren zijn waar goede wijnen worden gemaakt.'

In Toscane worden al duizenden jaren wijndruiven verbouwd. Het zouden de Grieken zijn geweest die de Etrusken rond drieduizend jaar geleden leerden dat druiven niet alleen geschikt zijn om op te eten, maar dat je er nog iets anders mee kunt doen, namelijk er wijn van maken ...

De Toscaanse wijngaarden zijn in termen van opbrengst niet de productiefste van Italië, maar de Toscaanse wijnhuizen verstaan van oudsher de kunst om hun eigen wijnen en die van anderen aan de man te brengen. Toscane produceert jaarlijks gemiddeld zo'n 300 miljoen liter wijn, waarvan meer dan de helft recht heeft op een beschermde herkomstaanduiding: DOC (*Denominazione di Origine Controllata*) of DOCG (*Denominazione di Origine Controllata e Garantita*), vergelijkbaar met het predicaat AOC van Franse wijnen.

Bij de productie van DOC-wijnen moet de wijnmaker zich aan voorgeschreven methoden en hoeveelheden houden. Zo zijn bepaalde druivensoorten en verbouwgebieden vastgelegd. DOCG is de hoogste kwaliteitsklasse binnen de Italiaanse wijnen. Als een wijn vijf jaar lang aan de kwaliteitsnormen voldoet, kan hij een DOC-status krijgen en na nog eens vijf jaar kan de DOCG-status verleend worden.

Bij Toscane denken de meeste mensen spontaan aan de twee beroemdste wijnen van de regio, chianti en brunello, maar intussen beschikt Toscane al over 43 wijngebieden met een DOC-status en een verwarrende veelvoud aan benamingen. Enkele van deze namen zijn beroemd, andere klinken de meeste mensen onbekend in de oren.

De belangrijkste druivensoort voor de traditionele rode wijnen van Toscane is de sangiovese. In Toscane groeit dit druivenras in een buitengewoon breed palet van omstandigheden: variërend van vruchtbare grond met milde winters vlak bij zee tot de stenige hellingen met de nodige winterkou van de heuvels tot 500 m hoog in de Chianti Classico en de Rufina.

Chianti classico

Het gebied waar de chianti classico vandaan komt, verschilt op ten minste één punt van de andere historische wijnstreken van de wereld: het is niet zozeer een wijngebied als wel een bosgebied. Van de 70.000 hectare die de Chianti Classico beslaat, is slechts een tiende bedekt met wijngaarden: 3000 ha liggen in de provincie Florence, 4000 ha in de provincie Siena.

De beste wijngaarden van de Chianti Classico liggen op een hoogte tussen de 250 en 450 m, ze hebben een stenige, onvruchtbare bodem van een type dat *galestro* wordt genoemd en zijn op het zuidoosten, zuiden of zuidwesten georiënteerd. In enkele gebieden vertonen bodem, microklimaat, hoogte en bezonning een optimaal samenspel en daar laat de sangiovese zich dan van zijn beste kant zien. Het gaat om de 'Conca

d'Oro' (de 'gouden schelp') onder het dorp Panzano, de heuvels rond Gaiole in Chianti en verder naar het zuiden rond Monti (eveneens tot de gemeente Gaiole behorend), de wijngaarden bij Radda in Chianti en de heuvels van Castellina in Chianti.

Montalcino en Montepulciano

In de oudheid was **Montalcino** gek genoeg beroemd om zijn witte wijn. Pas tegen het einde van de 19e eeuw begon een zekere Ferruccio Biondi-Santi hier ook de rode sangiovese te verbouwen. Hij noemde de krachtige, taninerijke wijn die hij verkreeg, brunello. Een eeuw lang was deze brunello alleen bij een klein groepje liefhebbers bekend. Maar omdat er met deze wijn veel geld te verdienen viel, investeerden ondernemers van buiten eind jaren zeventig, begin jaren tachtig van de 20e eeuw op grote schaal in de wijnbouw: ze kochten grond, rooiden bossen, ploegden graanakkers om en verdreven de schapen van hun weiden om wijngaarden voor de brunellowijnen aan te planten. In slechts veertig jaar tijd groeide het verbouwgebied van 60 naar 2000 hectare – waarbij ook grondstukken beplant werden waar de schapen het vroeger waarschijnlijk meer naar de zin hadden dan de wijnstokken nu. Niettemin is de brunello een voortreffelijke en unieke wijn als hij van de hoger gelegen wijngaarden of van de heuveluitlopers ten noorden van het stadje afkomstig is.

Als producent van rode wijnen is **Montepulciano** ouder dan de inmiddels veel succesvollere buurman Montalcino. De heuvel waarop het schilderachtige stadje ligt is op zich al een bezienswaardigheid, want hij is doorboord met middeleeuwse vluchtgangen en wijnkelders en getuigt zo van een roerige geschiedenis. De vino nobile di montepulciano is een warme en stevige wijn die voor minstens 70% uit sangiovesedruiven bestaat. Bij de minder bekende wijnboeren kunt u deze kwaliteitswijn nog voor een heel redelijke prijs kopen.

Andere wijngebieden in het binnenland

Het wijngebied **Colli Fiorentini** beslaat een groot heuvelgebied ten zuiden en oosten van Florence. In dit nog erg traditioneel gebleven deel van Toscane is een handvol wijnboeren te vinden dat zich heeft toegelegd op het produceren van de kwalitatief goede chianti colli fiorentini.

Het dorpje **Carmignano** ten westen van Florence ligt in de Montalbano en behoort traditioneel tot de invloedssfeer van de Toscaanse hoofdstad. Door zijn geografische gesteldheid bezit de Montalbano geen grote samenhangende gebieden voor de wijnbouw, maar toch gold de wijn van Carmignano al in de 14e eeuw als een van de beste en duurste rode wijnen van Toscane. Als bijzonderheid kan nog vermeld worden dat het gebruik van de cabernetdruif in de carmignano (een DOCG-wijn) geen recente modegril is, maar al sinds de 18e eeuw gebeurt. De carmignano is geen

zware, donkere wijn, maar spreekt wijnliefhebbers juist aan vanwege zijn soepelheid en elegantie.

In de ruige Val di Sieve ten oosten van Florence worden rode wijnen met een heel eigen structuur en gezicht geproduceerd. De streek raakte in het verleden op twee of drie producenten van kwaliteitswijnen na in de vergetelheid. Maar sinds enkele jaren grijpen steeds meer wijnboeren hier terug op de eigen tradities en wordt het enorme potentieel benut in een reeks voortreffelijke **chianti rufina**.

Ten oosten van Florence en hoog boven de Sieve, in het piepkleine wijngebied **Pomino** (met als enige producenten Frescobaldi en Selvapiana), wordt een buitengewoon goede witte wijn (pomino bianco) en een originele rode wijn (pomino rosso) gemaakt.

Ook **San Gimignano** maakt sinds niet al te lange tijd eindelijk weer witte wijnen die ook buiten de stadsmuren nog naar meer smaken. In 1993 is de vernaccia di san gimignano, die ooit als allereerste Italiaanse wijn het predicaat DOC kreeg, bevorderd tot DOCG-wijn. Door de strengere regels voor verbouw en productie die daarbij horen, kreeg de wijn een kwaliteitsimpuls.

Uit de in de zon stovende heuvels tussen Lucca en Montecatini komt de **montecarlo**, een wijn met een klinkende

Chianti

Voor chianti golden strenge regels: de wijn moest voor ten minste 80% uit sangiovese, en verder uit canaiolo en cabernet sauvignon en voor 10% uit witte wijn bestaan. Tegenwoordig worden er steeds meer chianti's gemaakt van sangiovese *in purezza*, dat wil zeggen dat er uitsluitend sangiovese is gebruikt. Sinds 2006 mag er geen witte wijn meer door de chianti worden gemengd.

De nieuwe chianti, de *vino novello*, wordt jaarlijks rond half september op de Piazza Matteotti in Greve tijdens de wijnbeurs **Rassegna del Chianti Classico** gepresenteerd. Het historische merkteken van de chianti classico, de **Gallo Nero** (zwarte haan), is uit het plaatsje Radda afkomstig. Hier werd in de 19e eeuw ook het consortium van wijnboeren opgericht.

Tip

naam. Het wijngebied is erg klein en de wijnen waren vroeger niet altijd het vermelden waard, maar sinds kort is daar verandering in gekomen en is het aardig om de kwaliteitsontwikkeling van de rode en witte wijnen (montecarlo rosso en montecarlo bianco) van enkele wijnboeren in de gaten te houden.

Wijnen van de kust ...

California is de naam van een dorp aan de kust ten zuiden van Livorno. De snelle ontwikkeling en het brede palet van de plaatselijke wijnen doen aan het succesverhaal van de wijnen uit het Amerikaanse Californië denken. Tot enkele jaren geleden was het achterland van het favoriete strand van de Florentijnen op wijngebied een niemandsland. Maar er was een belangrijke uitzondering: de beroemde sassicaia van de Marchese Incisa della Rocchetta. Talrijke plaatselijke wijnboeren, maar ook investeerders en producenten

van kwaliteitswijnen van buiten, volgden het voorbeeld van de markies. Het milde kustklimaat is vooral ideaal voor de verbouw van cabernet en merlot, die de wijnen die er nu geproduceerd worden hun karakteristieke smaak geven.

... en uit de Maremma

Ten zuiden en westen van Montalcino loopt Toscane nog een heel stuk door. Dit gebied heet de Maremma en loopt tot aan Grosseto en verder langs de zee. De traditionele wijnen van de Maremma zijn de witte wijn uit Pitigliano en de rode morellino di scansano. De morellino hoort tot de familie van de sangiovese en is goed voor donkere, krachtige, warme wijnen. Na een enorme investeringsgolf in de afgelopen vijftien jaar is het verbouwgebied van de morellino (sinds 2006 DOCG) van 300 ha in 1993 gegroeid tot de huidige 1500 ha.

De traditionele industrieën van Toscane verkeren in grote moeilijkheden, maar de regio zoekt een uitweg om ze levensvatbaar te houden. Het voorbeeld van de textielindustrie toont aan hoe ingrijpend de veranderingen voor het leven in Toscane kunnen zijn.

In de middeleeuwen was het gilde van de wolwevers van Florence een van de machtigste en rijkste gildes van de stad. Het gilde kon daardoor veel voor zijn leden maar ook voor Florence en zijn invloedssfeer doen. Zo gaf het gilde bijvoorbeeld opdracht voor de kostbare decoraties van kerken.

In de loop der eeuwen verplaatste de textielnijverheid zich van Florence naar vooral Prato, waar de textielfabricage lange tijd als hoogwaardig ambacht werd beoefend.

Met lompen tot boomtown

Na de Tweede Wereldoorlog zag Prato zich gedwongen om op industriële productie over te schakelen. De tijd van de exclusieve mode was voorbij, er was vooral vraag naar robuuste kleding voor alledag en wel in grote hoeveelheden. Het tekort aan stoffen maakte de inwoners van Prato vindingrijk: ze verzamelden in heel Europa oude kleding, stoffen en lompen en gebruikten die om nieuwe kledingstukken te fabriceren.

De textielindustrie bij Prato – een bedrijfstak in beweging

Stoffen uit Prato hebben wereldwijd naam gemaakt

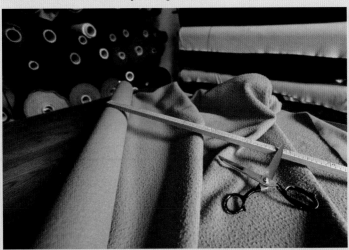

Er gingen nieuwe werkplaatsen open en er werden arbeiders aangenomen. Die kwamen vooral uit het armere zuiden van Italië en vonden onderdak in de nieuwe buitenwijken van Prato, waar in snel tempo de voor de jaren vijftig zo karakteristieke goedkope flats in grote hoeveelheden uit de grond werden gestampt.

Geen enkele andere stad in Italië groeide in die jaren zo snel als Prato: tussen 1950 en 1957 nam het aantal inwoners toe van 50.000 tot meer dan 160.000. Ruim een derde van de beroepsbevolking was in of voor de textielindustrie werkzaam. Deze ontwikkeling had een prijs: terwijl de inwoners traditioneel textielkunstenaars waren, veranderden ze nu in fabrikanten van massaproducten. Dat had ook sociale en maatschappelijke gevolgen. Twee werelden botsten op elkaar: de welgestelde bourgeoisie en de arbeiders, vaak arme Italianen uit het zuiden met weinig opleiding.

Goedkope concurrentie en de gevolgen daarvan

Halverwege de jaren zeventig van de vorige eeuw betraden de Aziaten, vooral Chinezen uit Hongkong en Taiwan, de wereldmarkt en overspoelden die met hun goedkope textiel. Met deze producten kon en wilde Prato niet concurreren. De ene na de andere fabriek in Prato moest de deuren sluiten en ruim een derde van de plaatselijke textielarbeiders verloor het werk.

Om te overleven keerde Prato terug naar de wortels van hun textielindustrie – onder andere door zich te specialiseren tot toeleverancier van de branche. Tegelijkertijd kwamen er kleine ondernemingen waar met moderne machines en hedendaagse marketing de oude kleermakerskunst weer nieuw

leven werd ingeblazen. De Pratesi voelen zich sindsdien weer in hun element. Ook als experts op het gebied van gebruikte kleding hebben ze wereldwijd naam gemaakt. Zo is de stad uitgegroeid tot overslagplaats voor gebruikte kleding. In Prato wordt de kleding gesorteerd op kwaliteit en soort stof en aan winkels voor tweedehandskleding verkocht. Kleding die niet meer verkocht kan worden, wordt met speciale machines 'verscheurd' en tot nieuwe stoffen verwerkt. Daarvoor is geen specialistische kennis nodig, het volstaat om vlijtige arbeiders aan te nemen, zoals die te vinden zijn bij de vele Chinese bedrijven, want sinds de jaren negentig van de vorige eeuw nemen Chinezen steeds meer fabrieken in Prato over.

Chinatown in Prato

De sociale veranderingen die dit met zich meebracht, zijn goed te zien in het stadsbeeld van Prato. Met de komst van de Chinese bedrijven ontstond aan de stadsrand een Chinese kolonie, die vrijwel zelfvoorzienend is, een Chinatown met Aziatische restaurants, snackbars, internetcafés en winkels waar alles te koop is wat een Chinees nodig heeft. In en rond Prato wonen ergens tussen de 20.000 en 40.000 Chinezen – niemand weet hoeveel het er precies zijn. De Pratesi bemoeien zich over het algemeen niet met hun nieuwe medeburgers, ook al profiteert de stad van deze nieuwe ontwikkelingen: de textielbeurs is tot een van de belangrijkste ter wereld uitgegroeid en de economie bloeit weer, zodat oude paleizen gerestaureerd konden worden en het centrum een opknapbeurt kon krijgen. De stad in de toeristische schaduw van Florence is daardoor niet alleen vanwege de vele outletstores en modewinkels een aantrekkelijke bestemming voor bezoekers.

Toscane geldt als de geboorteplaats van de renaissance. Daardoor wordt nog weleens vergeten dat de regio ook een rijk romaans en gotisch erfgoed bezit.

De overwinning die Pisa in 1062 op zee op de Saracenen behaalde, heeft op het eerste gezicht weinig met de Toscaanse kunstgeschiedenis te maken. Maar op het tweede gezicht is het toch een belangrijke datum, want door de zege ontwikkelde Pisa zich tot een machtige en welvarende stad en begon het kort

In de 12e en 13e eeuw volgden meer grote kathedralen in Toscane. Het voorbeeld van Pisa werd gevolgd door steden als Pistoia (na 1108), Lucca (eind 12e eeuw), Siena (rond 1210), Prato (vanaf 1211), Arezzo (1277) en Florence (vanaf 1296).

De verbreiding van de romaanse bouwstijl vond ook uitdrukking in de bouw van talrijke kerkjes op het land, de zogeheten *pievi*. De *pievi* zijn over het algemeen eenvoudig van opzet, hebben één schip en zijn opgetrokken uit lokale materialen als steen, hout en ter-

Romaans en gotisch

daarna de verworven rijkdommen in de bouw van een kathedraal te investeren. Deze enorme kerk was de eerste romaans-gotische kathedraal van Toscane en speelde zo een voortrekkersrol. De eerste bouwmeester liet zich door uiteenlopende voorbeelden inspireren, maar vooral door de vroegchristelijke basilieken van Rome en de Byzantijnse kerken, terwijl hij ook naar de islamitische architectuur keek. Op die laatste is bijvoorbeeld de afwisseling van donkere en lichte lagen steen terug te voeren.

In de 11e-13e eeuw ontwikkelde zich een nieuwe, echt Toscaanse vorm van gevelversiering (die ook in de renaissance werd toegepast): de incrustatie, waarbij een meestal uit baksteen opgetrokken gevel bekleed werd met marmerplaten in diverse kleuren. Goede voorbeelden hiervan zijn naast de dom van Pisa, waarvan de bouw in 1063 begon, de San Miniato al Monte en het baptisterium in Florence, de badia in Fiesole en de collegiata in Empoli.

racotta. De *pievi* zijn door heel Toscane te vinden, met de grootste concentraties in de Casentino (bijvoorbeeld de San Pietro di Romena en de Santa Maria Assunta in Stia), in de Lunigiana, in de Mugello (Santa Maria in Fagna) en in de Garfagnana (in Diecimo, Loppia en Villa Basilica).

In de tweede helft van de 13e eeuw kwam er een nieuwe stijl naar Toscane: de gotiek. Deze uit Frankrijk afkomstige vorm van bouwkunst verbreidde zich niet alleen door de bouw van de grote kathedralen, maar vooral ook door de kerken van de nieuwe bedelorden. De grote, vaak eenschepige kerken met koorkapellen en gewoonlijk een open dakstoel of een vlak houten plafond werden vaak voorzien van fresco's op de muren. De wereldlijke gotische architectuur van Toscane is vaak even streng en sober als de kerkelijke architectuur van die tijd, zoals goed te zien is aan het Palazzo Vecchio in Florence en het Palazzo Pubblico in Siena.

De kunsten

De Toscaanse schilderkunst volgde in de romaanse periode aanvankelijk nog de Byzantijnse voorbeelden. Eind 13e eeuw kwam er een einde aan deze starre traditie door toedoen van de Florentijnse schilder en mozaïekkunstenaar **Giovanni Cimabue** (ca. 1240/1245-1302), eigenlijk Cenni di Pepo geheten, wiens monumentale crucifixen door heel Toscane te vinden zijn, bijvoorbeeld in de San Domenico in Arezzo en in de Santa Croce en de Santa Maria Novella in Florence (terwijl zijn beroemde *Tronende Madonna met engelen* in de Uffizi hangt).

Ook Siena groeide in de 13e en 14e eeuw uit tot een centrum van schilderkunst. **Duccio di Buoninsegna** (ca. 1255-1319) was hier de gotische schilder bij uitstek. De *Maestà* (Museo dell'Opera del Duomo) geldt niet alleen als zijn meesterwerk, maar ook als het belangrijkste werk van die periode van de Toscaanse en in het bijzonder de Sienese schilderkunst. Andere belangrijke schilders uit de Sienese gotiek waren **Simone Martini** (1284-1344) en de gebroeders **Pietro** en **Ambrogio Lorenzetti**, die talrijke fresco's, altaarstukken en paneelschilderingen vervaardigden. **Giotto di Bondone** (ca. 1266-1337), ontdekt en opgeleid door Cimabue, wist de Byzantijnse stijfheid verder uit de schilderkunst te bannen en voerde het realisme en perspectief in zijn werken in. Vasari schreef in zijn boek over kunstenaars dat Giotto 'bij de natuur en niemand anders' in de leer was gegaan.

Nicola Pisano (1225-1278) geldt als de eerste grote beeldhouwer van de middeleeuwen. Bij hem ontwikkelen de romaanse beelden zich tot echte kunst, zoals te zien is bij zijn preekstoel in het baptisterium van Pisa uit 1260 en die in de dom van Siena uit 1268. Eind 13e eeuw wordt hij opgevolgd door zijn zoon **Giovanni Pisano**, die onder andere de preekstoel in de dom van Pisa en die van de Sant'Andrea in Pistoia schiep.

Romaanse kapitelen in de apsis van de Santa Maria Assunta in Arezzo

Toscane beleefde tijdens de renaissance een ongekende bloei met Florence als stralend middelpunt. De mens begon zich tijdens de wedergeboorte (rinascita) van de klassieke tradities op zijn eigen waarden te bezinnen en kwam centraal te staan in het denken en creatieve scheppen.

de enorme koepel onder andere te realiseren met herontdekte hulpmiddelen uit de oudheid, zoals holle bakstenen die de koepel lichter maken.

De Florentijnen, met op de eerste plaats de Medici, gaven ook opdracht voor de bouw van kerken in kleinere plaatsjes, terwijl rondom Florence tal-

De renaissance - bloeitijd van de Toscaanse kunst

De renaissancemens brak in de 15e eeuw met de middeleeuwse zienswijze dat we op aarde zijn om ons voor te bereiden op het eeuwige leven erna. Hij omhelsde in plaats daarvan het nu, de levensvreugde, de schoonheid, de vrijheid van de geest. De vakkundige ambachtsman werd kunstenaar, die zelfbewust uit de schaduw van zijn werken trad. De opdrachtgevers en beschouwers van zijn kunstwerken werden een steeds kritischer publiek met wie hij de confrontatie moest aangaan.

Architecten en universele kunstenaars

Filippo Brunelleschi (1377-1446) geldt als de baanbreker voor de vroege renaissance. Hij vertrouwde niet alleen op de ervaringen van zijn voorgangers, maar ontwikkelde in de architectuur de wetten van het perspectief door middel van exacte wiskundige berekeningen. Zijn meesterwerk is zonder twijfel de koepel van de dom van Florence. Hij wist

De Madonna del Parto van
Piero della Francesca

rijke villa's verschenen naar voorbeeld van de Medici-villa's van Careggi en Poggio a Caiano. **Bernardo Rossellino** (1409-1464) mocht de droom van elke architect waarmaken toen hij in 1459 van de uit Toscane afkomstige paus Pius II opdracht kreeg om diens geboortedorp Pienza tot de ideale renaissancestad te verbouwen.

De architect en theoreticus **Leon Battista Alberti** (1404-1472), vooral beroemd om de kerk van Sant'Andrea in Mantua (Lombardije), heeft in Florence ook enkele fraaie renaissancegebouwen nagelaten: het Palazzo Rucellai en de prachtige marmeren gevel van de Santa Maria Novella.

Beeldhouwers

De beeldhouwers probeerden naar voorbeeld van de oude Romeinse beelden het menselijke lichaam zo realistisch mogelijk weer te geven.

De schilder en beeldhouwer **Lorenzo Ghiberti** (1378-1455) schiep in Florence de bronzen deuren van het baptisterium, bronzen beelden voor de Orsanmichele en reliëfs voor de doopvont van de San Giovanni in Siena.

Donato de' Bardi, beter bekend als **Donatello** (rond 1384-1466), was een leerling van Ghiberti. Hij geldt als de belangrijkste beeldhouwer van de vroege renaissance. Tot zijn belangrijkste werken horen de bronzen *David* in de Bargello en de eerste vrijstaande beeldengroep van de moderne tijd, *Judith en Holofernes*, waarvan een kopie voor het Palazzo Vecchio in Florence staat. Voor Padua (Veneto) schiep hij het ruiterstandbeeld van Gattamelata (voor de kerk van Sant'Antonio).

Michelozzo (1396/1397-1472) bouwde in Florence het Palazzo Medici en herbouwde het klooster van San Marco. Hij werkte ook in Pistoia, Montepulciano en Volterra. **Benedetto da Maiano** (1442-1497), architect van het Palazzo Strozzi, schiep levendige marmeren reliëfs, onder andere voor de preekstoel van de Santa Croce in Florence. **Andrea del Verrocchio** (1436-88) was in dienst van de Medici en maakte voor de Orsanmichele de bronzen beeldengroep *Christus en Thomas*. Zijn beroemdste werk staat in Venetië: het ruiterstandbeeld van de condottiere Colleoni.

Luca della Robbia (1399-1482) was de meester van de majolica, hij maakte reliëfs en beelden van terracotta die beschilderd en geglazuurd werden. Als u waar dan ook in Toscane op een reliëf van Maria met een kleurige rand eromheen van geglazuurd keramiek stuit (bijvoorbeeld in de Bargello), kunt u er van op aan dat het een werk van de familie Della Robbia is.

Schilders

In de renaissance hadden de meeste schilderijen nog een religieus onderwerp, maar door mannen en vrouwen, uit het volk als modellen te gebruiken, kregen de werken wel een wereldlijker karakter.

Tommaso di Giovanni di Simone Guidi, beter bekend als **Masaccio** (1401-1428), was de eerste schilder van de vroege renaissance. Zijn fresco's in de Cappella Brancacci in de Santa Maria del Carmine in Florence zijn na een decennialange restauratie sinds 1990 weer toegankelijk voor het publiek. In de Uffizi hangt zijn schilderij *Anna te drieën*.

Fra Giovanni da Fiesole, bekend onder de naam **Fra Angelico** (1387-1455), schiep vooral religieuze werken met teder geschilderde engelen. Zijn beroemdste werk zijn de fresco's in het klooster van San Marco in Florence. Zijn leerling **Benozzo Gozzoli** (rond 1420-1497) toont in zijn werken een wereldse vreugde in versieren en een aanstekelijk plezier in vertellen, zoals te zien is in de feestelijke fresco's van de *De stoet van de drie koningen* in de kapel van het Palazzo Medici-Riccardi in Florence.

Piero della Francesca (rond 1420-1492) was de grote meester van het perspectief. Hij waagde het bovendien om zijn religieuze figuren menselijke trekken te geven. Zijn *Madonna del Parto* (afgebeeld op blz. 64), de zwangere Madonna, kent weinig parallellen in de schilderkunst. Het fraaie Museo Civico in zijn geboortestad Sansepolcro is vanwege zijn schilderijen en fresco's tot een pelgrimsoord voor kunstliefhebbers uitgegroeid. De bijnaam Della Francesca kreeg hij later vanwege zijn fresco's over de legende van het heilige kruis in de San Francesco in Arezzo.

De Florentijn **Sandro Botticelli** (1444-1510) is bekend om zijn dromerige vrouwenfiguren. Vooral de *Geboorte van Venus* en de *Primavera* zijn doortrokken van een waas van mythologische melancholie. Beide werken hangen in de Uffizi.

De karmeliet **Fra Filippo Lippi** (1406-1469) gaf zijn religieuze schilderijen een werelds aandoende schoonheid mee (bijvoorbeeld in *De kroning van Maria* en

Judith en Holofernes – de eerste vrijstaande beeldengroep van de moderne tijd

Maria met kind en twee engelen in de Uffizi in Florence).

De Florentijn **Domenico di Tommaso**, bekend geworden als **Ghirlandaio** (1449-1494), dankte zijn bijnaam volgens Vasari aan zijn 'uitvinding' van de hoofdversiering van de Florentijnse meisjes, de guirlandes. Zijn belangrijkste werk in Florence zijn de fresco's in het koor en de Chiostro Verde (groene kloostergang) van de Santa Maria Novella (1481-1485). Na zijn dood werd hij in deze kerk begraven. In de fresco's heeft hij portretten van zijn collega-kunstenaar opgenomen.

Multitalenten van de hoge renaissance

Toscane werd in de 16e eeuw ook het centrum van de hoge renaissance. De twee belangrijkste vertegenwoordigers, Michelangelo en Leonardo da Vinci, waren beide opvallend veelzijdig.

Michelangelo Buonarroti (1475-1564) geldt als een universeel genie en was een van de grootste kunstenaars ooit. Hij was architect (hij ontwierp onder andere de Sint-Pieter in Rome, de trap van de Biblioteca Medicea Lauren-ziana en de grafkapel van de Medici bij de San Lorenzo in Florence), beeldhou-wer (de *David*, voor het Palazzo Vecchio in Florence staat nu een kopie, het ori-gineel is in de Accademia) en schilder (frescocyclus in de Sixtijnse Kapel in het Vaticaan). Michelangelo kan door de kracht en het drama van zijn werk ook als wegbereider van de barok wor-den beschouwd.

Leonardo da Vinci (1452-1519) was ar-chitect, beeldhouwer, schilder, onder-zoeker (onder andere op anatomisch ge-bied door het ontleden van lichamen) en uitvinder. Bij geen enkele andere renais-sancekunstenaar waren kunst en weten-schap zo zeer tot een eenheid versmol-ten. Hij werkte in Florence, Milaan, Rome en Frankrijk.

Ze waren kooplieden, bankiers en mecenassen en bepaalden lange tijd het lot van Florence. Niet iedereen profiteerde van hun bewind, maar door hun mecenaat waren ze van onschatbaar belang voor de kunst.

Geen enkele andere familie was in Toscane ooit politiek en economisch invloedrijker. Daarnaast luidden de Medici een culturele bloeitijd in.

De bankiers

De opkomst van de Medici begon met Giovanni de' Medici, een bankier die in 1397 zijn bank van Rome naar Florence verplaatste en voor de paus de kerkelijke gelden beheerde. Hij was lid van het stadsbestuur (*signoria*) van Florence. Bij zijn dood liet hij zijn zoon Cosimo, later Il Vecchio genoemd, naar huidige maatstaven een miljoenenvermogen na.

De mecenassen

Cosimo Il Vecchio was een zeer ontwikkeld man die dertig jaar lang de stad bestuurde, kunsten en wetenschappen stimuleerde en de naam van de familie tot een begrip maakte. Veel instellingen die hij oprichtte, bestaan nog altijd.

Cosimo was de grondlegger van de Biblioteca Medicea Laurenziana en van de Accademia Neoplatonica, waar de grote humanisten samenkwamen.

De Medici – bankiers, kooplieden en mecenassen in Florence

Biblioteca Medicea Laurenziana, een van de instellingen die de roem van de Medici verkondigt

Vele kunstenaars werkten voor Cosimo: de architect Michelozzo verbouwde voor hem de zetel van de Accademia en de villa's van de familie in de Mugello boven Florence. Ook het monumentale Palazzo Medici-Riccardi, waar alle belangrijke leden van de familie woonden tot de verhuizing in 1540 naar het Palazzo Vecchio, is van de hand van Michelozzo. Donatello maakte twee fraaie bronzen beelden voor het paleis van de Medici: de *David* (nu in de Bargello) en *Judith*. Benozzo Gozzoli schilderde in de huiskapel van het paleis de fresco's van *De stoet van de drie koningen*, waarin ook de gezichten van enkele Medici zijn te zien. Brunelleschi bouwde de koepel van de kathedraal en de kerk van San Lorenzo.

Il Magnifico

Cosimo's kleinzoon Lorenzo 'Il Magnifico' (de Schitterende) overtrof zijn grootvader in roem als mecenas. Voor

zijn 500e sterfdag in 1992 werden er grote evenementen in Toscane georganiseerd. Lorenzo's passie voor de schone kunsten en zijn steun voor de grote talenten (onder andere Botticelli, Ghirlandaio, Leonardo en Michelangelo) trok een zware wissel op de bank van de Medici. Maar als sluw staatsman wist hij zowel de stadstaat door politieke stormen te leiden als de eigen bank in ieder geval deels te stabiliseren.

De ongelukkige en de strateeg

Met de dood van Lorenzo in 1492 kwam er een einde aan de bloeitijd. Zijn zoon Piero had minder geluk en werd al in 1494 uit de stad verdreven door het volk, dat opgehitst was door de fanatieke dominicaan Savonarola. Toen Savonarola op zijn beurt in ongenade viel en in 1498 op de Piazza della Signoria werd geëxecuteerd, konden de Medici zich opmaken voor hun triomfantelijke terugkeer naar Florence.

Onder Cosimo I wist Florence eindelijk Siena te onderwerpen en daarmee was vrijwel het hele huidige Toscane in handen van de Medici en Florence. Cosimo I kreeg vervolgens in 1569 van paus Pius V de erfelijke titel van groothertog van Toscane.

Dat was het absolute hoogtepunt van de Medici, ze lieten monumentale bouwwerken in Florence oprichten en gaven belangrijke kunstenaars talrijke opdrachten. Zo werden bijvoorbeeld onder Cosimo I de wereldberoemde Uffizi gebouwd.

Toen Cosimo I in 1574 stierf, liet hij zijn opvolgers een grote politieke macht na, die tot aan het uitsterven van de dynastie in 1737 bleef bestaan, maar de schittering van hun grote voorvaderen konden de laatste Medici bij lange na niet evenaren.

Het Toscaans geldt tegenwoordig als een dialect, maar het is ook de taal van Dante, Boccaccio en Petrarca en was de basis waar het algemene Italiaans uit is voortgekomen. En daar zijn de Toscani trots op.

Lange tijd bestonden in het gebied van het huidige Italië diverse talen naast elkaar: het Latijn van de kerk en de rechtspraak, het volkse Vulgair Latijn (*volgare*) en in het noordwesten het Provençaals van de troubadourliederen en het Frans. Als oudste samenhangende tekst in het Italiaans geldt een kasboek uit Pisa uit 1080-1130. Pas in de 13e eeuw kwam het Italiaans als volkstaal op – daarbij in belangrijke mate beïnvloed door de Florentijnse dichters.

Volgare

Aan het Siciliaanse hof van Frederik II ontwikkelde zich begin 13e eeuw een vorm van minnedichten naar het voorbeeld van de Franse troubadourslyriek, die vooral door de Toscaanse dichters aan het hof werd overgenomen. Deze taal zou de basis voor de Italiaanse dichterstaal worden, het *volgare illustre* van de Florentijnse dichter Dante Alighieri.

Dante streefde ernaar om naast het Latijn een Italiaanse dichterstaal te vinden. In zijn verhandeling *De vulgari eloquentia* (1305) maakt hij een classificatie van de meest gebruikte dialecten van zijn tijd en komt tot de conclusie dat geen van deze dialecten het gezochte *volgare illustre* is – de gezochte dichters-

Made in Florence: de Italiaanse taal

De Goddelijke komedie van Dante Alighieri is een hoogtepunt uit de wereldliteratuur

taal blijft voor hem daarom theorie. In de praktijk liep het anders, want omdat hij zelf in het Florentijns schreef, verhief hij daarmee dit dialect tot dichterstaal.

Tre Corone – de dichters en hun werken

Het is aan de drie grote dichters (Tre Corone) van de 14e eeuw, Dante, Petrarca en Boccaccio, te danken dat het literaire Florentijns al in de 16e eeuw was uitgegroeid tot de Italiaanse dichterstaal bij uitstek. Het Florentijns dat ze schreven, had echter weinig te maken met het gesproken dialect, iets dat tot vele controversen (*questione della lingua*) heeft geleid.

Dante Alighieri (1265-1321) schonk de wereld de *Divina Commedia*, waarbij het adjectief 'Divina' (goddelijke) pas in 1355 door Boccaccio aan de titel werd toegevoegd. De *Goddelijke komedie* is een amusant verhaal waarin Dante zijn tocht door de drie rijken van het hiernamaals beschrijft: de hel, het vagevuur en het paradijs, waarbij hij zeshonderd tijdgenoten niet altijd even positief portretteert. Hij noemt ze bij naam en beschrijft zijn ontmoetingen met hen in de hel, het vagevuur of – slechts zelden – het paradijs. Dante schreef zijn werk niet in het Latijn, maar in de Toscaanse volkstaal (zie boven) en kreeg daardoor grote invloed op de ontwikkeling van de Italiaanse schrijftaal. Dante stierf in ballingschap in Ravenna, waar zijn graf nog steeds te vinden is.

Francesco Petrarca (1304-1374) had grote bewondering voor Dante en stond in zijn geboortestad Arezzo hoog in aanzien als verzamelaar van antieke geschriften, voortrekker van de filologie en als dichter van liefdesgedichten, die hij aan zijn imaginaire geliefde Laura richtte.

Giovanni Boccaccio (1313-1375) was in de eerste plaats een humanist, een geleerde die een handboek voor de mythologie samenstelde en een biografie van Dante schreef, maar hij is vooral bekend om zijn *Decamerone*, een verzameling van burleske verhalen.

Ontwikkeling

Vanaf 1612 werd er systematisch gewerkt aan het vastleggen van het Italiaans. Een belangrijke mijlpaal daarbij was de samenstelling van een woordenboek door de nog altijd in Florence zetelende Accademia della Crusca. Het woordenboek geldt als een pionierswerk uit de lexicografie. In de 18e eeuw werden uitdrukkingen uit andere Italiaanse dialecten toegelaten en kwam men tot een zinsbouw die dichter bij de gesproken taal lag.

Pas in de 19e eeuw werd de Italiaanse schrijftaal volledig op het gesproken Florentijns gebaseerd. Dat was het werk van een Milanees, Alessandro Manzoni, die de definitieve versie uit 1840 van zijn beroemdste roman *I promessi sposi* (De verloofden) in zuiver Florentijns had geschreven.

Dante in Florence

In de zogeheten quartiere di Dante in zijn geboortestad staat het vermeende geboortehuis van Dante Alighieri. Het is er rustig, want er komen maar weinig bezoekers. Hetzelfde geldt voor het nabijgelegen oratorium, waar Dante zijn geliefde Beatrice zou hebben gezien. Dante werd als alle Florentijnen in die tijd met veel kinderen tegelijk in het baptisterium gedoopt. Hij stierf in ballingschap. Het grafmonument in de Florentijnse kerk Santa Croce is leeg, het is een eregraf.

De Palio – Siena op stelten

De Palio van Siena geldt als de specta-culairste paardenrennen van Toscane. Het evenement is diep in de geschie-denis van de stad geworteld. Er wordt gezegd dat de Sienezen zo beminne-lijk zijn omdat ze twee keer per jaar, in juli en augustus, tijdens de Palio een collectieve uitlaatklep voor hun emoties hebben.

Lisa Guideri is een charmante gast-vrouwe. Ze ontvangt haar gasten in haar kleine woning hoog boven de Campo in Siena. Haar beide in Siena studerende kinderen hebben voor de gelegenheid vrienden meegenomen en er worden vlaggen van de Contrada della Torre ontrolt, de wijk waar al haar gasten toe behoren. Daarna gaat ieder-een naar het kleine balkon dat boven de piazza zweeft en een goed zicht op de Palio biedt. Het is tegen zes uur op de zwoele avond van 2 juli en de groep is bijeen gekomen om naar de eerste Palio van het jaar te kijken.

De toeschouwersruimte binnen de renbaan die op de Campo is uitgezet, stroomt langzamerhand vol mensen, net als de balkons en tribunes. Rondom zijn de ruimten tussen de balkons met planken overspannen, waarop de toe-schouwers hutjemutje zitten. Bij elkaar kunnen bijna 40.000 toeschouwers het spektakel bijwonen. Achter alle ramen staan Sienezen, die met de vlaggen van hun contrada zwaaien, ze buigen zich vanaf de daken en uit de dakramen angstaanjagend ver voorover.

Hoe het allemaal begon

In de middeleeuwen ontstonden de *con-trade,* een soort militaire compagnieën die aan de stadswijken waren toege-wezen. In vredestijd bekommerden ze

zich om het wel en wee van de bevolking, onder andere door het organiseren van spelen en wedstrijden. In de 17e eeuw kregen die de vorm van paardenrennen door de straten van de stad, een evenement dat steeds populairder werd. Eerst werden ze alleen op 2 juli gehouden, maar vanaf 1774 ook op 16 augustus. Van het begin af aan was de Palio een uitlaatklep voor gevoelens en voor de gebruikelijke kleine vijandigheden tussen de *contrade* – burenruzies dus.

Strenge regels

Signora Guideri legt uit hoe de Palio in elkaar zit: van de zeventien *contrade* van de stad mogen er per keer maar tien meedoen: de zeven die het jaar ervoor niet mochten deelnemen plus drie die door loting worden aangewezen. De vlaggen van de zeven *contrade* worden 's ochtends vroeg uit de ramen van het stadhuis gehangen, na de loting volgen de laatste drie vlaggen. De volgorde van de vlaggen laat zien in welke volgorde de historische optocht, de *corteo storico*, wordt gehouden.

Een paar dagen voor de race worden de paarden geselecteerd en vervolgens worden ze door middel van loting aan de tien deelnemende *contrade* toegewezen.

De *barbaresco*, de stalmeester van elke *contrada*, haalt het toegewezen paard op, hij is de komende dagen verantwoordelijk voor het kostbare dier. Hij voedert het paard in een speciale stal (*casa del cavallo*), waar het beschermd moet worden tegen streken van de vijandelijke *contrade*. Op de avond van 29 juni respectievelijk 13 augustus vinden proefrennen plaats: drie rondjes over het met aangestampt zand en leem bedekte plein. Daarna volgen meer testraces.

De hele stad is versierd met de kleuren en vlaggen van de wijken. Siena is stilgevallen, er worden geen zaken gedaan en persoonlijke beslissingen worden uitgesteld. Gezinnen waarvan de leden tot verschillende *contrade* behoren, gaan uit elkaar tot de Palio voorbij is. Want je blijft altijd lid van de *contrada* waarin je geboren bent, ook als je verhuist of in een andere *contrada* trouwt.

Aan de vooravond van de Palio vindt er voor alle leden van de deelnemende *contrade* een groot diner plaats op de hoofdstraat of het hoofdplein van hun wijk. De *capitani* van de wijken gaan de strategie plannen. Is bijvoorbeeld de kans dat de eigen wijk de Palio wint erg klein (omdat men een slecht paard heeft geloot), dan kunnen er afspraken worden gemaakt hoe de vijandelijke *contrade* zo goed mogelijk tegengewerkt kunnen worden.

De dag van de rennen

Op de dag van de Palio zelf loopt alles volgens een strak draaiboek. Vroeg in de ochtend vindt de zegening van de jockeys in de kerken van de stadswijken plaats (de paarden worden 's middags gezegend). Om 9 uur is de laatste testrace, rond 12 uur worden de jockeys aan de burgemeester voorgesteld, vanaf 15 uur beginnen de leden van de *contrade* zich bij de kathedraal te verzamelen voor de rond twee uur durende feestelijke optocht.

Onder begeleiding van klokgelui van de toren van het stadhuis, de Torre del Mangia, en met vendelzwaaiers voorop gaat de optocht door de Via del Casato naar de Piazza del Campo. Het hoogtepunt van de optocht komt op de Campo als vier reusachtige chianinaossen de wagen met de overwinningstrofee, een uitbundig geborduurd vaandel (de Palio), langs de jubelende menigte trekken.

Op de binnenplaats van het stadhuis stampen de paarden nerveus, terwijl de jockeys zich klaarmaken voor de race. Om 19.30 uur (in augustus om 19 uur) stopt het luiden van de zware klok van het raadhuis en loopt de span-

Zonder de zegen van God gaan de paarden niet van start

ning in de menigte van toeschouwers tot ongekende hoogten op. De ruiters begeven zich naar de ruimte tussen de twee startkoorden, het is een geduw en getrek van jewelste en valse starts zijn heel normaal.

Op het balkon van Lisa Guideri wacht iedereen met spanning op de historische optocht. Terwijl de reusachtige klok luidt, betreden de eerste delegaties van de *contrade* het plein: steeds eerst een trommelaar, dan twee vendelzwaaiers, de *duce* en twee schildknapen met de vaandels van de vroegere militaire compagnieën. Vervolgens komt een stalknecht met een paradepaard aan de hand, bereden door de *fantino*, de jockey. Als laatste komt dan het eigenlijke renpaard, geleid door zijn *barbaresco*. Als de vaandeldragers van de Contrada della Torre in het zicht komen, zijn de studenten op het balkon niet meer te houden, ze roepen 'Torre, Torre!' en zwaaien met hun vlaggen.

Het is bijna 19.30 uur, het stadhuis gloeit warmrood op in de laatste zonnestralen. Op de Campo is rondom en binnen het parcour geen centimeter vrije ruimte meer te vinden. De toegangen worden afgesloten. De klokken in de toren van het stadhuis zwijgen. Het wordt doodstil. De jockeys rijden hun paarden van de binnenplaats van het stadhuis naar de renbaan nadat ze de karwats voor het aandrijven van hun paard van de wachtposten hebben ontvangen.

De start

De ruiters stellen zich op van de zenuwen tussen twee koorden bij de start op. Nu volgt het lastigste onderdeel, een goede start.

Een schot. Het touw valt en weg zijn de paarden! Een gevaarlijke race zonder zadel begint, er staan artsen klaar

om eerste hulp te verlenen. Het gevaarlijkste punt is de bocht van San Martino links van het stadhuis, reden waarom de kleine, vooruitspringende kapel, die uit de 14e eeuw stamt, in dikke matrassen is gepakt. Niettemin vinden er nog altijd regelmatig valpartijen plaats. De paarden moeten drie rondjes rond het plein galopperen en dus drie keer deze bocht door.

Het paard van de Contrada della Torre doet het aanvankelijk goed en zit in de eerste ronde in de kopgroep, de spanning op het balkon loopt op. Dan klinkt tijdens de tweede ronde een kreet: 'Ecco, la oca!' Lisa Guideri slaat de handen voor de ogen, de tranen stromen over haar gezicht. 'Madonna mia, Madonna,' stamelt ze met verstikte stem. Juist Oca, de aartsvijand van haar *contrada*, heeft het paard van Torre weer eens ten val gebracht, alle hoop is met een klap van een zweep de bodem ingeslagen. Maar na de race begint alles weer van voren af aan en is alle hoop op de volgende Palio gericht, als er weer een kans komt om haar *contrada* naar de overwinning te schreeuwen.

Onderweg in Toscane

Eigenlijk is het zonde om snel door Toscane te rijden ...

Florence en omgeving

Hoogtepunt! *

Florence: een must voor iedereen die Italië bezoekt. De culturele en economische hoofdstad van Toscane is niet alleen de bakermat van de renaissance, maar ook een stad waar men van het *dolce vita* kan gezieten. Blz. 80

Op ontdekkingsreis

De Botteghe dell'Oltrarno: Florence is beroemd om zijn kunstenaars, maar ook om zijn ambachtslieden, die historisch gezien vaak een even grote achting genoten. Een tocht langs de *botteghe,* de werkplaatsen van de ambachtslieden, *oltrarno,* aan de overzijde van de Arno, biedt interessante inzichten en memorabele tafereeltjes tijdens een leuke wandeling door het minder bekende 'volkse' deel van de stad. Blz. 94

Bezienswaardigheden

Galleria d'Arte Moderna: in het Palazzo Pitti is een verzameling Toscaanse impressionisten te zien. **11** Blz. 89

Galleria dell'Accademia: wetenswaardigheden rond de *David* van Michelangelo op een interessante manier gebracht. **19** Blz. 93

Theater: de bekendste theaters van Florence zijn het Teatro del Maggio Musicale Fiorentino, sinds kort in ultramoderne nieuwbouw, het Teatro Verdi en voor lichtere kost het Teatro della Pergola. Blz. 102

Actief en creatief

Door de Via Tornabuoni: windowshoppen in deze straat is een uitstekende manier om de nieuwste trends in de haute couture te leren kennen, terwijl u ook iets te zien krijgt van de unieke decoraties van de nobele Florentijnse *palazzi* die langs deze elegante straat staan. Blz. 99

Taal- en schildercursussen: geen enkele Toscaanse stad biedt zo veel culturele cursussen aan als Florence. Blz. 100

Sfeervol genieten

Piazzale Michelangelo: de mooiste plek om over Florence uit te kijken. Blz. 80

Beroemde Florentijnse cafés: er zijn twee plekken in het centrum die 'het' helemaal zijn, de Piazza della Signoria met Caffè Rivoire en de nabijgelegen Piazza della Repubblica met Caffè Paskowski. Blz. 101

Uitgaan

Piazza Santo Spirito: rond dit plein zitten leuke cafés en 's zomers zijn er openluchtconcerten. Blz. 90

Maggio Musicale: festival met een breed aanbod aan muziek, van klassiek tot modern. Blz. 102

Parco delle Cascine: het uitgestrekte park ten westen van het centrum is 's avonds een ontmoetingsplek. Blz. 102

De economische en culturele hoofdstad van Toscane ligt op een hoogte van 52 m en wordt door de brede Arno in tweeën gedeeld. Florence heeft zo veel te bieden dat u er een vakantie makkelijk mee kunt vullen. De stad is ook een goede uitvalsbasis voor uitstapjes naar Fiesole en naar Galluzzo.

Voor de inwoners van Toscane draait alles om Florence, want hier zetelen het regiobestuur en de belangrijke overheidsinstellingen, terwijl de stad ook een grote universiteit en vele culturele instellingen bezit. Ook de reiziger die voor het eerst naar Toscane komt, kan niet om Florence heen, een bezoek is zo ongeveer verplicht! Toch is het beter om niet in het hoogseizoen naar de stad te komen, want tijdens de drukkend warme zomers en met Pasen lopen de prijzen tot astronomische hoogten op en de musea, kerken en pleinen worden hopeloos overspoeld door legers toeristen (meer dan acht miljoen overnachtingen en drie miljoen bezoekers per jaar!).

Florence geldt als de 'bakermat van de renaissance' en is een levendige, drukke regionale metropool: in en rond de stad wonen rond 450.000 mensen, terwijl er dagelijks nog eens 100.000 forenzen naar Florence komen, waar vooral de gemeente en de regio Toscane grote werkgevers zijn.

Rond de oude stad van Florence lopen op de plek van de gesloopte stadsmuren de *viali* (lanen). In de heuvels ten noorden van de stad richting Fiesole en in het zuiden rond de Viale dei Colli staan villa's. De groene Viale dei Colli zelf leidt, regelmatig van naam wisselend, omhoog naar de **Piazzale Michelangelo**. Dit plein trekt niet alleen toe-

INFO

Verkeersbureaus en internet
zie blz. 102

Reizen naar en in Florence

De Florentijnse **luchthaven** Amerigo Vespucci ligt bij Peretola, slechts 6 km ten westen van de stad. Tussen het centrum van de stad en de luchthaven rijden talrijke lijnbussen (die naar het hoofdstation rijden) en taxi's.

Vanuit Florence rijden **bussen** naar een groot aantal bestemmingen in de provincie, ze vertrekken bij het hoofdstation Santa Maria Novella (SMN). In het centrum hebt u geen motorvoertuig nodig en bovendien is een groot deel van de oude stad voetgangerszone. Florence beschikt ook over goede **spoorverbindingen**, de stad is met vrijwel alle provinciehoofdsteden van Italië verbonden.

Waarschuwing voor automobilisten: De voetgangerszones in het centrum worden streng bewaakt, wie zonder vergunning deze ZTL (Zona Traffico Limitato) binnenrijdt, kan op een fikse boete rekenen! Alleen bewoners en toeristen die een hotel of parkeerplaats in het centrum hebben gereserveerd, mogen door de ZTL rijden; toeristen moeten op hun bestemming hun auto parkeren en mogen gewoonlijk alleen bij vertrek weer door de zone rijden. Alle auto's in de zone worden met videocamera's geregistreerd, maar uw hotel kan uw kenteken bij de verantwoordelijke instantie 'afmelden'. Kijk voor parkeergarages op www.firenzeparcheggi.it.

risten, want vooral in het weekend en op zwoele avonden komen er veel Florentijnen om te genieten van het uitzicht over de stad met op de achtergrond de heuvels van Fiesole. Bij mooi weer hangt er een feestelijke stemming, kinderen rennen met kleurige ballonnen rond de kopie van de David, jongens rijden met knetterende brommers rondjes.

Vanuit de hoogte is te zien hoe groot de stad is en hoe mooi, met zijn rode pannendaken, kerktorens, paleizen en natuurlijk de koepel van Brunelleschi.

Geschiedenis

De wortels van Florence liggen in een Romeins legerkamp dat in de 1e eeuw v.Chr. gebouwd werd aan de voet van de in die tijd veel belangrijkere Etruskische stad Fiesole. Vele eeuwen lang gebeurde er hier niets van historisch belang. Op zijn laatst in 1115 was Florence een vrije *comune* en in 1138 werden in de stad de eerste consuls benoemd en zag de eerste regering van de republiek het licht. De eigenlijke macht lag in handen van de clerus en de rijke kooplieden, die Florence tot een belangrijke handelsstad maakten en de stadstaat lieten uitgroeien tot het belangrijkste bastion van de Welfen, de pausgezinden. Het leidde tot een grote toestroom van nieuwe burgers, waardoor de stad de honderdduizend inwoners passeerde. Die pasten niet meer binnen de Romeinse stadsmuren die Florence nog altijd omringden. Men besloot daarop de stad naar de andere oever van de Arno uit te breiden. In 1282 namen de gildes de macht in de stad over, waarbij hun leiders, de *priori*, het in het stadsbestuur voor het zeggen kregen.

De relaties tussen de Welfen en de Ghibellijnen binnen de stad bleven gespannen. Maar schadelijker nog was de strijd tussen twee facties binnen de Welfen: de Witte en de Zwarte Welfen, waarbij de laatsten zich nog nauwelijks van de keizergetrouwe Ghibellijnen onderscheidden. Toen de Witte Welfen aan de macht kwamen, moest Dante Alighieri, een Zwarte Welf en schrijver van de *Divina Commedia*, vluchten. Hij zou zijn geboortestad nooit meer terug zien. Hij ligt begraven in Ravenna, maar wordt in de Santa Croce in Florence geëerd met een cenotaaf, een leeg grafmonument.

Van de Medici tot hoofdstad

De rijk geworden kooplieden en bankiers maakten van de politieke crisis van de 14e eeuw gebruik om het bestuur over de stad in de vorm van een *signoria* van families over te nemen. In 1434 wist Cosimo de' Medici de macht in handen te krijgen en legde daarmee de basis voor de dynastie van de Medici (zie blz. 68). Lorenzo de' Medici, bijgenaamd Il Magnifico, de Schitterende, bracht de stad in de periode 1469-1492 tot grote bloei als centrum van kunst en wetenschap. De republikeinsgezinde Florentijnen lieten zich weliswaar de gunsten van hun rijke leiders welgevallen, maar liepen nooit over van eerbied voor hen en verdreven de Medici in 1492 uit de stad toen ze te machtig begonnen te worden. Pas in 1512 kon de familie na een interventie van Spaanse troepen weer naar Florence terugkeren. In 1527 werden ze opnieuw verdreven, maar in 1530 kwamen ze weer terug met steun van een vreemde macht: Karel V benoemde Alessandro de' Medici tot hertog en diens opvolger Cosimo I mocht zich vanaf 1569 zelfs groothertog van Toscane noemen. Toen de dynastie van de Medici in 1737 uitstierf, viel Toscane als rijksleen aan het huis Lotharingen, dat hier tot 1860 regeerde – met een onderbreking tijdens de Napoleontische periode van 1801-1814. Na de aansluiting bij het koninkrijk Italië was Florence 1865-1871 hoofdstad.

De oude stad

Het historische centrum, *centro storico,* ligt ten noorden van de Arno rond de centrale Piazza della Repubblica. Het is inmiddels voor een groot deel verkeersvrij en daardoor een genot om te verkennen, ook al omdat de afstanden niet al te groot zijn. Aan de Piazza della Repubblica is zijn lange geschiedenis niet meer af te lezen, want in 1865 werd het plein in het kader van het uitroepen van Florence tot hoofdstad van Italië volledig vernieuwd. In het centrum zijn nog twee andere markante pleinen: de Piazza della Signoria met het Palazzo Vecchio, het oude stadhuis waar nog steeds gemeentelijke diensten in zijn ondergebracht, maar dat ook deels museum is, en de Piazza del Duomo met de kathedraal, de campanile en het baptisterium in het midden. Rond deze drie monumenten staat een reeks palazzi, waaronder het gebouw van het Museo dell'Opera del Duomo aan de oostzijde.

Santa Maria Novella 1

www.smn.it/visita, kerk ma.-do., za. 9.30-17, vr., zon- en feestdagen 13-17 uur; museum ma.-do., za. 9-14 uur. € 3,50

Vanaf het fraai gerenoveerde station Santa Maria Novella, gebouwd in de jaren dertig van de 20e eeuw, is het enkele minuten lopen naar de kerk van Santa Maria Novella aan het gelijknamige plein. De kerk heeft een erg mooie gevel van wit en olijfgroen marmer met boven de onderverdieping een fries met opbollende zeilen, het symbool van de familie Rucellai, die in 1456-1470 geld schonk om de gevel te voltooien. De dominicanenkerk werd in 1278-1350 in gotische stijl gebouwd, maar was pas voltooid met de toevoeging van de renaissancegevel door Leon Battista Alberti.

De fresco's in het koor van de grote kerk behoren tot de meesterwerken van Domenico Ghirlandaio. Links is een cyclus met taferelen uit het leven van Maria, rechts is het leven van Johannes de Doper uitgebeeld. Het refectorium en de kleine kloostergang (vanwege de dominerende kleur *chiostro verde* genoemd, de groene kloostergang) zijn als museum ingericht. Naast de kerkschat kunt u er losgemaakte fresco's van Ghirlandaio uit de kloostergang (14e eeuw) zien. De beschilderde kapittelzaal is nog in de oorspronkelijke staat en maakt deel uit van het museum van de Santa Maria Novella.

Tegenover de kerk staat de **Loggia di San Paolo**, de zuilengang van een oud ziekenhuis uit 1489-1498. Inmiddels is

de loggia gerestaureerd. In de verte ziet u de koepel van de kathedraal, om er te komen neemt u de smalle Via dei Banchi en de drukke Via de' Cerretani naar de Piazza San Giovanni, die samen met de Piazza del Duomo het sacrale hart van Florence vormt.

Battistero San Giovanni 2

Ma.-za. 11.15-19, zo. 8.30-14 uur. € 5
De in 1059-1150 gebouwde doopkapel behoort met de San Miniato al Monte (zie blz. 90) tot de oudste kerken van de stad. Het baptisterium werd gebouwd over een nog oudere kerk en was Dantes lievelingskerk, hij werd er ook gedoopt. Tot aan de 19e eeuw was de San Gio-vanni de enige doopkerk van Florence, er vond twee maal per jaar een massale doopplechtigheid plaats.

Ook het baptisterium heeft een mar-meren incrustatiegevel, maar de mo-tieven zijn hier veel geometrischer dan die op de Santa Maria Novella. Dunne, witte marmerplaten uit Carrara en don-kergroene uit Prato bekleden de ruw gemetselde muren. Hoogtepunt van de kerk zijn de drie bronzen portalen, met op de eerste plaats de door Michel-angelo bewonderde 'Paradijspoort' te-genover de dom. Dit werk van Lorenzo Ghiberti (1426-1452) bestaat uit tien pa-nelen met taferelen uit het Oude Tes-tament. Het huidige por- ▷ blz. 86

Duomo Santa Maria del Fiore met campanile en baptisterium

Florence

Bezienswaardigheden

Overnachten

Eten en drinken	Winkelen	Uitgaan
1 Antico Fattore	**1** Enoteca dei Verrazzano	**1** Rivoire
2 Trattoria Cibreino	**2** Papiro	**2** Paszkowski
3 Il Penello	**3** Peruzzi	**3** Pitti Gola e Cantina
4 Le Mossacce	**4** Scuola del Cuoio	**4** Sei Divino
5 Giannino in San Lorenzo	**5** Salvatore Ferragamo	**5** Il Santo Bevitore
6 Totò	**6** Libreria dell Spada	
7 Osteria dei Centopoveri	**7** Morganti Civaie	
8 Nerbone en markthal		

taal is een kopie van verguld brons, het origineel bevindt zich inmiddels in het Museo dell'Opera del Duomo.

In 1330 begon Andrea Pisano aan de 28 medaillons met taferelen uit het leven van Johannes de Doper voor het zuidportaal van het baptisterium, de huidige hoofdingang. Lorenzo Ghiberti en zijn leerlingen maakten in 1403-1424 28 medaillons voor het noordportaal.

Het interieur van het baptisterium maakt een overweldigende ruimtelijke indruk, niet alleen door de immense hoogte, maar ook door de fraaie mozaieken in Byzantijnse stijl die vanaf 1270 tot in de 14e eeuw werden vervaardigd, met een grote Christus als rechter tijdens het laatste oordeel.

Duomo Santa Maria del Fiore **3**

Ma.-wo., vr. 10-17, do. mei-okt. 10-16, juli-sept. 10-17, verder 10-16.30, za. 10-16.45, zon- en feestdagen 13.30-16.45 uur. Entree gereguleerd maar gratis; koepel: ma.-vr. 8.30-19, za. 8.30-17.40, 1e za. van de maand tot 16 uur. € 8

De dom van Florence is in grootte de derde kerk van Italië, na de Sint-Pieter en de kathedraal van Milaan. In 1296 begon Arnolfo di Cambio met de bouw van de enorme gotische kerk, die van binnen minder indrukwekkend is dan van buiten. In 1357 kreeg Francesco Talenti de leiding over de bouwwerkzaamhe-

den, maar pas in 1436 werd de kerk gewijd. De imposante koepel uit 1420-1434 geldt als het meesterwerk van Brunelleschi, hij is 107 m hoog, gemeten tot aan het puntje van de lantaarn, die in 1472 werd voltooid. De bezoeker kan over 463 treden door de dubbelwandige koepel omhoog klimmen om van het overweldigende uitzicht rondom te genieten. De gevel is grotendeels 19e-eeuws, hij werd in 1887 voltooid en verwijst in stijl en kleuren naar de campanile.

Campanile

Dag. 8.30-19.30 uur; in het hoogseizoen lange wachttijden. € 6

De klokkentoren van de kathedraal rijst naast de kerk tot een indrukwekkende hoogte van 82 m op. De bouw begon in 1334 onder leiding van Giotto, die opgevolgd werd door Andrea Pisano, terwijl Talenti de toren in 1387 voltooide. Met zijn kleurige marmerincrustatie doet de campanile, die als mooiste klokkentoren van Italië geldt, erg aan de dom in het Umbrische Orvieto denken. Wie de 414 treden in de toren beklimt, heeft een schitterend uitzicht over de stad.

Museo dell' Opera del Duomo **4**

Ma.-za. 9-19.30, zon- en feestdagen 9-13.45 uur. € 6

Aan de achterkant van de dom staat tegenover het indrukwekkende koor het

Museo dell'Opera del Duomo met een prachtige verzameling van vooral beelden uit de dom en het baptisterium. Tot de hoogtepunten horen de onvoltooide *Pietà* van Michelangelo, de beroemde zangerstribunes van Donatello en Luca della Robbia, het indrukwekkende beeld van Maria Magdalena van Donatello en de originele deuren van de Paradijspoort van het baptisterium.

Loggia del Bigallo 5

Wo.-ma. 10-14, 15-18.50 uur. € 5

Deze betoverende kleine loggia uit 1352-1358 staat ten zuiden van dom en baptisterium op de hoek van de meestal drukke winkelstraat Via Calzaiuoli. De broederschap van de Bigallo bekommerde zich om oude mensen en vondelingen. In de drie ruimten van de bovenverdieping zijn nu de kunstschatten bijeengebracht die de broederschap in de loop der eeuwen had verzameld.

Piazza della Repubblica

De **Via Calzaiuoli** is een elegante voetgangersstraat met fraaie modewinkels, maar ook met ijssalons, bars en souvenirwinkels. Halverwege de straat ligt de grote Piazza della Repubblica en iets voorbij dit plein een kerk met een unieke architectuur: de Orsanmichele.

Orsanmichele 6

Ma.-zo. 10-17 uur, het museum op de bovenverdieping ma. 10-17 uur, gratis

De Orsanmichele was oorspronkelijk een graanmarkt met een graanpakhuis op de bovenverdieping. Na een brand in de 14e eeuw werd het gebouw tot een kerk verbouwd, waarbij de grote bogen van de loggia beneden werden dichtgezet. In de 15e eeuw lieten de gilden beelden maken voor de nissen rondom de kerk (inmiddels vervangen door kopieën). In de ruimten boven het voormalige graanpakhuis zijn de originele

beelden te zien. De toegang is vanuit het Palazzo dell'Arte della Lana, het voormalige hoofdkwartier van het rijke wolweversgilde, dat een groot deel van de financiering van de Orsanmichele op zich had genomen.

De tweeschepige kerk met fraaie vensters en fresco's bezit een bijzonder kunstwerk: het gotische marmeren tabernakel (1355-1359) van Orcagna, dat gemaakt werd als omlijsting voor een nog altijd diep vereerde *Maria met kind* van Bernardo Daddi (1347).

Palazzo Vecchio 7

Vr.-wo. 9-19, do. 9-14 uur, soms langer open (tot 24 uur). € 6. Toren apr.-sept. vr.-wo. 9-21, do. 9-14 uur, okt.-mrt. vr.-wo. 10-17, do. 9-14 uur

De Via Calzaiuoli eindigt bij de **Piazza della Signoria**, traditioneel het seculiere centrum van Florence. Rond het plein zitten talrijke cafés en restaurants, terwijl de piazza het schouwtoneel is van veel evenementen. De **Neptunsfontein** met het marmeren beeld van de zeegod op het plein maakt meer indruk door zijn grootte dan door zijn kunstzinnige kwaliteiten. Ammannati maakte de fontein in 1563-1575.

Een beetje in de hoek weggedrukt staat het Palazzo Vecchio met zijn fraaie gevel uit gelijkmatige, ruwe steenblokken, bekroond door kantelen. Boven het gebouw steekt de slanke klokkentoren, eveneens van kantelen voorzien, hoog boven de stad uit. Het stadhuis werd in 1298-1314 gebouwd, vermoedelijk door Arnolfo di Cambio, als paleis voor de priori, de hoogste bestuurders van de stad, die er woonden en werkten. In de 16e eeuw werd het gebouw aan de achterzijde fors uitgebreid, terwijl Vasari aan de zijkant de Uffizi (als extra kantoorruimte) bouwde en verantwoordelijk was voor de corridor die het Palazzo Vecchio over de Arno met het Palazzo Pitti verbindt.

In het plaveisel voor het palazzo is een ronde plaat aangebracht die de plek markeert waar de dominicaan Savonarola in 1498 als ketter op de brandstapel werd gezet. Later kreeg men er spijt van, want hij had alleen maar geprobeerd de Florentijnen van hun materialisme te genezen om tot strengere zeden te komen.

Links voor de hoofdingang van het Palazzo Vecchio staat een kopie van de *David* van Michelangelo (het origineel bevindt zich in de Galleria dell'Accademia, zie blz. 93). Het symbool voor de kracht van het volk staat tegenover een beeld dat de macht belichaamt: Hercules die Cacus met een knots verslaat omdat die zijn vee had gestolen.

Het Palazzo Vecchio is nog altijd in gebruik als stadhuis, maar een aanzienlijkdeel is nu museum: de **Quartieri Monumentali** met onder andere de Salone dei Cinquecento uit 1495, de Sala dei Dugento, de 16e-eeuwse Studiolo van Francesco I de' Medici, de vertrekken van Eleonora, de Sala dei Gigli en de Stanza delle Mappe Geografiche met een enorme bronzen globe. Op de tweede verdieping staat in een nis tussen de Sala degli Elementi en de Sala di Giove het origineel van het bronzen beeldje van een putto met een dolfijn in zijn armen (Andrea del Verrocchio, rond 1476), waarvan een kopie op de eerste binnenplaats van het palazzo staat.

Loggia dei Lanzi 8

Rechts naast het Palazzo Vecchio staat de Loggia dei Lanzi met drie imposante bogen uit 1376-1382. Vroeger heette het bouwwerk de Loggia della Signoria of dei Signori. Er staan beroemde beelden, zoals de *Perseus met het hoofd van Medusa* van Benvenuto Cellini en de *Sabijnse Maagdenroof* van Giambologna.

Galleria degli Uffizi 9

Di.-zo. 8.15-18.50, 's zomers tot 21 of 24 uur. € 6,50, € 10 bij tentoonstellingen

Tussen het Palazzo Vecchio en de Loggia dei Lanzi bevindt zich de doorgang naar de **Piazza degli Uffizi** met het gelijknamige U-vormige gebouw van de Uffizi. Vasari bouwde het complex in 1560-1574 als kantoorgebouw voor de Medici. Hij verbond de Uffizi aan de ene zijde met het Palazzo Vecchio en aan de andere zijde door middel van de **Corridoio Vasariano** (met een verzameling zelfportretten, alleen na reserveren te bezichtigen) via de Ponte Vecchio met het Palazzo Pitti, een 15e-eeuws paleis dat tot de residentie van de groothertogen van Toscane werd uitgebreid.

In de Uffizi valt een fraaie collectie Vlaamse en Duitse meesters te bewonderen, maar het museum is vooral beroemd om zijn meesterwerken van de Florentijnse en Italiaanse schilderkunst. Tot de werken die iedere bezoeker in ieder geval moet gaan bekijken, horen de drie panelen van de *Tronende Madonna* van respectievelijk Giotto, Cimabue en Duccio, de *Primavera* en de *Geboorte van Venus* van Botticelli, het portret van Luther van Lucas Cranach, dat van Cosimo il Vecchio van Pontormo, dat van de hertog van Urbino van Piero della Francesca, de *Venus von Urbino* van Titiaan, de *Kroning van Maria* van Fra Angelico, de *Tondo Doni*, een rond paneel van

---

Reserveren van kaartjes

In het hoogseizoen is het verstandig om tijdig kaartjes voor de Florentijnse musea te reserveren: **Firenze Musei**, tel. 055 265 43 21, Polo Museale, www.firenzemusei.it, toeslag € 4. Reserveren kan voor de volgende musea: Uffizi, Galleria dell'Accademia, Palazzo Pitti met de Giardino di Boboli en de musea in het paleis, inclusief de staatsievertrekken, Cappelle Medicee, Museo Nazionale del Bargello.

Hoogtepunt: de Geboorte van Venus (detail) van Botticelli in de Uffizi

de heilige famlie van Michelangelo, en Rafaëls *Madonna van het puttertje*.

Behalve schilderijen herbergen de ruim vijftig zalen van het beroemdste schilderijenmuseum van Italië ook marmeren en bronzen beelden, wandtapijten en inlegwerk (het meeste inmiddels in het Opificio delle Pietre Dure). De benedenverdiepingen van de Uffizi zijn onlangs gerestaureerd en worden nu voor tentoonstellingen gebruikt.

Ponte Vecchio 10

Als u aan het einde van de Piazzale degli Uffizi onder de Loggiata degli Uffizi doorloopt, komt u bij de Arno en kijkt rechts uit op de schilderachtige Ponte Vecchio met zijn huisjes als zwaluwnesten. Boven de huisjes is de Corridoio Vasariano te zien. Op deze plek zitten vaak schilders om de brug vast te leggen.

De oudste brug van Florence staat al in een oorkonde uit 996 vermeld. De huidige vorm kreeg de brug in 1345. Sinds de 13e eeuw zitten er winkeltjes op. In het begin was de brug het domein van slagers, die het makkelijk vonden om hun afval direct in de rivier te gooien. Groothertog Cosimo I vond de stank die hij op weg naar het Palazzo Pitti in de neus kreeg, maar niets en beval in 1540 dat er alleen nog maar goudsmeden op de brug mochten zitten en dat is sindsdien niet meer veranderd.

Palazzo Pitti met Giardino di Boboli 11

Galleria Palatina, Galleria d'Arte Moderna, staatsievertrekken di.-zo. 8.15-18.50 uur, € 8,50. Museo degli Argenti, Museo del Costume, Museo delle Porcellane (in de Giardino di Boboli) nov.-feb. 8.15-16.30, mrt. tot 17.30, apr., mei, sept., okt. tot 18.30, juni-aug. tot 19.30 uur. Eerste en laatste ma. van de maand gesl. € 7

De bouw van het reusachtige Palazzo Pitti begon in 1458. In 1559-1580 werd het door Ammannati in opdracht van de vrouw van Cosimo I vergroot, waardoor de gevel nu een lengte van 205 m heeft. Begin het bezoek door eerst de gevel te bestuderen, want dat is een fraai staaltje renaissancearchitectuur. In de rijk gedecoreerde zalen van de Galleria Palatina zijn schilderijen uit de verzameling van Cosimo III naast moderne en antieke beelden te zien, terwijl de Galleria d'Arte Moderna onder andere een fraaie verzameling werken van de *macchiaioli*, de Toscaanse impressionisten, bezit. Daarnaast kunt u ook de koninklijke vertrekken bekijken die in de periode 1865-1871 werden ingericht.

De **Giardino di Boboli** geldt als een van de mooiste tuinen in Italiaanse stijl, hij loopt achter het paleis omhoog naar het Forte di Belvedere.

Santo Spirito 12

Ma., di., do.-za. 9.30-12.30, 16-17.30, zon- en feestdagen 11.30-12.30, 16-17.30 uur, gratis. Cenacolo ma., za., zo. 10-16 uur. € 3

De Piazza Santo Spirito is een geliefd ontmoetingspunt voor jongeren, die op de jazzconcerten en andere openluchtvoorstellingen afkomen.

Het plein is vernoemd naar de kerk van Santo Spirito, die tussen 1444 en 1487 naar een ontwerp van Brunelleschi voor de augustijnen werd gebouwd. De fraaie campanile is van de hand van Baccio d'Agnolo (1545). De drieschepige basiliek beschikt over veertig kapellen, die deels met belangrijke kunstwerken zijn gedecoreerd. De achthoekige sacristie is ontworpen door Sangallo (15e eeuw).

In de aangrenzende **Cenacolo di Santo Spirito**, het voormalige refectorium met een fraai fresco van de kruisiging van Orcagna (1360), bevindt zich de kunstverzameling Fondazione Romano met werken uit de 14e-16e eeuw

van onder andere Donatello en Jacopo della Quercia.

Santa Maria del Carmine 13

Ma., di.-za. 10-17, zon- en feestdagen 13-17 uur; reserveren verplicht, tel. 055 276 82 24. € 4

De Santa Maria del Carmine (bouwbegin 1268) aan de gelijknamige piazza ligt op een paar minuten lopen van de Santo Spirito. De grote bezienswaardigheid van de kerk is de **Cappella Brancacci** met belangrijke meesterwerken uit de vroege renaissance: de fresco's van Masolino, Filippino Lippi en bovenal Masaccio (*Geschiedenis van de heilige Petrus*, 1424-1427). Dit werk van Masaccio blinkt uit door kracht en fijnzinnigheid en zou het voorbeeld worden voor alle Florentijnse schilders van de 15e eeuw. De fresco's die Masolino en Masaccio van Adam en Eva maakten, trekken de meeste bezoekers. Na de laatste restauratie zijn de twee weer zonder vijgenbladeren te zien.

Forte di Belvedere 14

Di.-zo. 14-19, tuin 9-20 uur, gratis.
Wie aan deze zijde van de Arno nog wat tijd over heeft, kan omhoog wandelen naar het stervormige fort. Loop daartoe richting Ponte Vecchio en sla vlak voor de brug rechts af en volg de Costa di San Giorgio omhoog. Buontalenti bouwde de vesting in 1590-1595. In het gebouw zijn soms tentoonstellingen te zien, maar de vesting en het park zijn helaas vaak gesloten omdat er zich in het verleden ongelukken en zelfmoorden hebben voorgedaan.

San Miniato al Monte 15

's Zomers dag. 7-zonsondergang, 's winters dag. 7-13, 15.30-19 uur, gratis

Het beroemdste beeld van de stad, de David van Michelangelo in de Galleria dell'Accademia, trekt drommen bezoekers

Nog hoger dan het Forte di Belvedere ligt de **Piazzale Michelangelo** (te voet bereikbaar over de Via di Belvedere, per bus met lijn 12 of 13 vanaf het station) en daar weer boven de misschien wel mooiste kerk van Florence, de San Miniato al Monte. In de tijd van Karel de Grote stond hier al een kerk, maar het huidige gebouw werd in de de 11e-13e eeuw in romaanse stijl opgetrokken. De marmeren gevel is in protorenaissancestijl gebouwd. Boven de gevel prijkt een arend – het symbool van het wolweversgilde, dat de bouw financierde.

De drieschepige romaanse basiliek straalt een grote harmonie uit, ook al zijn de balken van de open dakstoel in gotische stijl. Onder het verhoogde koor ligt de grote crypte, die met zijn zeven schepen en diepe kruisgewelven op een zuilenwoud lijkt. Voor het koor staat de **tabernakel** van Michelozzo (1448) met een prachtig baldakijn van keramiek.

De muren van de **sacristie** zijn bedekt met fresco's van Spinello Aretino (1387) met taferelen uit het leven van de heilige Benedictus. Het 'verhaal' begint tegenover de ingang en gaat van boven af met de klok mee steeds in de richting waarin de monniken kijken. De **Cappella del Cardinale del Portogallo**, in het linkerzijschip, geldt als een juweel van de vroege renaissance (1461).

Santa Croce 16

Ma.-za. 9.30-17, zon- en feestdagen 14-17 uur. Entree inclusief museum € 6
Achter het Palazzo Vecchio leidt de Borgo dei Greci tussen hoge paleizen uit de middeleeuwen en renaissance naar de Santa Croce aan de gelijknamige piazza. Rechts van de kerk ligt het enorme kloostercomplex met het museum en de school voor leerbewerking (de Biblioteca Nazionale sluit aan de Arnokant op het klooster aan).

De Santa Croce is de grootste franciscanenkerk van Italië. De bouw begon in 1294 en in 1443 werd de kerk gewijd. De marmeren gevel werd pas in de 19e eeuw voltooid. De Santa Croce is het pantheon voor veel beroemde Toscani, waaronder Galileo Galilei, Michelangelo, de componisten Luigi Cherubini en Gioacchino Rossini, de politicus Leonardo Bruni, en Niccolò Machiavelli. Een enorme cenotaaf gedenkt Dante, wiens stoffelijke resten in zijn laatste ballingsoord Ravenna begraven liggen.

In de kloostergang uit de 14e eeuw staat helemaal achteraan links de fraaie **Cappella dei Pazzi** van Brunelleschi (ca. 1430-1446). Het **refectorium** is als museum ingericht en bevat vele kostbaarheden uit de rijke geschiedenis van het klooster, waaronder de kruisiging van Cimabue die bij de overstroming van 1966 zwaar beschadigd raakte en tot symbool van de restauratiecampagne in Florence uitgroeide.

De wijk Santa Croce is het centrum van de leerverwerking in Florence met talrijke ateliers en winkels, die aan de piazza zelf vaak duur zijn, maar daarbuiten goede deals bieden.

Museo Nazionale del Bargello 17

Dag. 8.15-13.50 uur; 1e, 3e, 5e zo. en 2e en 4e ma. van de maand gesl. € 4
De ingang van het Palazzo del Bargello, zetel van het gelijknamige Museo Nazionale, bevindt zich aan de Via del Proconsolo. Het hoge, vestingachtige paleis met een machtige toren werd in 1250 door de burgers van de stad midden in het hart van Florence gebouwd als symbool voor hun overwinning op de adel. Het museum is niet alleen vanwege de indrukwekkende architectuur een bezoek waard, maar ook om de schitterende verzameling Florentijnse en Toscaanse beeldhouwkunst uit de 14e-16e eeuw met werken van onder anderen Donatello (de bronzen *David*), Michelangelo, Cellini, Andrea en Giovanni

della Robbia (kleurige terracottamedaillons) en Verrocchio.

Badia Fiorentina 18

Alleen tijdens diensten open
Schuin tegenover de Bargello staat een van de oudste kerken van de stad, die meestal kortweg Badia wordt genoemd. De kerk werd in 978 gesticht en was in de 10e en 11e eeuw het geestelijke middelpunt van Florence. In 1284-1310 vergrootte Arnolfo di Cambio de kerk in gotische stijl. In 1310-1330 kwam daar de slanke, zeshoekige campanile bij en in de 15e eeuw de kleine kloostergang van Bernardo Rossellino. De kerk kreeg in de 17e eeuw zijn huidige barokke aanzien en werd van talrijke schilderijen voorzien. De beheerders van de kruisvormige kerk richten zich nadrukkelijk op zijn religieuze functie en houden nieuwsgierige toeristen zo veel mogelijk buiten de deur.

Galleria dell'Accademia 19

Di.-zo. 8.15-18.50 uur. € 6,50
In 1784 verhuisde groothertog Leopold I de kunstacademie naar het voormalige Ospedale di San Matteo. Later werden er kunstwerken opgeslagen waarvoor in de grote musea geen plek was. Het beroemdste werk in de Galleria is het origineel van Michelangelo's *David*. Bij het beeld is veel informatie te vinden over de restauratie ervan en over de kunstacademie die de Accademia ooit was met gipsen afgietsels van belangrijke Florentijnse beeldhouwwerken.

Tussen de Accademia en de San Marco staat het hoofdgebouw van de universiteit van Florence *(Università degli Studi)*, zodat het in deze levendige buurt altijd wemelt van de jonge mensen.

San Marco 20

Ma.-vr. 8.15-13.50, za., zon- en feestdagen 8.15-16.50 uur; 1e, 3e, 5e zo. en 2e en 4e ma. van de maand gesl. € 4

Het klooster van San Marco staat aan de gelijknamige piazza en werd in 1299 voor de silvestrijnen gebouwd. In 1436 gingen de gebouwen op bevel van Cosimo Il Vecchio naar de dominicanen. Cosimo gaf Michelozzo ook opdracht om het klooster te vernieuwen en vergroten en trok zich er soms in terug. Het klooster is vooral beroemd vanwege de fresco's die Fra Angelico in de monnikcellen maakte, onder andere een *Annunciatie*, een *Hemelvaart* en een *Kroning van Maria*.

Piazza Santissima Annunziata 21

De Piazza SS. Annunziata is de locatie van de gelijknamige kerk, het vondelingentehuis **Spedale degli Innocenti** (nu een schilderijenmuseum, ma.-zo. 10-19 uur. € 4), de **Loggiato dei Serviti** (nu een hotel) en twee sierlijke fonteinen. Giambologna ontwierp het bronzen ruiterstandbeeld van groothertog Ferdinand I, maar het werd voltooid door Pietro Tacca. Het plein wordt aan drie kanten omsloten door arcaden. De oudste arcade is die van het Spedale degli Innocenti, in 1419 door Brunelleschi gebouwd. Michelozzo nam het motief in 1444 over in de **SS. Annunziata**, een kerk die in 1250 werd gesticht (dag. 7.30-12.30 en 16-18.30 uur, gratis).

Museo Archeologico 22

Di.-vr. 8.30-19, di., za.-zo. 8.30-14 uur. € 4

Het Museo Archeologico bezit na de Villa Giulia in Rome de grootste verzameling Etruskische vondsten, afkomstig uit heel Toscane. Het beroemdste object van het museum is de Chimaera van Arezzo (op het stationsplein van Arezzo staan kopieën). Vanuit het museum loopt een lange gang naar het klooster van de SS. Annunziata, die bij een loge eindigt waar u een blik in de kerk kunt werpen. ▷ blz. 96

De botteghe dell'Oltrarno

Florence was in de middeleeuwen, maar bovenal in de renaissance, beroemd om zijn ambachtslieden, die gilden oprichtten en zo zeggenschap in het stadsbestuur wisten te krijgen. Vooral aan de zuidkant van de Arno zitten nog enkele ambachtsmensen die hun deuren open hebben staan – een tour langs hun werkplaatsen is interessant voor eenieder die belangstelling heeft en die graag eens wil kijken hoe de artigiani hun producten vervaardigen.

Duur: 2-3 uur.

Planning: helaas is de gemeente vanwege de noodzaak tot bezuinigen gestopt met het organiseren van rondleidingen langs de werkplaatsen. Maar u kunt ook op eigen houtje en dus gratis zelf een route uitzetten met wat hulp van de nuttige website www.firenze-oltrarno.net.

Startpunt: de krantenkiosk voor het Palazzo Pitti.

Deze afwisselende rondwandeling maakt het mogelijk om van dichtbij kennis te maken met de Florentijnse kunstnijverheid en om enkele van de kunstenaars persoonlijk te ontmoeten. U kunt de negentien werkplaatsen ten zuiden van de Arno heel goed op eigen gelegenheid (zie links) afgaan.

Marmerpapier en boekbinden

Simone Taurisano demonstreert hoe een leren omslag voor een boek of agenda wordt gemaakt. Hij gebruikt daarvoor sinds 1980 sjablonen, waarvan hij de kunst van zijn vader Augusto heeft geleerd. Ze zijn nodig om het geprepareerde papier bij te snijden. Het is verbluffend om te zien hoe het marmeren in zijn werk gaat, waarbij Simone met natuurlijke kleurstoffen vermengd met een bindmiddel volkomen natuurlijk ogende patronen te voorschijn tovert. Als de vellen papier klaar zijn, zoekt hij de stukken die het mooist zijn geworden, legt er de sjabloon op en snijdt er met een tapijtmes een stuk van de gewenste grootte uit. Het marmerpapier moet iets groter dan het omslag zijn, want het moet om het karton van de omslag gevouwen worden.

De boekrug wordt van leer gemaakt en zo aan het karton gelijmd dat er beweging mogelijk blijft. Na het drogen van de lijm wordt de leren rug met de hand rond gekneed, waarna het boek, de kalender of de agenda in de kaft wordt gedaan en het geheel een dag lang in een zware pers komt. De voltooide producten, waaronder ook leuke kleine dingetjes die gegarandeerd origineel zijn, liggen te koop in het piepkleine winkeltje voor de nog kleinere werkplaats van Simone (Arte delle Carte, Lungarno Torrigiani 31).

Metaalbewerking

Carlo Cecchi di Giuliano Ricchi heeft zich onder andere gespecialiseerd in het uit metaal stansen van zijn eigen en traditioneel Florentijnse motieven (zoals de Florentijnse lelie uit het stadswapen). De zo verkregen metalen plaatjes gebruikt hij vervolgens als matrijs waarmee hij het motief door middel van een rolpers overbrengt op een stuk blik, dat vervolgens bedekt wordt met diverse kleuren email. Daarna wordt het product in een speciale oven bij 800°C 'gebakken'. Carlo vervaardigt zijn kunstig gemaakte grote en kleine lepels, doosjes, lijstjes enzovoort vooral voor grotere opdrachthevers als Poggi in Florence, Nina Ricci en Dior (gespen en andere accessoires). In zijn werkplaats kosten zijn kunstwerken misschien maar een derde van wat de bekende merken ervoor vragen (Carlo Cecchi, Piazza Santo Spirito 12).

Kopergraveur en prentenmaker

Gianni Raffaelli vervaardigt onder andere koperplaten die gebruikt worden voor het drukken van de populaire gezichten op Florence en Venetië. Maar hij is meer dan alleen een eenvoudig ambachtsman, want hij brengt ook zijn eigen ideeën op papier over. Hij werkt even gedetailleerd als de kunstenaars van vijf eeuwen geleden, zo benadrukken hij en zijn vrouw keer op keer. Zij heeft het ambachtelijke deel op zich genomen: ze bereidt het drukken voor en bedient ook de drukpers. Gianni is de kunstenaar, hij bedekt de koperplaat met een laagje was en krast er vervolgens een tekening in. Daarna gaat de plaat in een zuurbad waarbij het zuur het koper daar aanvreet waar het niet met was is bedekt, dus daar waar Gianni getekend heeft. Hoe langer het zuur in contact is met het koper, hoe dieper de lijnen geëtst worden – zo kan de kunstenaar op grond van zijn ervaring de mate van licht en donker, de dikte van de lijnen en andere nuances bepalen (L'Ippografo, Via Santo Spirito 5r).

Michelangelo's allegorieën Nacht en Dag sieren het graf van Lorenzo di Piero de' Medici

San Lorenzo 23

Kerk: di.-zo. 9-12, 15-17 uur. Museo del Tesoro ma.-za. 10-17.30, mrt.-okt. ook zo. 13.30-17.30 uur. € 3,50

De Piazza San Lorenzo is het middelpunt van de levendigste wijk van Florence. Het plein is het toneel van een markt in lederwaren en souvenirs. Brunelleschi ontwierp de kerk van San Lorenzo, maar de gevel werd nooit voltooid en bestaat nu uit een sobere stapeling van ruwe bakstenen. De meeste bezoekers komen echter niet voor de kerk zelf, maar voor de twee grafkapellen van de Medici en de schitterende Biblioteca Laurenziana. Daarnaast is er in de crypte een nieuw museumpje voor sacrale kunst (zie onder), dat net als de bibliotheek vanuit de kloostergang toegankelijk is.

Cappelle Medicee en de sacristieën 24

Dag. 8.15-13.50 uur, 2e, 4e zo., 1e, 3e en 5e ma. van de maand gesl. € 6

De Cappelle Medicee, ook Cappelle dei Principi genoemd, staan achter de San Lorenzo en hebben een eigen ingang. Vanaf 1608 werden hier de groothertogen uit de familie de' Medici bijgezet. De koepel van de kapel is na die van de dom de hoogste van Florence. Hij onderscheidt zich van de domkoepel door het ontbreken van een lantaarn en de witte ribben. De kapellen worden momenteel gerestaureerd, een werk dat nog wel een tijdje kan duren, want het prachtige inlegwerk van marmer was bezig los te komen.

De Cappelle Medicee zijn via een bochtige gang verbonden met de koel ogende **Nieuwe Sacristie**, die Michelangelo in 1520-1534 bouwde. Hier bevinden zich de grafmonumenten van Lorenzo en Giuliano de' Medici met Michelangelo's allegorische beelden *Dag* en *Nacht*, en *Dageraad* en *Schemering*.

De **Oude Sacristie** (1420-1428), de eerste centraalbouw uit de renaissance, is van de hand van Brunelleschi en herbergt het dubbelgraf dat Andrea del Verrocchio in 1472 vervaardigde voor de zonen van Cosimo Il Vecchio, Piero en Giovanni de' Medici.

Biblioteca Medicea Laurenziana en crypte 25

Ma., wo., vr. 8-14, di.-do. 8-17.30 uur.
€ 3 (incl. Museo del Tesoro en kerk)
Aan de kloostergang van de San Lorenzo, een oase van rust vlak naast de drukke piazza, bevindt zich de toegang tot de Biblioteca Medicea Laurenziana uit 1524. Links van de trap is de toegang tot de crypte, waarin een klein maar fraai museumpje (Museo del Tesoro) met de kerkschatten is ondergebracht.

Maar de hoofdattractie is toch de bibliotheek met zijn twee lange rijen lessenaars, waar vroeger de kostbare folianten aan vastgeketend zaten, en de geraffineerde trap die Michelangelo in de kleine hal ervoor ontwierp, die als eerste architectonische meesterwerk van het maniërisme geldt. Achter de bibliotheek zijn enkele kloosterruimten van de San Lorenzo in gebruik als tentoonstellingszalen, waar de exposities gewoonlijk rond het boek draaien.

Palazzo Medici-Riccardi 26

Do.-di 9-18 uur. € 7
Wie geïnteresseerd is in de manier van wonen van de Medici en hun tijdgenoten, kan een kijkje nemen bij drie paleizen uit de hoge renaissance. Vlak om de hoek van de San Lorenzo staat aan de Via Cavour het Palazzo Medici-Riccardi. Michelozzo bouwde het palazzo in 1444-1464 voor Cosimo Il Vecchio rond een schitterende binnenplaats. Aan de kant van de Via Cavour vallen de 'hurkende vensters' op met consoles onder de naar voren springende raamlijsten, die de indruk wekken alsof ze de ramen dragen.

In 1659 kochten de Riccardi het paleis, dat in 1818 eigendom werd van de Tos-caanse staat. Op de benedenverdieping zetelt nu de prefect van de regio, terwijl de bovenverdieping toegankelijk is met als juweel de **Cappella dei Magi**. De fresco's in de kapel zijn het meesterwerk van Benozzo Gozzoli en tonen *De stoet van de drie koningen*, waarbij hij landschappen rond Florence als decor gebruikte en enkele portretten van de Medici in de fresco's opnam.

Palazzo Strozzi 27

Enkele straten achter de Piazza della Repubblica ligt tussen de Piazza degli Strozzi en de Via Tornabuoni het Palazzo Strozzi met zijn imposante rusticagevel van enorme blokken natuursteen. Het paleis werd in 1489-1538 gebouwd en bezit een grandioze binnenplaats. Het is nu zetel van een instituut voor onderzoek naar de renaissance, dat regelmatig tentoonstellingen in de prachtige zalen organiseert.

Palazzo Rucellai 28

De architectonische tegenhanger van het machtige Palazzo Strozzi is het elegante Palazzo Rucellai uit 1446-1451 in

Tip

Uitstapje naar de Mugello

Net zoals de Medici vroeger ontsnappen ook de huidige Florentijnen graag in de fraaie Mugello aan de zomerse hitte. Met de trein kunt u een rondje maken: Florence-San Piero a Sieve-Borgo San Lorenzo-Vicchio-Dicomano-Rufina-Pontassieve-Florence.
De treinen rijden met regelmaat over het traject en vooral de treinrit langs de rivier de Sieve (van San Piero a Sieve tot Pontassieve, waar de Sieve in de Arno uitmondt) is landschappelijk heel afwisselend. Duur van de rondrit is ca. 2½ uur.

de Via della Vigna Nuova (niet toegankelijk). De fraaie gevel is opgetrokken uit grote, vlakke blokken natuursteen met op gezette afstanden vlakke pilasters, die nauwelijks naar voren springen. Naar boven toe worden de verdiepingen steeds iets lager. Boven de eerste verdieping loopt een fries met opbollende zeilen, net als bij de Santa Maria Novella: het symbool van de Rucellai.

Overnachten

De top – **Relais Santa Croce** **1**: Via Ghibellina 87, tel. 055 234 22 30, fax 055 234 11 95, www.relaisantacroce.com. 2-pk vanaf € 300. Een van de nieuwste hotels van Florence: luxe en elegantie in een 18e-eeuws paleis met twintig kamers, vier suites en een restaurant. In hetzelfde gebouw zit de **Enoteca Pinchiori** met drie Michelinsterren.

Een juweel – **Monna Lisa** **2**: Borgo Pinti 27, tel. 055 247 97 51, fax 055 247 97 55, www.monnalisa.it. 2 pk met ontbijt € 119-239. Prachtig hotel midden in Florence, gevestigd in een historische villa en twee moderne bijgebouwen (Scuderia en Limonaia). Het is gedecoreerd met fresco's en schilderijen en beschikt over een gezellige leeshoek en een mooie tuin.

Discrete elegantie – **Loggiato dei Serviti** **3**: Piazza SS. Annunziata 3, tel. 055 28 95 92, fax 055 28 95 95, www.loggi atodeiservitihotel.it. 2 pk met ontbijt € 120-230. Vriendelijk hotel met 34 kamers en vier suites in een renaissancegebouw aan de Piazza SS. Annunziata. Veel antiek, prettige sfeer.

Huiselijke sfeer – **Residenza Johanna** **4**: Via Cinque Giornate 12, tel./fax 055 47 33 77, www.johanna.it. 2 pk met ontbijt € 70-130. Onderdeel van een keten van accommodaties in historische panden. Johanna zit in een fraaie adellijke Florentijnse woning en biedt naast een huiselijke sfeer een eigen parkeerplaats.

Eenvoudig stadshotel – **Palazzuolo** **5**: Via Palazzuolo 71, tel. 055 21 46 11, fax 055 21 21 01, www.hotelpalazzuolo.com. 2 pk met ontbijt € 50-90. Net, schoon en gezellig hotel met twaalf kamers verdeeld over de 1e-3e verdieping.

In een palazzo – **Bavaria** **6**: Borgo degli Albizzi 26, tel./fax 055 234 03 13, www.hotelbavariafirenze.it. 2 pk met ontbijt € 60-98. Fraai hotel op de bovenste verdieping en de zolder van een nobel paleis. Van de zeventien kamers, hebben sommige fresco's en vier een eigen badkamer (zie ook www.firenzewel comehotels.com).

Betaalbaar en centraal – **Dalì** **7**: Via dell'Oriulo 17, tel./fax 055 234 07 06, www.hoteldali.com. 2 pk € 70-85, in het laagseizoen 10/15% korting. Tien vriendelijke, eenvoudige kamers, waarvan vier met eigen badkamer, op de bovenverdieping van een eenvoudig gebouw dat ooit bij een klooster hoorde. Op de binnenplaats zijn parkeerplaatsen (midden in Florence!). U kunt ontbijten in de aangrenzende bar.

Jeugdherberg – **Antico Spedale del Bigallo** **8**: Bagno a Ripoli, 7 km ten zuidoosten van Florence, Via Bigallo e Apparita 14, tel. 055 63 09 07, www.bigallo.it. Apr.-sept. Bed op een slaapzaal € 26, 2 pk € 78. Prachtige jeugdherberg in een oud klooster met fraaie, eenvoudige kamers (vijf tweepersoonskamers, een suite, alkoven met badkamer en slaapzalen met acht en twaalf bedden) zonder tv of airco, maar met uitzicht over Florence. Parkeerplaats.

Camping

Florence aan de voeten – **Camping Michelangelo** **9**: tel. 055 681 19 77, fax 055 68 93 48, www.ecvacanze.it. Hele jaar open. € 9,50-11,50 pp, standplaats inclusief auto € 11,40-13,40, tenten te huur voor € 36. Populaire camping vlak bij de Piazzale Michelangelo, 's zomers vaak vol.

Eten en drinken

Historisch literair – **Antico Fattore** **1**: Via Lambertesca 1/3r, tel. 055 28 89 75, www.anticofattore.it. Half juli-half aug. gesl., zo. gesl. Menu vanaf € 30. Historische trattoria met literaire traditie, maar ook ontmoetingsplaats van musici en schilders. De bomaanslag op de Uffizi van 1997 verwoestte de zaak, maar hij is herbouwd. Florentijnse keuken met specialiteiten als kalfsrolletjes met artisjok en *trippa* (pens).

Lekker – **Trattoria Cibreino** **2**: Via dei Macci 122/r, tel. 055 234 11 00, www.cibreo.it. Aug. gesl., zo., ma. gesl. Menu vanaf € 30. Fabio Picchi, een van de beroemdste koks van Florence, is ook cultureel erg actief. In zijn trattoria vlak bij de markt staan alleen Forentijnse gerechten op de kaart. Het is er altijd vol, maar het is de moeite waard om op een tafeltje te wachten. De buurman is het dure en even voortreffelijke Cibrèo.

Aangename sfeer – **Il Penello** **3**: Via Dante Alighieri 4r, tel. 055 29 48 48, www.ristoranteilpennello.it. Aug. gesl., zo., ma. gesl. Aanbevolen zijn het dagmenu voor € 20, de ossobuco, de *salsicce e fagioli* (braadworst met witte bonen) en de *trippa* (€ 9-18). Goede Toscaanse keuken en veel sfeer met klein terras op de Piazza Bardi, rond lunchtijd altijd druk.

Echt Florentijns – **Le Mossacce** **4**: Via del Proconsolo 55r, tel. 055 29 43 61, www.trattorialemossacce.it. Za., zo. gesl. Menu vanaf € 18. In deze kleine trattoria komen echt Florentijnse gerechten op tafel (pens, speltsoep, kalfsrolletjes). Rond lunchtijd stroomt de zaak vol met Florentijnen en toeristen, die allemaal even vriendelijk behandeld worden.

Rustiek – **Giannino in San Lorenzo** **5**: Via Borgo San Lorenzo 33/37r, tel. 055

21 22 06, www.gianninoinflorence.com. Toeristenmenu vanaf € 18. Eenvoudige trattoria met meerdere zaaltjes. Toeristisch, maar met goede keuken.

Prima Bistecca – **Totò** **6**: Via Borgo Santi Apostoli 6r, tel. 055 21 20 96, www.ristorantetoto.it. Wo. gesl. Toeristenmenu vanaf € 20. Eenvoudige, gezellige en niet al te dure trattoria onder historische gewelven (ooit vergaderruimte van de opstandige ciompi van Florence, de wolarbeiders), met een voortreffelijke *bistecca fiorentina* van de houtskoolgrill.

Voortreffelijk – **Osteria dei Centopoveri** **7**: Via Palazzuolo 31/r, tel. 055 21 88 46, www.icentopoveri.it. Lunchmenu rond € 15, Toscaans menu rond € 35. De eigenaar heeft zijn levendige osteria inmiddels uitgebreid met een hypermoderne nieuwe zaal – met de keuken in het midden. 's Middags betaalbare lunch voor de Florentijnen die in de buurt werken, 's avonds een plek om verfijnde Toscaanse gerechten te proeven, maar er is ook ook pizza en focaccia vanaf € 5.

In de markthal – **Nerbone** **8**: Mercato Centrale San Lorenzo, tel. 055 21 99 49. Ma.-za. 7-14 uur. Menu € 10-15. Sinds 1872 een instituut in de fraaie markthal midden in de wijk San Lorenzo. U kunt er aan de lange bar staan of plaats nemen aan een marmeren tafeltje om te genieten van eenvoudige, maar goede Florentijnse gerechten als *ribollita* (€ 4), Ossobuco (€ 6,50), inktvis met erwten (€ 7,50) of het dagmenu. Een glas wijn kost € 1, een fles € 7, een panino met *lampredotto* (donkere pens) € 3.

Winkelen

De **Mercato Centrale** is een paradijs voor wie geïnteresseerd is in de Florentijnse/Toscaanse keuken. Voor de dure modeontewerpers en de chique juweliers moet u in de **Via Tornabuoni** zijn

Ook 's avonds indrukwekkend: de Piazza della Signoria

en voor de eenvoudigere boetieks in de **Via Cavour,** terwijl de voetgangerszone **Via Calzaiuoli** tussen de Piazza del Duomo en de Piazza della Signoria een gemengd winkelbestand heeft. In Florence vervaardigde lederwaren zijn te vinden rond de **Santa Croce,** waar de leerbewerkingsschool en eenvoudige winkels zitten, terwijl u ook leer vindt op de markt bij de **San Lorenzo.**

Toscaans genieten – **Enoteca dei Verrazzano 1:** Via dei Tavolini 18/20r, zo. gesl. Wijn en andere Toscaanse specialiteiten om te kopen of te consumeren. Sfeervol.

Souvenirs – **Papiro 2:** Piazza del Duomo 24r. Kleine boekbinderij met handgeschept papier: fraaie, echt Florentijnse souvenirs.

Goed & goedkoop – **Peruzzi 3:** Via dei Greci 8-20r. Lederwaren van goede kwaliteit voor fabrieksprijzen.

Leer – **Scuola del Cuoio 4:** klooster van Santa Croce. Direct kopen bij de beroemde leerbewerkingsschool van Florence.

Schoenen – **Salvatore Ferragamo 5:** Via Tornabuoni bij de Lungarno Acciaioli. Handgemaakte schoenen van de beroemdste schoenenontwerper van Florence. Met een interessant **Schoenenmuseum** op de bovenverdieping.

Afgeprijsde boeken – **Libreria dell Spada 6:** Via Palazzuolo 11. Boeken over Florence en Toscane voor de halve prijs.

Origineel – **Morganti Civaie 7:** Piazza S. Spirito 3r. Klein winkeltje met manden, pasta, en ingrediënten voor Toscaanse specialiteiten als speltsoep.

Actief en creatief

Taal- en schildercursussen

Geen enkele andere Toscaanse stad biedt zo veel taalcursussen en creatieve bezigheden aan als Florence.

Taal & cultuur – **Centro Koinè**: Borgo Santa Croce 17, tel. 055 21 38 81, www.koinecenter.com

Florentijns – **Fiorenza**: Via S. Spirito 14, tel. 055 239 82 74, www.centrofio renza.com

In het centrum – **Il David**: Via Vecchietti 1, tel. 055 21 61 10, www.david school.com

Met muziek & kunst – **Istituto Europeo**: Via del Parione 1, tel. 055 238 10 71, www.istitutoeuropeo.it

Fietsverhuur

Mille e una bici: station SMN, mobiel 38 99 05 66 76 96, okt., feb.-mrt. ma.-za. 7.30-9, nov.-jan. ma.-vr. 7.30-18, za. 8.30-18, apr.-sept. ma.-za. 7.30-19, zon- en feestdagen 9-19 uur. Piazza Vittorio Veneto en Piazza Ghiberti, beide apr.-sept. ma.-za. 8-20, zo. 10-19, okt., feb., mrt. ma.-za. 8-18, nov.-jan. 10-16 uur. Station Campo di Marte: uitgezonderd aug. ma.-vr. 7.30-9.30/17-19 uur. Huur: 1 uur € 1,50, 5 uur € 4, dag € 8.

Alinari: Via S. Zanobi 38r – tel. 055 28 05 00, fax 055 271 78 71, www.alinarirental.com. 's Zomers dag. 9.30-13, 14.30-19.30, 's winters ma.-za. 9.30-13.30, 15-18.30, zon- en feestdagen 10-13 uur. Fietshuur 1 uur € 2,5, 5 uur € 7, dag € 12, weekend vr.-zo. € 30, 1 week € 50. Een mountainbike is duurder en alleen de moeite waard als u in het achterland wilt gaan fietsen.

Uitgaan

Voor een nachtleven in de gebruikelijke zin moet men eigenlijk niet in Florence zijn. De mensen zitten er vooral op de terrasjes, bijvoorbeeld op de Piazza della Signoria en de Piazza della Repubblica, of flaneren door de voetgangerszone. Jongeren komen graag op de Piazza Santo Spirito ten zuiden van de Arno, waar veel aardige horecagelegenheden zitten. Gezinnen en stelletjes gaan liever naar de Piazzale Michelangelo of het Forte di Belvedere. Kijk voor uitgaanstips op www.firenzr2night.it.

Cafés

Met uitzicht op de piazza – **Rivoire** 1: Piazza della Signoria 4r. Di.-zo. 8-24 uur. Duur maar onweerstaanbaar café met uitzicht op het Palazzo Vecchio.

's Avonds een pianobar – **Paszkowski** 2: Piazza della Repubblica 6r. Wo.-ma. 8-23/24 uur. Eveneens duur, maar historisch café met pianobar.

Wijnbars

Echte enoteca – **Pitti Gola e Cantina** 3: Piazza Pitti 16, tel. 055 21 27 04. Di.-zo. 12.30-22 uur. Kleine, sfeervolle wijnbar (ook wijn kopen) met terras op de piazza. Gemengde Toscaanse schotels met crostini, vleeswaren uit Panzano, dagschotels; voortreffelijke wijnen.

Jong publiek – **Sei Divino** 4: Via Borgo Ognissanti 42r, tel. 055 21 77 91. Dag. 11-2 uur. Enoteca met Latijns-Amerikaanse touch in een soort pijpenla met talrijke wijnrekken en lange bar. Panini, snacks, lichte lunch en 19-22 uur aperitief met buffet, in het weekend met dj.

Bij kaarslicht – **Il Santo Bevitore** 5: Via Santo Spirito 64/66r, tel. 055 21 12 64, www.ilsantobevitore.com. Zondagmiddag gesl., verder 12.30-14.30, 19.30-23.30 uur. Sfeervolle wijnbar met kleine dagschotels. Ook wijn per glas, keuze uit voortreffelijke wijnen. De menukaarten worden door jonge kunstenaars steeds anders vormgegeven – het zijn echte verzamelobjecten! Ernaast zit op nr. 60 in een vroegere levensmiddelenwinkel een echte *vineria*: **Il Santino**, alleen koude schotels (10-22 uur).

Discotheken

Chic – **Dolce Vita**: Piazza del Carmine, www.dolcevitaflorence.com. Disco-bar met elegante sfeer, dag. 17-2 uur.

Centraal – **Yab:** Via Sassetti 5r, tel. 055 21 51 60, www.yab.it. Disco-pub met uiteenlopende muziekkeuze, van latin tot jazz. Ma., wo., za. dj vanaf 22.30 uur. Met ongewoon restaurant.

Helemaal in – **Tenax:** Via Pratese 46r (pendelbus vanaf de Piazza Indipendenza), www.tenax.org. Do.-za. 22.30-3/4/5.50 uur, za. het duurst. Reusachtige disco met wekelijks een ander programma en originele Italiaanse dj's.

Openluchtdisco – **Central Park:** Via del Fosso Macinante 2, tel. 055 35 99 42, wo., vr., za. tot vroeg in de ochtend. Grote openluchtdisco in de zomer, aan het einde van het Parco delle Cascine.

Veelzijdig – **Meccanò:** Viale degli Olmi 1, tel. 055 33 13 71. Di., do., vr., za. Populaire disco bij de toegang tot het Parco delle Cascine met diverse zalen en een dansvloer in de open lucht.

Theater

Het bekendste theater van de stad is het **Teatro del Maggio Musicale Fiorentino**, een hypermodern nieuwbouwtheater bij het Parco delle Cascine. Een ander belangrijk theater is het **Teatro Verdi** aan de Via Ghibellina en de Via Verdi. Niet ver daarvandaan staat het **Teatro della Pergola** aan de Via della Pergola. Kijk voor de programmering en andere informatie op www.firenze turismo.it (klik voor het actuele programma op *eventi*). Kaartjes kunt u reserveren op www.boxol.it. Wat er in Florence te doen valt, is ook na te lezen in het maandblad *Firenze Spettacolo*, www.firenzespettacolo.it.

Info en festiviteiten

Informatie

Verkeersbureaus: bij het hoofdstation, tel. 055 21 22 45, in de Via Cavour 1r, tel. 055 29 08 32, fax 055 276 03 83, Loggia del Bigallo, Piazza San Giovanni, tel. 055 28 84 96, www.firenzeturismo.it. Bij de bureaus kunt u gratis een handig gidsje van de stad krijgen (*Guida alla Città*, Italiaans en Engels).

Festiviteiten

Pasen: Scoppio del Carro, een traditionele optocht in historische kostuums waarbij de vuurspugende wagen door prachtige witte ossen naar het plein tussen baptisterium en kathedraal wordt getrokken (zie blz. 30).

Mei/juni: Maggio Musicale met opera, concerten en dans door voortreffelijke artiesten (www.maggiofiorentino.com). Gelijktijdig vindt het *Calcio Storico* plaats, het historische voetbaltoernooi dat geopend wordt met een optocht in historische kostuums. De finale is op 24 juni. Voorverkoop kaarten: **Calcio Storico Fiorentino**, Piazzetta di Parte Guelfa 1, tel. 055 261 60 54 (zie blz. 30).

Juni-september: tijdens de **Firenze Estate** worden er op vele fraaie pleinen concerten en voorstellingen gegeven, van klassiek tot modern.

Meermalen per jaar: Pitti Immagine, de belangrijkste modebeurs van de stad en misschien wel van heel Italië.

Vervoer

Vliegtuig en trein: zie blz. 81.

Bus: alle belangrijke busmaatschappijen zitten bij het hoofdstation Santa Maria Novella, waar u ook kaartjes kunt reserveren: ATAF, tel. (binnen Italië gratis) 800 42 45 00, www.ataf.net. LAZZI rijdt naar bestemmingen in de provincie, tel. 055 36 30 41, www.lazzi.it; Florentia Bus (excursies), www.florentiabus.it; Sita, www.sitabus.it; CLAP, www.clapspa.it. Er rijden in Florence bussen naar alle belangrijke locaties, meestal vanaf het hoofdstation. De kaartjes moeten voor het opstappen gekocht worden, dat kan op het station en bij tabakswinkels. Kijk voor de Firenze Card op www.firenzecard.it.

Omgeving van Florence

Fiesole ▶ H 5

Fiesole ligt 7 km ten noordoosten van Florence op een hoogte van 295 m als een balkon boven de stad. Met de bus kunt u over een bochtige panoramaweg direct naar het centrum van de 'moeder van Florence' rijden. De Etruskische nederzetting werd in de 7e of 6e eeuw v.Chr. gesticht. Vanaf de 1e eeuw v.Chr. was de stad onder de naam Faesulae Romeins en in 1125 lijfde Florence Fiesole in.

Piazza Mino da Fiesole

Dit plein, dat overloopt in de kleinere Piazza Garibaldi, wordt omzoomd door diverse belangrijke gebouwen, die helaas door de vele toeristenbussen en auto's vaak niet goed te zien zijn. Het fraaiste overzicht over het plein hebt u vanuit het raadhuis in het voormalige **Palazzo Pretorio** (14e eeuw), waarvan de loggia op de eerste verdieping doordeweeks toegankelijk is. De blik wordt onmiddellijk getrokken door het dubbele ruiterstandbeeld van koning Vittorio Emanuele II en Garibaldi (1906). Rechts staat de **kathedraal** met ertegenover het **Palazzo Vescovile** (bisschoppelijk paleis, begonnen in de 11e eeuw) en ernaast een seminarium uit 1697. Direct naast het raadhuis staat een klein kerkje, de **Santa Maria Primerana** (16e eeuw) met een portiek uit 1801.

Cattedrale San Romolo

Dag. 7.30-12 en 15-18, 's winters tot 17 uur, zon- en feestdagen korter, gratis
De kathedraal staat aan de noordwestzijde van de piazza. De bouw van de kerk begon in 1028, in de 13e/14e eeuw

Bevoorrechte buurt: villa's en tuinen in de Colli Fiorentini

werd hij vergroot en in de 19e eeuw gerestaureerd. De 42 m hoge, met kantelen bekroonde klokkentoren, die voor een romaans bouwwerk erg slank is, stamt uit 1213. In de **Cappella Salutati** vindt u de fraaiste fresco's van de goed bewaard gebleven drieschepige romaanse kathedraal, net als de beelden van Mino da Fiesole (1430-84).

Convento di San Francesco

's Zomers ma.-za. 9-12, 15-19, 's winters tot 18, zon- en feestdagen 9-11, 15-18 uur, gratis

Tussen het Palazzo Vescovile en het Seminario begint een fraaie weg waarover u door een park in enkele minuten naar de **kerk van Sant'Alessandro** loopt met zijn schitterende uitzichtterras. Als u verder omhoog gaat, komt u bij het op een hoogte van 345 m gelegen **Convento di San Francesco** (14e eeuw) met fraaie kloostergangen en een klein missiemuseum. De tuin bij het klooster is een mooie plek om een rustpauze in te lassen.

Museo Bandini en Area Archeologica

's Winters wo.-ma. 10-14, 's zomers dag. 10-19 uur. € 8-12

Achter de kathedraal bevindt zich in de Via Duprè 1 het **Museo Bandini**, dat een interessante verzameling religieuze kunst bezit. Achter het museum is de ingang van de indrukwekkende **Area Archeologico** met een Romeins theater (1e eeuw met latere uitbreidingen) voor drieduizend toeschouwers, de resten van een thermencomplex en de ruïne van een Romeinse tempel boven op die van een Etruskische tempel (1e respectievelijk 3e eeuw v.Chr.). Aan de noordzijde eindigt de zone bij een flink stuk van de machtige Etruskische stadsmuur. Vlak bij de ingang van de zone staat het aardig ingerichte, maar verder tamelijk bescheiden **Museo Archeologica** met lo-

kale vondsten uit de Etruskische en Romeinse tijd.

Convento di San Domenico

Dag. 7.30-12.30, 16.30-18.30 uur, 's winters korter, gratis

Op de weg terug naar Florence kunt u nog een tussenstop maken bij het Convento di San Domenico (1406-1435, gerenoveerd in de 17e eeuw), dat bereikbaar is over de Via Fra Giovanni Angelico. De schilderende monnik Fra Angelico woonde en werkte in het klooster voordat hij naar Florence ging (*Madonna met dominicaanse heiligen* uit 1428 in de kerk in de eerste kapel links, verder foto's van werken die hier hingen en nu over de hele wereld zijn verspreid).

Overnachten

Absolute luxe – **Villa San Michele:** Via Doccia 4, tel. 055 67 82 00, fax 055 67 82 50, www.villasanmichele.com. Pasen-nov. 2 pk met ontbijt € 860-1070. Schrikbarend duur, maar toch het vermelden waard, al was het maar om een drankje te nemen op het panoramaterras. Het beroemdste hotel van Toscane biedt tussen Fiesole en Florence overdadige luxe in een heerlijk park met droomuitzicht en een voortreffelijk restaurant (menu € 86-176). Het hotel zit in een renaissanceklooster, terwijl er enkele suites in de berg zijn geschoven. In totaal veertig kamers en zes suites. Met zwembad, wellnesscentrum enzovoort. In een olijfgaard – **Bencista:** Via Benedetto da Maiano 4, tel./fax 055 591 63, www.bencista.com. 2 pk met ontbijt € 143-178. Goed pension in een historische villa vol antiek in een olijfgaard tegen een helling onder het centrum van Fiesole. Veertig kamers, parkeerplaats, restaurant met goede lokale keuken. Rustig gelegen – **Dino:** Località Olmo, 9 km ten noordoosten van Fiesole, Via Fiorentina 329, tel. 055 54 89 32, fax 055 54 89 34, www.hotel-dino.it. 2 pk met ontbijt € 70-90. Fraai in de heuvels gelegen hotel met uitzicht op Florence en Fiesole. Begonnen als trattoria, later uitgebreid tot een hotel met achttien rustieke kamers (sommige met balkon). In het weekend komen er veel Italianen naar het restaurant met pizzeria.

Camping

Fraai panorama – **Panoramico:** Via Peramonda 1, tel. 055 59 90 69, fax 055 591 86, www.florencecamping.com. Apr.-nov., € 10-11,50 pp, standplaats inclusief auto € 12-13, huisje voor twee € 60-85. Camping met huisjes en schitterend uitzicht. Busverbinding met Florence. Standplaatsen, huurcampers en huisjes voor 2-4 personen. Met zwembad, restaurant en supermarkt.

Eten en drinken

De hotels bieden in het hoogseizoen vaak alleen halfpension aan en daarom richten de restaurants rond de beide piazza's zich vooral op dagjesmensen. Ze behoren daardoor niet tot de beste van Toscane, terwijl de prijzen aan de hoge kant liggen. Kies daarom bij voorkeur voor het restaurant van hotel Dino, zie boven.

Info en festiviteiten

Informatie

Ufficio Informazioni: Via Portigiani 3/5, tel. 055 596 13 23, fax 055 596 13 12, www.comune.fiesole.fi.it, www.fiesole lifeart.it.

Vervoer

Bus: bus 7 van ATAF rijdt elk kwartier vanaf San Marco/Via La Pria naar Fiesole (halte voor de San Domenico), ter-wijl bus 21 van de Via Pacinotti in Florence naar Fiesole gaat.

Certosa di Firenze

Di.-za. rondleidingen om 9, 10, 11, 15, 16, 17, zo. 15, 16, 17, 's winters tot 16 uur, gratis

Zo'n 5 km ten zuiden van Florence verheft zich boven de buitengewoon drukke Via Cassia het machtige kartuizerklooster, de Certosa di Firenze (ook Val d'Ema en het Certosa di Galluzzo genoemd naar het gelijknamige voorstadje van Florence). Het complex staat op een steile heuvel waar de grote monnikcellen zich aan vast lijken te klampen. Het klooster dateert van 1341, maar werd diverse malen verbouwd, onder andere door Bramante, die de kleine, betoverende kloostergang in renaissancestijl toevoegde.

De barokkerk met eenvoudige gevel bezit indrukwekkende koorbanken uit 1590 met fraai uitgesneden fabelwezens en engelenhoofden.

In 1958 werd het klooster overgenomen door cisterciënzers, die inmiddels wereldwijd naam hebben gemaakt als boekrestaurateurs, vooral omdat ze veel boeken onder handen hebben genomen die bij de overstroming van de Arno in 1966 beschadigd raakten.

's Zomers worden er concerten in de Certosa gegeven en in de voormalige kloosterapotheek kunt u souvenirs en kloosterlikeur kopen.

Informatie

Vervoer

Bus: bus 36 en 37 van de ATAF stoppen onder het kloosters bij de hoofdweg, de Via Cassia; doordeweeks veel bussen naar Florence. In Florence vertrekken ze vanaf de Piazza Santa Maria Novella.

De Chianti

Hoogtepunt! ✳

Wijnparadijs Chianti: het beeld van de zachtgolvende heuvels van de Chianti met de strakke lijnen van de de rijen wijnstokken is overbekend. De karakteristieke boerderijen van Toscane en vooral de Chianti worden gekenmerkt door eenvoudige vormen en klare lijnen. Ze hebben twee bouwlagen met maar weinig ramen. Vaak worden ze bekroond door een kleine *colombaia*, een duiventil. De toegangslaan wordt gezoomd door cipressen of een dubbele rij prachtige mediterrane parasoldennen. Blz. 108

Op ontdekkingsreis

Kookcursus in de Badia a Coltibuono: op deze plek waar al heel lang wijnen worden gemaakt, kunt u niet alleen toekijken hoe de biologisch werkende wijnboeren bezig zijn, maar ook aan een van de professionele kookcursussen deelnemen die hier diverse keren per jaar worden gegeven. Blz. 114

Bezienswaardigheden

De kastelenroute: steeds meer kastelen stellen hun *cantina* waar de wijnen liggen te rijpen open voor het publiek. Blz. 110

Monteriggioni: een ommuurd miniatuurdorp met talrijke culturele evenementen. Blz. 117

San Gimignano en Volterra: twee heel verschillende stadjes die u apart of samen tijdens een dagtrip kunt bezoeken – maar ze zijn ook heel geschikt voor een iets langer verblijf. Blz. 120, 123

Actief en creatief

Wandelen en fietsen: wie graag beweegt op zijn vakantie, vindt in de zachtgolvende heuvels van de Chianti prachtige en steeds beter aangegeven wandelpaden en wegen met weinig verkeer. Blz. 108

Sfeervol genieten

Chiantigiana: de SRT222 tussen Florence en Siena passeert alle interessante en bezienswaardige stadjes van de wijnstreek. Blz. 108, 116

Castellina in de zomer: interessante tentoonstellingen van hedendaagse kunst in het castello. Blz. 110

Uitgaan

Vanilla Disco: populaire discotheek bij Monteriggioni. Blz. 118

Zomerconcerten: bij sommige kastelen en dorpen zijn in de zomer concerten te beluisteren. Blz. 122

Wijnparadijs Chianti ✳

In het hartland van Toscane tussen Florence en Siena liggen talrijke kastelen, burchten en middeleeuwse dorpen – en een groot aantal vakantiehuizen, vaak eenzaam gelegen in een schitterend landschap. Het is een gebied waar u heerlijk van wijndorp naar wijndorp kunt wandelen, want de Chianti is zonder meer het beroemdste wijnbouwgebied van Italië. Lange tijd was Italiaanse wijn bijna synoniem met chianti.

Het gebied, dat lang een twistappel tussen Florence en Siena was, is tegenwoordig een populaire vakantiebestemming. De Chianti is bestuurlijk in tweeën gedeeld, want het noordelijke deel tot Greve en Panzano hoort bij Florence, terwijl het zuiden deel uitmaakt van de provincie Siena, maar landschappelijk is het een eenheid.

INFO

Verkeersbureaus
Zie bij de afzonderlijke plaatsen.

Internet
www.chiantinet.it: brede website met talrijke links voor de Chianti, in het Italiaans en Engels. Hotels, agriturismi, aanbevolen restaurants, evenementen, informatieadressen, routes in de Chianti enzovoort.
www.to-toscana.nl/plaatselijk-toscane/toscaanse-specialiteiten/chianti-wijnroute: aardige webpagina over wijnen proeven in de Chianti.

Reizen naar en in de Chianti
De Chianti is het makkelijkst per auto te verkennen, maar er rijden niettemin bussen op vrijwel alle stadjes. In veel plaatsen en bij sommige hotels kunt u fietsen huren.
Trein: de spoorlijn tussen Florence en Siena loopt via Empoli en langs de westrand van de Chianti. De spoorlijn tussen Florence en Arezzo loopt langs de oostkant van de Chianti.
Bus: de busverbindingen tussen Florence en Siena zijn goed. Wie naar het hart van de Chianti wil, kan vanuit het knooppunt Greve over de Chiantigiana bijna alle bestemmingen bereiken.

Greve in Chianti ▶ H 6

De mooiste manier om de Chianti binnen te komen is via de Strada Regionale 222, de *Chiantigiana*. Deze weg begint in Florence ten zuiden van de Arno in het stadsdeel Bagno a Ripoli bij een verwarrende kruising, loopt onder de snelweg A1 door en leidt langs de mooie, met hoge cipressen en ceders beplante golfbaan van Ugolino om vervolgens op en neer door de heuvels te slingeren. Al snel passeert u de eerste wijngaarden. Dichte groepjes cipressen op heuveltoppen betekenen vaak dat daar een kasteel of landgoed staat, meestal met de naam van een goede wijn. Vlak voor Greve ziet u links een wel bijzonder imposante cipressenlaan, die naar het **Castello di Uzzano** leidt, een wijnmakerij waar ook vakantiehuisjes en appartementen te huur zijn. Ongeveer een kilometer verder naar het zuiden bereikt u Greve in Chianti.

Het marktstadje op een hoogte van 236 m organiseert in september een goed bezochte wijnbeurs voor de chianti classico, maar ook in de rest van het jaar komen er veel bezoekers. Afgezien van de imposante driehoekige **Piazza Giacomo Matteotti** met arcades met daarboven terrassen valt er in het plaatsje verder niet veel te zien, maar die centrale piazza blijft fascinerend om over rond te lopen.

Overnachten

Tussen de wijngaarden – **Le Volpaie:** Località Lamole 9 km van Greve, Via Lamole 40, tel./fax 055 854 70 65, www.fattoriadilamole.it. Mrt.-half nov. 2 pk met ontbijt € 90-110, appartement € 750-850 per week. Zes kamers, een suite, twee appartementen, allemaal fraai en eenvoudig ingericht. Verder met zwembad, tuin en zitkamer met prachtig uitzicht.

Midden in het centrum – **Albergo del Chianti:** Greve, Piazza Matteotti 86, tel. 055 85 37 63, www.albergodelchianti.it. 2 pk met ontbijt € 85-97. Zestien fraai gerenoveerde kamers in een huiselijk aandoend hotel met bijgebouw aan de centrale piazza. Met kleine tuin en zwembad.

Intieme, kleine B&B – **Mamma Cristina:** 50020 San Polo in Chianti (SI), Via Bozzoli 23, tel. 055 85 53 41, www.sanpolo.com. 2 pk met ontbijt € 60, voor een week € 380; 3 pk met ontbijt € 75. Kleine B&B op de eerste verdieping met twee kamers voor 2-3 personen, die vriendelijk en eenvoudig zijn ingericht en over een eigen badkamer en dakterras beschikken. Parkeergelegeneheid in de tuin, huisdieren welkom.

Eten en drinken

Piepklein – **Mangiando Mangiando:** Piazza Matteotti 80, tel. 055 854 63 72, www.mangiandomangiando.it, ma. gesl. Menu € 20-30. Levendige kleine trattoria aan de piazza met traditionele Toscaanse gerechten als *pappa al pomodoro*, *ribollita, crostini*, wild zwijn – de porties zijn niet echt ruim bemeten.

Winkelen

Hemelse worst – **Antica Macelleria Falorni:** Piazza Matteotti 71, www.falorni.it. *De* slagerij van Greve maakt zelf zijn worsten, waaronder heerlijke *soppressata* en *finocchiona*.

Info en festiviteiten

Informatie

Ufficio Informazioni: Piazza Matteotti 11, 50022 Greve in Chianti (FI), tel. 055 854 62 99, infochianti@firenzeturismo.it.

Festiviteiten

2e weekend van september: Fiera di Settembre, de grootste wijnbeurs van de Chianti.

Castellina in Chianti ▶ H 7

Ten zuiden van Greve slingert de weg zich in lange bochten steeds verder omhoog met naar het oosten toe fraaie wijdse uitzichten op de **Monti del Chianti**, die parallel aan het dal van de Arno lopen en die deels bedekt zijn met dichte, diepgroene steeneikenbossen. Rond 5 km ten zuiden van Greve komt u bij de afslag naar **Panzano**, een klein, maar populair vakantieplaatsje op een hoogte van 507 m. Het is de moeite waard er even een kijkje te nemen vanwege het uitzicht over de olijfgaarden en hellingen vol wijnstokken. Na Panzano is het nog 10 km in zuidelijke richting naar het op 578 m gelegen Castellina in Chianti.

Dit is een van de levendigste plaatsjes van de Chianti Classico, met een bescheiden piazza voor de **rocca** uit de 15e eeuw en de resten van de Florentijnse versterkingen.

Overnachten

Villa in het bos – **Villa Casalecchi:** tel. 0577 74 02 40, fax 0577 74 11 11, www. villacasalecchi.it. Apr.-okt. 2 pk met ontbijt € 165-215. Villahotel in een prachtig eikenbos 1 km ten zuiden van Castellina richting Siena. Negentien kamers, zwembad in de tuin, restaurant.

Landelijk – **Belvedere di San Leonino:** Località San Leonino, tel. 0577 74 08 87, fax 0577 74 08 24, www.hotelsanleonino.com. Apr.-okt. 2 pk met ontbijt € 78-156. Klein landgoed met 29 kamers en suites, zwembad en restaurant. Schitterend gelegen.

Op de Etruskische heuvel – **Salivolpi:** Via Fiorentina 89, 1 km richting San Donato, tel. 0577 74 04 84, fax 0577 74 09 98, www.hotelsalivolpi.com. Apr.-okt. 2 pk met ontbijt € 78-108. Negentien liefdevol ingerichte kamers in een oud landhuis met zwembad in de tuin en een fraai uitzicht. Het hotel is gelegen op de Colle Etrusco vlak bij een Etruskische necropolis.

Eten en drinken

Landelijk – **Il Pestello:** Località Sant'Antonio al Ponte, tel. 0577 74 06 71, www. pestello.it. Wo. gesl. Menu vanaf € 28. Traditionele trattoria aan de hoofdweg ten westen van Castellina, gespecialiseerd in gerechten van de grill en *girarosto* (van het spit).

Aan de piazza – **Antica Trattoria la Torre:** Piazza del Comune 15, tel. 0577 74 02 36, www.anticatrattorialatorre. com. Vr. gesl. Menu vanaf € 20. Populair restaurant met terras op het centrale plein en een traditionele keuken.

Info en festiviteiten

Informatie
Zie Greve blz. 109.

Festiviteiten
Castellina organiseert elke zomer concerten en tentoonstellingen van hedendaagse kunst.

Tip

Met Michelinster
Subtiele, innovatief bereide Toscaanse gerechten in de aangenaam sobere ambiance van een gerestaureerde natuurstenen boerderij: eendenbout uit de oven en andere eendengerechten als tagliata van eendenborst met saffraan. Een originele maar toch echt Toscaanse keuken. **Albergaccio di Castellina:** Via Fiorentina 63 (aan de westrand van het plaatsje), tel. 0577 74 10 42. www.albergacciocast. com. Zo. gesl. Keuze uit drie menu's voor € 58-65. Er zijn drie appartementen voor wie ter plekke wil overnachten.

Strada dei Castelli ▶ H 7

Vanaf Castellina kunt u de **kastelenroute**, Strada dei Castelli, nemen door een gebied met een grote dichtheid aan burchten. Langs de weg geven gele bordjes aan langs welke kastelen, versterkte burchten en kloostercomplexen u komt. De afstanden tussen de bezienswaardigheden zijn gering en meestal moet u slechts 2 of 3 km een afslag volgen om bij het betreffende monument te komen.

De SS429 slingert zich van Castellina door dichte bossen van mediterrane macchia en steeneiken naar het oosten. In de zomer lichten de smakelijke vruchten van de aardbeienboom rood tussen het loof op, terwijl de cistussen voor witte en roze accenten zorgen. Vlak voor Radda wordt het bos opener

Een van de markantste kastelen van de Chianti Classico: het Castello di Meleto

en krijgt u naar het noorden een wijds uitzicht dat tot bijna aan Badia a Coltibuono reikt.

Radda in Chianti

Dit wijnstadje op een hoogte van 533 m heeft zijn ovalen middeleeuwse kern goed weten te bewaren. Het oude deel bestaat uit een kromme hoofdstraat waar pittoreske zijsteegjes van aftakken. Oude doorgangen zijn weer opengemaakt. Zo moet het plaatsje er heel vroeger ook hebben uitgezien, toen men de versterkte kern bouwde om zich in te kunnen verschansen als Florence en Siena weer eens om het plaatsje streden. Radda was en is het centrum van de Lega del Chianti, die zich inzet voor het zuiver houden van de chiantiwijnen.

Het plaatsje leeft deels van het toerisme, maar meer nog van de productie en verkoop van wijn.

Overnachten

Wondermooi – **Relais Fattoria Vignale:** tel. 0577 73 83 00, fax 0577 73 85 92, www.vignale.it. 2 pk met ontbijt € 230-280. Verzorgd hotel met 37 kamers en vijf juniorsuites in een historische boerderij. Schitterend gelegen en met zwembad en restaurant.

Informatie

Pro Radda: 53017 Radda in Chianti (SI), Piazza del Castello, tel./fax 0577 73 84 94, proradda@chinatinet.it

Badia a Coltibuono

De kerk is apr.-okt. doorlopend geopend (gratis). Rondleidingen door de Badia dag. elk heel uur 14-17 uur, € 5. Professionele wijnproeverij (1 ½ uur) op afspraak di., wo., vr. 11 uur, € 12. Kijk voor informatie op www.coltibuono.com

De hoofdweg SS429 slingert zich vanaf Radda in Chianti in steeds scherpere bochten omhoog, waarbij u de richting van Montevarchi aanhoudt. Na 6 km bereikt u op een hoogte van 624 m de afslag naar **Badia a Coltibuono**. Na ongeveer 1 km door het bos te zijn gereden, ziet u links voor het voormalige klooster de parkeerplaats liggen. De Badia a Coltibuono is niet alleen beroemd om de wijn die hier gemaakt wordt, maar ook om de culturele en culinaire evenementen en om de keuken van het restaurant (zie onder).

In dit klooster, misschien wel het oudste van Toscane (gesticht rond 770, maar in de 15e eeuw en later ingrijpend verbouwd), zou de eerste wijn van de Chianti zijn gemaakt. Het voormalige klooster rond twee kleine kloostergangen (met eigen bron) en met een betoverende kloostertuin, wordt door particulieren bewoond, die enkele kamers aan toeristen, maar ook aan de deelnemers van de beroemde kookcursussen verhuren (zie blz. 114).

Eten en drinken

Culinaire oase – **Badia a Coltibuono:** tel. 0577 74 90 31, www.coltibuono.com. Nov.-feb. gesl., mrt.-okt. ma. gesl. Menu vanaf € 36, menu dégustation € 49. Elegante culinaire oase in de fraaie vertrekken van het voormalige klooster. U kunt er ook eten in de romantische tuin met heerlijk uitzicht voor de muren van de historische abdij.

Gaiole in Chianti

Ga na het bezoek terug naar de SS429, waar u bij de kruising de SS408 richting Gaiole neemt, 5 km rijden.

Gaiole in Chianti ligt op een hoogte van 356 m en is een aardig plaatsje met een langgerekt plein. Een riviertje overkluist door talrijke bruggetjes doorsnijdt het stadje.

Rondom Gaiole is een hele reeks van kastelen, villa's, landhuizen en voormalige kloosters te vinden. Een van de interessantste is de **Pieve di Spaltenna**, een klein klooster uit de 13e eeuw. Op de kerk na zijn de kloostergebouwen helaas alleen toegankelijk voor de gasten van het hotel dat erin zit. Het klooster ligt fraai in het landschap en bezit een zware klokkentoren en een mooie, eenvoudige binnenplaats met put. Vanaf de pieve hebt u een heerlijk uitzicht over het dal van de rivier de Arbia.

Overnachten

Landelijke charme – **Hotel Residence San Sano:** Località San Sano, tel. 0577 74 61 30, fax 0577 74 68 91, www.sansanohotel.it. Apr.-dec. 2 pk met ontbijt € 120-170. Hotel op een landgoed met veertien kamers en een zwembad (het restaurant is alleen voor hotelgasten).

Villagevoel – **La Fonte del Cieco:** Via Ricasoli 18, tel. 0577 74 40 28, fax 0577 74 44 07, www.lafontedelcieco.it. 2 pk met ontbijt € 70-85. Vriendelijk hotel in een fraai gerenoveerde villa van begin 20e eeuw met slechts acht kamers. Het ontbijt kan ook in de tuin worden gebruikt.

Eten en drinken

Romantisch – **Ristorante della Pieve:** Castello di Spaltenna, tel. 0577 74 94 83.

Apr.-nov. Menu € 50-82. Sfeervol restaurant binnen oude kloostermuren met verfijnde Toscaanse keuken en wisselende menu's. Er wordt graag met goed Toscaans vlees, wild en eekhoorntjesbrood gekookt.

Informatie

Pro Loco: 53013 Gaiole in Chianti (SI), Via Galileo Galilei 11, tel./fax 0577 74 94 11, prolocogaiole@libero.it

Castello di Meleto

Rondleidingen ma. 15, 16.30, di.-za. 11.30, 15, 16.30, zo. 11.30, 16, 17 uur. Winkel tussen de middag gesloten, www.castellomeleto.it
Ten zuiden van Gaiole leidt een afslag naar het Castello di Meleto (12e eeuw), een van de markantste kastelen van de Chianti Classico. De formidabele muren vormen een rechthoek met in het midden een hoge, vierkante toren, terwijl de twee ronde bastions op de voorste hoeken het vestingachtige karakter versterken. Op aanvraag kunt u de fraaie renaissancehof en het theatertje uit de 17e eeuw bezichtigen. Daarnaast kunt u er een vakantiewoning bij of een kamer in het kasteel huren. In de fraaie **enoteca**, tevens ontvangstruimte voor het castello, kunt u de wijnen en delicatessen van het landgoed kopen.

Overnachten

In of naast het kasteel – **Castello di Meleto:** zie boven, vijf kamers in het castello, vier in het casa canonica, elf appartementen bij het kasteel. Er is ook een zwembad. 2 pk met ontbijt € 125-148, appartement voor twee personen vanaf € 630 per week.

Eten en drinken

Aangenaam modern – **Fornace del Castello:** Castello di Meleto, zie boven, tel. 0577 73 84 61. Do. gesl. Menu vanaf € 30. Modern ingericht restaurant in een voormalige baksteenfabriek aan de voet van het kasteel. Met terras en lokale specialiteiten.

Castello di Brolio

Tuin en kapel mrt.-nov. ma., wo., vr.-zo. 10.30, dag. 15, ma., vr. 17 uur. € 5, met rondleiding € 8. Wijnproeverij in de enoteca aan de provinciale weg SP484, reserveren verplicht. € 5. tel. 0577 73 02 20, www.ricasoli.it
Als een bezoek wilt brengen aan het bekendste kasteel van de Chianti, het Castello di Brolio, gelegen op een hoogte van 533 m, volgt u de SS408 naar het zuiden tot de aftakking van de SP484 (bruin bordje Brolio). Van het kasteel kunt u de tuin, kapel, het kleine museum en de wijnkelder bezichtigen. Het kasteel is bezit van de familie Ricasoli, die een deel verhuurd heeft. Het neogotische aanzien is te danken aan Bettino Ricasoli, de tweede premier van het verenigde Italië. Er is ook een winkel, waar u de eigen wijnen kunt kopen.

Eten en drinken

Midden in het bos – **Osteria del Castello:** Località Madonna di Brolio, onder het kasteel, tel. 0577 74 72 77. 's Middags antipasti en primi voor € 10, 's avonds menu dégustation met wijn voor € 50. Trattoria waarin het voortreffelijke lokale vlees met dure messen uit Scarperia wordt gesneden. De pecorino en andere kazen komen uit de omgeving. Huisgemaakte pasta, lamsgerechten en nog veel meer. ▷ blz. 116

Kookcursus in de Badia a Coltibuono

Lorenza de' Medici verzorgde decennialang de beste Toscaanse kookcursus en schreef tussendoor een dertigtal kookboeken. In de prachtige Badia heeft nu een echte professional de pollepel van haar overgenomen.

Voor wie: iedereen die graag kookt en die zich ook nog eens in een historische omgeving wil laten verwennen.

Duur: een of drie dagen.

Planning: de kookcursussen vinden gewoonlijk van het voorjaar tot diep in de herfst plaats, u kunt zich als deelnemer aanmelden voor de kleine groepjes en daarbij kiezen voor één dag of de volledige cursus van drie dagen. De deelnemers overnachten in de Badia, die in 1051 al bestond en sinds 1846 in bezit is van de familie.

Prijzen: dagcursus inclusief eten en rondleiding door de abdij € 155 pp, driedaagse cursus, inclusief overnachtingen, maaltijden, programma (zoals de druivenoogst) € 900 pp.

Een kookleraar kan alleen maar dromen van een dergelijke inspirerende omgeving om zijn kunsten over te dragen. Andrea loopt voortdurend door de keuken heen en weer, dan weer om de zes cursisten te laten zien hoe je brooddeeg moet maken, dan weer om ze op de vingers te kijken als ze aan het fornuis staan. Eigenlijk zou Guido Stucchi Prinetti, de jongste zoon van Lorenza de' Medici, de traditie van het familiebedrijf op het gebied van kookcursussen voortzetten. Maar hij bekleedt inmiddels een leerstoel aan de universiteit van Florence en heeft de cursussen daarom aan de begaafde kok (en ontwerper) Andrea Gagnesi overgedragen.

Als eerste bereiden we gezamenlijk het deeg voor *schiacciata*, een soort plat brood dat in Ligurië en elders in Noord-Italië *focaccia* wordt genoemd en meer naar het zuiden *pizza bianca* heet. Bij de Toscaanse variant worden voor het bakken met de vinger kuiltjes in het deeg gedrukt, vandaar de naam (*schiacciare* = drukken). En wat leren we nu tot onze verbazing? Hoe minder we het deeg kneden, hoe luchtiger de *schiacciata* wordt! Een van die kleine tips die ook een ervaren kok de ogen opent. Om het deeg bij het rijzen tegen uitdrogen te beschermen is er ook een trucje: een beetje olijfolie, dat hier sowieso veel gebruikt wordt. Zout in het pastawater? Niet nodig als de pasta vers is.

Rijkelijk olijfolie, weinig knoflook

Olijfolie maakt vrijwel alles lekkerder en dus gaat er een scheutje over de antipasti, de pasta of in de soep, waar de Toscani sowieso de voorkeur aan geven boven pasta. Ook over het hoofdgerecht, of dat nu vlees of vis is, en zelfs door het nagerecht gaat olijfolie. Wie heeft voor deze cursus weleens olijfolie gebruikt voor het maken van chocolademousse? Maar als je deze variant eenmaal geproefd hebt, wil je nooit meer anders. Uiteraard gebruiken de cursisten uitsluitend koudgeperste olijfolie van de beste kwaliteit, die aan de au bain-marie gesmolten chocolade (60% cacao, meer is niet nodig) wordt toegevoegd. Als u nog wat chocoladeschilfers of stukjes amarettokoekjes door de massa mengt, moet u daarna niet te lang roeren, want anders valt er niets meer van te merken in de voltooide mousse.

Andrea moet altijd weer lachen als hij geconfronteerd wordt met de wijdverbreide opvatting dat Italianen graag veel knoflook eten. Volgens hem is dat helemaal niet het geval, ook als we er op wijzen dat hij toch heel wat teentjes heeft gebruikt. Maar hij ziet het anders, want de meeste knoflook bakt hij platgedrukt alleen even mee, daarna vist hij het teentje er weer uit, zodat je de knoflook zelf niet opeet. Een uitzondering is zijn varkenslende in brooddeeg, waarbij hij het vlees eerst door een pasta van fijngehakte knoflook en rozemarijn rolt, vervolgens in een uitgehold brood stopt, waarna hij het geheel met vers buikspek omhult. Vervolgens braadt hij het gerecht in de oven van buiten knapperig, terwijl de binnenkant boterzacht is.

Stijlvol dineren

De vlijtige keukenfee die Andrea alles uit handen neemt wat hij bij het koken niet meer nodig heeft, heeft intussen de grote ovale tafel in de eetkamer van de familie Stucchi tot in de perfectie gedekt en de kaarsen aangestoken, zodat er een intieme sfeer heerst. De fraaie glazen beloven naast het culinaire genot een bijpassende selectie aan wijnen. We worden niet teleurgesteld aan tafel, niet door de vier gangen die we onder leiding van Andrea hebben bereid, noch door de wijnen die van de Badia a Coltibuono zelf afkomstig zijn.

Kijk voor informatie over de kookcursussen op www.coltibuono.com.

Een ommuurd dorp bij Greve in Chianti, omgeven door wijngaarden

Ten westen van Castellina ▶ G 7

De SS429 daalt over een afstand van bijna 20 km door prachtige mediterrane macchia van Castellina naar **Poggibonsi.** Steeds weer ontvouwen zich weidse uitzichten, onder andere op Monteriggioni en Siena. Vervolgens bereikt u het voornamelijk uit nieuwbouw bestaande Poggibonsi, een knooppunt van wegen en spoorwegen dat u maar beter zo snel mogelijk achter u kunt laten, bijvoorbeeld om naar San Gimignano op ongeveer 10 km afstand te rijden of om het 7 km verder naar het zuiden gelegen Colle di Val d'Elsa te bezichtigen. De bewegwijzering is hier helaas uiterst verwarrend.

Colle di Val d'Elsa ▶ G 7

Dit plaatsje op een hoogte van 223 m is het centrum van de Italiaanse productie van kristalglas en goed voor zo'n 15% van de wereldproductie. De plaatsnaam (heuvel van het dal van de Elsa) is goed gekozen, want het stadje ligt subliem op een lange heuvelrug die uit twee de-

len bestaat. Beneden ligt aan de voet van de heuvel het levendige nieuwe deel van de stad. Aan de ene kant van de oude stad ligt op het hoogste punt **Castello,** de oudste wijk van Colle di Val d'Elsa, daterend uit de 13e eeuw. Neem de tijd voor dit stadsdeel, want u kunt er talrijke mooie hoekjes, gebouwen en uitzichten ontdekken, zoals de 110 m lange, lage **Via delle Volte,** de met bogen overspannen **Via delle Romite,** het vermoedelijke **geboortehuis van Arnolfo di Cambio** (de bouwmeester van de dom van Florence, Via Castello 63), het **Palazzo del Capitano** uit de 15e eeuw met twee kleine balkons en de machtige **Porta Volterrana** met twee indrukwekkende bastions (van Sangallo).

Museo Archeologico

In het Palazzo del Podestà in de bovenstad, mei-sept. di.-vr. 10.30-12.30, 16.30-19.30, za., zon- en feestdagen 10.20-12.30, 15-19.30, okt.-apr, di.-vr. 15.30-17.30, za., zon- en feestdagen 10.20-12.30, 15-18.30 uur. € 3
Dit archeologische museum bezit onder andere een grote verzameling Etruskische voorwerpen afkomstig uit de necropolissen in de Val d'Elsa.

Museo del Cristallo

In de benedenstad van Colle in de vroegere productieruimten van de Vetrerie Boschi, Pasen-okt. di.-zo. 10-12, 16-19.30, 's winters di.-vr. 15-17.30, za., zon- en feestdagen 10.30-12.30, 15-18.30 uur. € 3

Interessant museum met veel voorbeelden van het in Colle geproduceerde kristal, waarbij de moderne stukken veel ruimte hebben gekregen. Dit is het enige kristalmuseum van Italië.

Overnachten

In een oude papiermolen – **La Vecchia Cartiera**: Via Oberdan 5/9, tel. 0577 92 11 07, fax 0577 92 36 88, www.lavecchia cartiera.it. 2 pk met ontbijt € 68-110. Vriendelijk, klassiek ingericht hotel (38 kamers) in een historische papiermolen uit de 15e eeuw.

Eten en drinken

Rijk aan traditie – **Antica Trattoria**: Piazza Arnolfo 23, tel. 0577 92 37 47, in jan. tien dagen gesl., di. gesl. Menu € 40-55. Trattoria met een lange traditie waar verfijnde Toscaanse gerechten op tafel komen. Voortreffelijke wijnkelder. Gezellige Cantina in de kelder. 's Zomers met een terras op de piazza.

Vol oude werktuigen – **Molino il Moro**: Via della Ruota 2/4, tel. 0577 92 08 62, www.molinoilmoro.it. Ma. gesl., di. geen lunch. Menu vanaf € 27. Sfeervol restaurant in een oude molen. De mediterrane keuken is gebaseerd op verse seizoensproducten.

Winkelen

Allemaal glas – **kristal en gewoon glas**: van speels traditioneel tot modern design. In en rond Colle hebben steeds meer fabrieken een showroom waar u de producten direct kunt kopen.

Uitgaan

Jongeren gaan naar de bovenstad, vooral naar de **Birreria** en de **Pisopub**.

Info en festiviteiten

Informatie

Pro Loco: 53034 Colle Val d'Elsa (SI), Piazza Arnolfo 10-11, tel. 0577 92 13 34, www.collevaldelsa.com. Gemeentelijke websites www.comune.colle-di-val-di-elsa.si.it en www.collevaldelsa.net.

Vervoer

Colle di Val d'Elsa is het makkelijkst met de eigen auto te bereiken (parkeerplaats bij de Porta Volterrana). Neem de vierbaans superstrada (gratis) of de oude Via Cassia (SS2). De boven- en benedenstad zijn sinds kort heel handig met een lift met elkaar verbonden (gratis).

Monteriggioni ▶ G 7

Dit ommuurde dorp op een hoogte van 274 m is al van verre te zien, want de ovale vestingmuren met elf bewaard gebleven torens (in 1203 door Siena als vooruitgeschoven post tegen Florence gebouwd) liggen in het zicht van zowel de Via Cassia als de superstrada tussen Siena en Florence. Bij nadering verschijnt het dorp nu eens in beeld, dan weer verdwijnt het achter een heuvel of een rij bomen. Het plaatsje ziet er nog steeds zo uit als Dante het in zijn *Divina Commedia* beschreef: 'Monteriggioni bekroont door zijn torens'.

Het is de moeite waard om even naar het dorpje omhoog te rijden (grote parkeerplaats rechts), ook al valt er niet veel meer te zien dan een romaans-gotisch kerkje, twee pleinen en twee slaperige straatjes. Maar er heerst een aangename rust en bedaagdheid, terwijl er goede cafés en restaurants zijn, met Il Pozzo als echte aanrader (zie onder). In de aardige winkeltjes wordt vooral antiek en wijn verkocht.

Overnachten

Gezellig – **Monteriggioni:** Via 1° Maggio 4, tel. 0577 30 50 09, fax 0577 30 50 11, www.hotelmonteriggioni.it. 2 pk met ontbijt € 230. Slechts twaalf kamers

Tip

Landelijk genot

Il Pozzo is een klein, maar al decennia met lof overladen restaurant. Het bestaat uit niet meer dan twee rustieke eetzaaltjes en een paar tafeltjes op de piazza. De charmante eigenaresse Nonna Lucia (oma Lucia), zoals ze zichzelf graag noemt, staat persoonlijk achter het fornuis en gebruikt zo veel mogelijk verse seizoensproducten voor haar Toscaanse specialiteiten. Op het menu staan huisgemaakte pasta's, paddenstoelengerechten, verse groenten, wild en vlees van de beste chianinarunderen. Alles wordt bereid volgens oude Toscaanse, soms erg bewerkelijke recepten. Echtgenoot Vittorio bekommert zich om de gasten en doet als wijnkenner aanbevelingen voor de inhoud van de glazen. In de zomer is het heerlijk om in de schaduwrijke tuin te eten.
Il Pozzo: tel. 0577 30 41 27, www.il pozzo.net. Jan. en een week in aug. gesl., zo. geen diner, ma. gesl. Menu € 32-44.

in een fraai huis uit de 17e eeuw midden in het dorp. Met klein zwembad.

Eten en drinken

Aan de Piazza Roma met zijn fraaie kerkje zitten twee bars en een levensmiddelenwinkel waar u ook belegde broodjes kunt kopen. Wie uitgebreider wil tafelen, kan een tafeltje reserveren bij Nonna Lucia van Il Pozzo (zie Tip).

Uitgaan

Het ontmoetingspunt – **Vanilla Disco and Dinner Club:** Località Pian di Casone, mobiel 333 48 13 33, www.dis covanilla.biz. Een betere tent is er in de wijde omtrek niet. Thema- en buffetavonden, kijk op de website wat er op het programma staat (vr.-zo.).

Info en festiviteiten

Informatie

Pro Loco: 53035 Monteriggioni (SI), Piazza Roma, tel./fax 0577 30 48 10, www. monteriggioni.info. Erg vriendelijk en efficiënt, ook goede website.

Festiviteiten

1e en 2e weekend van juli: Festa Medievale. Een van de beste kostuumfestivals van heel Italië, het wordt met veel enthousiasme door de plaatselijke vereniging georganiseerd en uitgevoerd.

Vervoer

Bus: de bus Siena-Florence stopt langs de Via Cassia, vanaf de halte loopt u in enkele minuten omhoog naar het dorp. **Parkeren:** bij de hoofdpoort is een duidelijk aangegeven en ruime parkeerplaats waar u uw auto kunt neerzetten.

▷ blz. 120

Favoriet

Monteriggioni

Het is niet verwonderlijk dat Romano Prodi in oktober 2007, toen hij nog premier van Italië was, juist in Monteriggioni de eerste etappe van de Via Francigena, een Europees project om de oude pelgrimsroute weer te doen herleven, wilde inwijden. Het middeleeuwse ommuurde dorpje behoort tot de betoverendste plaatsjes van Toscane.

San Gimignano ► F 7

Van de 72 familietorens die ooit naar de hemel reikten en die elkaar als demonstratie van macht in hoogte probeerden te overtreffen, zijn er nog vijftien over. Binnen de beperkte ruimte van het historische stadje lijken ze nog altijd zo dicht op elkaar te staan, dat de bijnaam van San Gimignano, het 'Manhattan van Toscane', heel begrijpelijk is. De UNESCO heeft voor een iets te grondige restauratie van het op een hoogte van 324 m gelegen plaatsje gezorgd, maar het huidige stadsbeeld geeft wel een goed idee hoe de van oorsprong Etruskische plaats er vanaf 1199 uitzag, toen San Gimigignano een vrije *comune* werd. De welvarende families waren verdeeld tussen Welfen en Ghibellijnen, waardoor conflicten aan de orde van de dag waren. De torens dienden dan ook als vluchtplaats voor als een familie in het nauw kwam. Alleen de twee gemeentelijke torens staken boven de familietorens uit: de toren van het stadhuis (Torre Grossa, 54 m) en de toren van het Palazzo del Podestà (51 m).

De pestepidemie van 1348 decimeerde de bevolking zodanig dat het inwonertal zich nooit meer volledig herstelde. Voor 1348 woonden er 12.000 mensen (binnen de muren!), tegenwoordig zijn er nog maar 7800 inwoners en de meeste daarvan wonen buiten de muren. In 1352 onderwierp de ontvolkte en verzwakte stad zich aan Florence.

Piazza della Cisterna

Bij de Porta San Giovanni begint de Via San Giovanni, die een aaneenschakeling is van souvenir-, wijn- en delicatessenwinkels. Al snel mondt de straat uit in de Piazza della Cisterna. Dit is een van de mooiste pleinen van Toscane: de piazza is een onregelmatige driehoek die oploopt en omgeven wordt door hoge palazzi met daarin cafés en twee kleine hotels. In het midden staat op een hoge, getrapte sokkel de cisterne van lichtgrijs travertijn waar het plein naar is vernoemd. De diepe groeven in de rand van de put laten zien dat hier al vele eeuwen, sinds 1273, water wordt geput.

Santa Maria Assunta

Mrt., nov.-20 jan. ma.-za. 9.30-16.40, zon- en feestdagen 12.30-16.40, apr.-okt. ma.-vr. 9.30-19.10, za. tot 17.10, zon- en feestdagen 12.30-17.10 uur, 21 jan. tot eind feb. alleen voor gebed geopend. € 3

Een brede trap op de Piazza Duomo leidt naar de kapittelkerk (in het Italiaans **collegiata**) van Santa Maria Assunta, gesticht in de 12e eeuw en

meermalen verbouwd. De gevel is van een monumentale eenvoud, wat de verrassing bij het betreden des te groter maakt: de drieschepige basiliek is vrijwel helemaal bedekt met schitterende frescocycli, die tot de hoogtepunten van de Sienese schilderkunst behoren. In levendige taferelen worden verhalen verteld uit het Oude Testament (linkerzijschip, van Taddeo di Bartolo, 1367) en het Nieuwe Testament (rechterzijschip, door een navolger van Simone Martini, rond 1350). Op de wand van de eerste beuk van het middenschip is een dramatisch 'Laatste Oordeel' vrij naar Dante geschilderd, het pendant met het 'Paradijs' ertegenover is daarentegen wat saai.

Piazza Duomo

Aan de Piazza Duomo staan verder het **Palazzo del Podestà** of **Vecchio** (12e eeuw) met ghibellijnse kantelen en een reusachtige boog, de twee torens van de familie Salvucci en op de hoek met de Piazza della Cisterna de eerste openbare *loggia* van Toscane (eind 13e/begin 14e eeuw). De **Torre Grossa** steekt er in meerdere opzichten boven uit, hij hoort bij het **Palazzo del Comune** of **del Popolo** (voltooid in 1288, toegeschreven aan Arnolfo di Cambio). Het paleis huisvest het **Museo Civico** met de fraaie Camera del Podestà, waarin kostelijke middeleeuwse liefdestaferelen zijn afgebeeld (apr.-okt. dag. 9.30-19, nov.-mrt. 10-17.30 uur. € 5).

Ooit vulden 72 familietorens de skyline van San Gimignano

Tip

Polo Museale di Santa Chiara

Dag. 11.30-17.30, 24 dec. 10-13.30, 25,
31 dec. 10-17, 1 jan. 12.30-17 uur, 31 jan.
gesl. € 2,50, ook combinatiekaartje).
Het klooster van Santa Chiara (boven de
parkeerplaatsen 3 en 4) is tot een fraai
museumscomplex omgetoverd. Hier
vindt u het Museo Archeologico, de Galleria d'Arte Moderna e Contemporanea en de Spezzeria di Santa Chiara, de
voormalige apotheek van het ziekenhuis van het klooster.

Castello

Naast de collegiata loopt een straatje
omhoog naar het **castello** (ook de **Rocca
di Montestaffoli** genoemd, nu enkel
nog een ruïne) met een parkje waar u
heerlijk over het landschap kunt kijken en de torens van de stad goed kunt
zien. Op zomeravonden vinden er concerten plaats.

Overnachten

Met uitzicht over het dal – **Bel Soggiorno**: Via San Giovanni 91, tel. 0577
94 03 75, fax 0577 90 75 21, www.hotel
belsoggiorno.it. 2 pk met ontbijt € 95-
120. Fraai gerenoveerd hotel met twintig kamers en twee suites in een historisch pand in het centrum. Met een populair restaurant en uitzicht over het
dal.
Historische sfeer – **La Cisterna**: Piazza
della Cisterna 24, tel. 0577 94 03 28, fax
0577 94 20 80, www.hotelcisterna.it. 2
pk met ontbijt € 89-150. Aardig hotel
met een zaal in 14e-eeuwse stijl, 49 kamers en een restaurant.
Centraal – **Leon Bianco**: Piazza della
Cisterna 13, tel./fax 0577 94 04 94, www.
leonbianco.com. 2 pk met ontbijt € 85-

120. Klein, bescheiden hotel midden in
de stad met slechts 25 kamers.
Biologische producten – **Agriturismo
Fattoria Poggio Alloro**: Via Sant´Andrea
23, Località Ulignano 5 km naar het oosten richting Poggibonsi, tel. 0577 95 01
53, www.fattoriapoggioalloro.com, 7-31
jan. gesl. 2 pk met ontbijt € 86-99, halfpension € 73-85 pp. Overweeg om hier
halfpension te nemen, want op dit landbouwbedrijf met tien kamers zijn alle
producten biologisch (ook de wijn) en
worden chianinarunderen gefokt. Dagelijks wisselend menu.
In een klooster – **Foresteria Monastero di San Girolamo**: Via Folgore 30, tel.
0577 94 05 73. € 30 pp. inclusief ontbijt.
Gastenverblijf van het klooster dat tegenover de Santa Chiara ligt. Het heeft
aardige kamers.

Eten en drinken

De aanraders zijn de restaurants van de
hotels **Bel Soggiorno** en **La Cisterna**.
Daarnaast zijn er diverse kleine *enoteche*
en cafés, zoals het **Caffè delle Erbe** bij de
collegiata. Koop anders wat bij een van
de bakkers of delicatessenwinkels aan
de hoofdstraten.

Winkelen

In de winkels langs de hoofdstraten, en
dan vooral de Via San Giovanni, kunt
u goede souvenirs kopen als keramiek,
wijn (vernaccia di san gimignano) en
olijfolie.

Info en festiviteiten

Informatie

Pro Loco: Piazza del Duomo 1, tel. 0577
94 00 08, fax 0577 94 09 03, www.sangi
mignano.com

Vervoer

Bus: vanuit Siena rijden veel bussen op San Gimignano (zie Siena).

Volterra ▶ F 7

De wegen die naar Volterra leiden, zijn smal en bochtig, ongeacht van welke kant u komt. Volterra ligt op een steile heuvel en wordt gedomineerd door zijn enorme vesting, die samen met de ronde toren, Il Maschio, in 1472-1475 door Lorenzo il Magnifico de' Medici gebouwd werd om het belang van de stad voor Florence en Toscane te tonen. De stad gaat terug op een nederzetting van de villanovacultuur uit de 9e eeuw v.Chr. In de Etruskische tijd was Volterra onder de naam Velathri een van de belangrijkste leden van de twaalf-stedenbond. De 4e eeuw v.Chr. geldt als de bloeiperiode van de Etruskische stad, die in die tijd samen met zijn akkers omgeven werd door een 7 km lange muur. De middeleeuwse stadsmuren zijn heel wat korter, want het historische centrum beslaat slechts een vijfde van de Etruskische stad. In 298 v.Chr. onderwierp de stad zich aan de Romeinen. In de middeleeuwen werd Volterra verscheurd door interne machtsconflicten en verzwakt door de strijd tegen de Medici, die de stad uiteindelijk toch in handen kregen. Als onderdeel van het groothertogdom Toscane verloor de stad steeds meer aan betekenis. Nu leeft Volterra vooral van het toerisme en de albast.

Piazza dei Priori

De Piazza dei Priori, het middelpunt van de stad, is een grote rechthoek en als belangrijkste gebouw het **Palazzo dei Priori**, het oudst bewaard gebleven stadhuis van Toscane (1208, gotische ramen uit 1254). Het palazzo lijkt met zijn weinige ramen veel op een vesting en is nog altijd het stadhuis. Op verzoek kunt u de raadzaal bezichtigen, de **Sala del Consiglio**, met fresco's uit de 14e eeuw. Aan de andere kant van het plein staat het **Palazzo Pretorio** of **Podestà** of **Popolo** met drie bogen op de begane grond. Het complex bestaat uit een verzameling palazzi en torens uit de 12e en 13e eeuw die in de 19e eeuw verbouwd zijn.

Piazza San Giovanni

De sacrale tegenhanger van de Piazza dei Priori is de Piazza San Giovanni met de **campanile** (gebouwd in 1493 nadat de oude was ingestort) en **kathedraal** (1120, gevel gewijzigd in 1254). De kerk heeft een fraai cassetteplafond en rechts van het koor een beeldengroep van de kruisafneming. In het kleine **Museo Diocesano** is de rijke kerkschat te zien. Tegenover de kathedraal staat het achthoekige **baptisterium** (1278-1283, koepel uit de 16e eeuw) met een doopvont van Andrea Sansovino (1502).

Pinacoteca e Museo Civico

16 mrt.-4 nov. dag. 9-19, 's winters 10-16.30 uur. Combinatiekaartje met Museo Etrusco € 10

Niet ver van de Piazza Priori staat het gerestaureerde Palazzo Minucci-Soldaini, een werk van de architect Antonio da Sangallo (eind 15e eeuw). Het huisvest nu het stedelijke museum en een **pinacoteca**. Dit schilderijenmuseum heeft in een speciaal zaaltje twee fraaie werken van Luca Signorelli hangen: een *Madonna met Kind* en een *Annunciatie* in fraaie heldere kleuren.

Om de hoek zit in een toren het **Ecomuseo dell'Alabastro** (11-17 uur, 's winters alleen in het weekend 9-13.30 uur, € 3,50), een museum waar albaststad Volterra lang op heeft moeten wachten. Het museum beschikt over een werkplaats waar af en toe demonstraties in albastbewerking zijn te zien.

De bewerking van albast is een ambacht met een lange traditie in Volterra

Museo Etrusco Guarnacci

16 mrt.-1 nov. dag. 9-19, rest van het jaar 10-16.30 uur. Combinatiekaartje € 10

Vlak voor de **Porta a Selci** bevindt zich in de Via Don Minzoni 15 het Museo Guarnacci, een van de belangrijkste musea voor Etruskische cultuur ter wereld met talrijke vondsten uit Volterra en omgeving. Het museum bezit ruim 600 askistjes met fraaie reliëfs en het bronzen votiefbeeldje *L'Ombra della Sera* (2e eeuw v.Chr.).

Porta all'Arco

De Via Porta all'Arco, die niet ver van de Piazza dei Priori loopt, is een middeleeuwse straat met veel albastwerkplaatsen. Hij leidt naar de Porta all'Arco, een Etruskische stadspoort uit de 4e eeuw v.Chr. Op deze plek werd een deel van de Etruskische muren, inclusief poort, in de middeleeuwse muren opgenomen. Een plaquette vertelt dat deze poort met zijn drie verweerde koppen, het symbool van de stad, tijdens de Tweede Wereldoorlog door de inwoners beschermd werd tegen Duitse bommen door de poort met straatstenen op te vullen.

Teatro Romano

16 mrt.-1 nov. dag. 10.30-17.30, rest van het jaar za., zon- en feestdagen 10-16 uur. € 3

Het Romeinse amfitheater ligt aan de voet van de middeleeuwse muren vlak bij de Porta Fiorentina, aan de noordzijde van de stad. U komt er via de Via Porta all'Arco, Via Matteotti en Via Guarnacci. Bij het theater hebt u een fraai uitzicht over het omringende land. Verder naar beneden liggen de ruïnes van de Romeinse thermen (3e eeuw). Als u boven blijft en een wandeling maakt over de **Via Panoramica**, krijgt u een fraai uitzicht over het Romeinse theater. Onderweg komt u in de Via del Mandorlo langs een van de bekendste albastwerkplaatsen van Volterra: **Rossi Alabastri**.

De Balze

De volgende wandeling duurt ongeveer een half uur en leidt naar een indrukwekkend doel. Begin bij de middeleeuwse **Porta San Francesco**, vlak bij de gelijknamige kerk, en loop door de Via del Borgo Santo Stefano en Via del Borgo San Giusto naar de Etruskische **Porta Menseri**. Voorbij deze poort ziet u links en rechts in de diepte de Balze. De steile hellingen en scherpe kammen van verweerde tufsteen ontstonden door erosie en het wegglijden van de grond, waardoor onder andere de oude kerk van San Giusto in de diepte verdween. De nieuwe San Giusto werd vervolgens maar binnen de muren bij de Porta Menseri gebouwd. De Balze, waar ook resten van de villanovacultuur zijn opgegraven (de vonsten zijn in het Museo Guarnacci te zien), lijken gelukkig het noordwesten van Volterra niet langer te bedreigen.

Overnachten

Betoverend – San Lino: Via San Lino 26, tel./fax 0588 852 50, www.hotelsanlino.com. 2 pk met ontbijt € 90-105. Betoverend hotel met 39 kamers in een voormalig nonnenklooster in het oude centrum. Met zwembad, restaurant en garage.

Ontspannen in het klooster – La Locanda: Via Guarnacci 24/28, www.hotel-lalocanda.com, tel. 0588 815 47, fax 0588 815 41. 2 pk met ontbijt € 93-189. Fraai hotel in het centrum dat eveneens in een historisch nonnenklooster (17e eeuw) zit. Zeventien ruime kamers, een suite, mooie verblijfsruimten.

In het poststation – Villa Rioddi: Località Rioddi, tel. 0588 880 53, fax 0588 880 74, www.hotelvillarioddi.it. Half mrt.-okt. 2 pk met ontbijt € 75-92. Landelijk gelegen hotel met dertien kamers in een historisch poststation onder Volterra met fraai uitzicht op de stad. Grote tuin met heerlijk zwembad. Parkeerplaats. Ook appartementen.

Eten en drinken

Volterra bezit talrijke restaurants, voor het overgrote deel aardige, kleine trattoria's die helaas niet uitblinken in fantasievolle keukens, met uitzondering van de wildzwijngerechten waar Volterra beroemd om is. Niettemin doen de koks hun best ...

Uitnodigend – Ombra della Sera: Via Gramsci 70, tel. 0588 866 63. Nov., feb. gesl., ma. gesl. Menu vanaf € 20. In het hoogseizoen komen er veel reisgezelschappen, daarbuiten is het er prettig, vooral 's avonds.

Niet alleen voor dichters – Vecchia Osteria dei Poeti: Via Matteotti 55, tel. 0588 860 29, www.vecchiaosteriadeipoeti.it. Do. gesl. Menu vanaf € 21. Toeristische trattoria, maar erg vriendelijk en met lekkere vegetarische antipasti en enkele wildzwijngerechten.

Winkelen

Albastwerkplaatsen en -winkels vindt u door de hele stad, de kwaliteit en de originaliteit van de aangeboden producten varieert echter sterk. **Rossi Alabastri**, Via del Mandorlo, is traditioneel een van de beste, u kunt er bovendien een kijkje in de werkplaats nemen (kijk op www.rossialabastri.com).

Info en festiviteiten

Informatie

Consorzio Turistico: Piazza dei Priori 20, tel./fax 0588 872 57, www.volterratur.it. De audioguide van het toeristenbureau is een aanrader.

Vervoer

Volterra is niet erg goed op andere steden aangesloten, eigen vervoer is daarom wel zo makkelijk.

Prato, Pistoia en Lucca

Hoogtepunt! ✳

Lucca: de Toscaanse stad bij uitstek, open, levendig, met romantische oude straatjes en winkels en cafés met veel traditie. En dan zijn er nog de prachtige stadsmuren, die als de mooiste van Toscane gelden. Blz. 143

Op ontdekkingsreis

Bij Leonardo da Vinci thuis: drie etappes telt deze reis: de beide musea in het kasteel en het geboortehuis in het gehucht Anchiano. Blz. 136

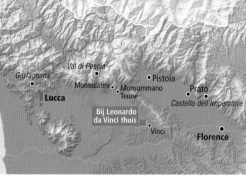

Garfagnana
Val di Pescia
Pistoia
Montecatini
Monsummano
Terme
Prato
Lucca
Castello dell'Imperatore
**Bij Leonardo
da Vinci thuis**
Vinci
Florence

Bezienswaardigheden

Castello dell'Imperatore: een erfenis in Prato van Frederik II, de keizer van het Heilig Roomse Rijk, die vooral op Sicilië en in Apulië resideerde. Blz. 129

Centro per l'Arte Contemporanea Luigi Pecci: het museum voor hedendaagse kunst van Prato laat zien dat Toscane ook na de renaisssance nog belangwekkende kunst heeft voortgebracht. Blz. 130

Piazza del Duomo van Pistoia: een prachtig plein met belangwekkende kerkelijke bouwwerken. Blz. 132

Actief en creatief

Op bezoek bij Pinokkio: Bij het plaatsje Pescia kunt u niet alleen het Parco di Pinocchio bezoeken, maar ook een van de mooiste tuinen van Italië, het park van de Villa Garzoni. Blz. 142, 143

Uitstapje naar de Garfagnana: de diepgroene kastanjebossen van de Garfagnana ten noorden van Lucca vormen een heerlijk wandelgebied. Blz. 149

Sfeervol genieten

Thermaal plezier: het enorme zwembad van Grotta Giusti bij Monsumanno Terme en het aanbod aan kuurmogelijkheden en wellness trekt ook dagjesmensen. Blz. 141

Montecatini Alto: de cafés en restaurants van de 'bovenstad' van het kuuroord zijn in een woord heerlijk. Blz. 141

Uitgaan

De pianobars van Montecatini: bijna alle hotels van het traditierijke kuuroord hebben een pianobar. Blz. 141

Historische centra en natuur

Prato, Pistoia en Lucca zijn in de eerste plaats bestemmingen voor mensen die zich voor cultuur en historische stadscentra interesseren. Maar ook de wijnliefhebber kan er terecht vanwege enkele kleine, nog niet zo bekende wijnbouwgebieden die landschappelijk erg fraai zijn. Ook wandelaars en fietsers zullen zich in dit deel van Toscane niet vervelen met routes die op en af gaan zonder al te inspannend te worden, in ieder geval niet ten zuiden van de Arno.

INFO

Informatie
APT Prato: zie blz. 132
APT Pistoia: zie blz.135
APT Lucca: zie blz. 148

Internet
www.turismoprato.com: APT Prato, informatie over de hele provincie.
www.pratoturismo.it: goede website voor het vinden van hotels en andere overnachtingsmogelijkheden (diverse talen, waaronder Engels).
www.pistoia.turismo.toscana.it: APT Pistoia, met informatie over de hele provincie.
www.luccaturismo.it: APT Lucca, met informatie over de hele provincie.

Reizen naar en in de streek
Met het vliegtuig: Prato en Pistoia liggen tussen de luchthavens van Florence en Pisa, die goed bereikbaar zijn per bus en (vooral de luchthaven van Pisa) per trein. Hetzelfde geldt voor Lucca, waar u bovendien de trein naar de Garfagnana kunt nemen.
Met de trein: Prato, Pistoia en Lucca zijn stations op het traject Florence-Lucca. Florence zelf is een station op de Eurocitytreinen die naar Rome gaan.
Met de bus: lokale busmaatschappijen rijden vanuit Prato, Pistoia en Lucca minimaal een keer per uur op de andere provinciehoofdsteden.

Prato ▶ G 4

Prato ligt 20 km ten noordwesten van Florence op een hoogte van 63 m. In 1992 kon de stad zich ontworstelen aan de Florentijnse 'voogdij' en werd hoofdstad van een eigen provincie, iets waar men erg trots op is. Waarschijnlijk heeft Prato Etruskische wortels, maar pas in de 10e eeuw wordt de stad in een oorkonde genoemd. In de middeleeuwen ontwikkelde Prato zich tot belangrijk wolcentrum. Als 'lompencentrum' van Europa groeide de stad in de 20e eeuw uit tot een florerende industriestad die veel migranten uit het zuiden van Italië trok. Momenteel telt Prato rond de 186.000 inwoners, die nog altijd voor een belangrijk deel in de textielindustrie werkzaam zijn (zie blz. 60). Prato geldt nog steeds als de koopmansstad bij uitstek van Toscane, iets wat een lange traditie heeft, want hier leefde 1330-1410 Francesco di Marco Datini, een rijke koopman die de wissel en het dubbel boekhouden ontwikkelde en wiens volledige archief met maar liefst 150.000 brieven bewaard is gebleven.

Het fraaie historische centrum van Prato ligt binnen middeleeuwse muren, die een onregelmatige zeshoek vormen. Naast talrijke paleizen en kerken bezit de stad een kasteel dat een voor Noord- en Midden-Italië unieke vorm heeft. Een groot deel van de historische stad is al sinds jaar en dag autovrij, waardoor Prato een aangename stad is om te winkelen. Maar Prato is ook een stad van hedendaagse kunst, niet alleen vanwege het Centro per l'Arte Contemporanea Luigi Pecci (zie onder), maar ook door de talrijke goede moderne kunstwerken die over de stad verspreid zijn te zien.

Duomo Santo Stefano

Ma.-za. 7.30-19, zon- en feestdagen 7.30-12, 13-19 uur, gratis. Koorkapellen ma.-za. 10-17, zo. 13-17 uur. € 3

De kathedraal (1385-1489) is de belangrijkste bezienswaardigheid van de stad. De indrukwekkende **campanile** is deels met marmer in diverse kleuren bekleed en heeft vensters die naar boven toe steeds groter worden, waardoor de toren optisch lichter overkomt. De **gevel** bestaat uit afwisselend lagen wit en groen marmer met boven het portaal in de lunet een *Madonna met kind en heiligen* van Andrea della Robbia (1489). Op de hoek zit een ronde **buitenpreekstoel** (kopie, het origineel bevindt zich in het museum, zie onder) van Donatello en Michelozzo, die lijkt te zweven. Deze Pulpito della Sacra Cintola werd speciaal gemaakt om de belangrijkste relikwie van Prato, de heilige gordel van Maria, aan het volk te tonen.

Strepen kenmerken ook het interieur van de drieschepige, romaanse basiliek in Pisaanse stijl, waar ook veel fresco's zijn te zien. De **Cappella della Sacra Cintola** in het linkerzijschip werd in de 14e eeuw gebouwd om de heilige gordel te bewaren. De fresco's van de gordellegende in de kapel zijn van Agnolo Gaddi. De **Cappella Maggiore**, de hoofdkoorkapel, is beschilderd door Fra Filippo Lippi. Het model voor de dansende Salome was de geliefde van Lippi, de door hem ontvoerde non Lucrezia.

Museo dell'Opera del Duomo

Ma., do., vr. 9-13, 14.30-18.30, wo. 9-13, za. 10-13, 14.30-18.30, zo. 10-13 uur. € 5

Het relatief kleine, maar buitengewoon mooie kathedraalmuseum van Prato is links van de duomo in het Palazzo Vescovile ondergebracht. Naast de sacrale kunstschatten kunt u er de originele reliëfs van Donatello van de buitenpreekstoel bekijken.

Palazzo Pretorio

Telefonisch reserveren, tel. 0574 183 62 20

Als u tegenover de zijflank van de kathedraal de winkelstraat Via Giuseppe Mazzoni inslaat, komt u al snel bij een pleintje met het Palazzo Comunale. Hier staat ook het strenge **Palazzo Pretorio**, dat uit de samenvoeging van enkele middeleeuwse torenhuizen ontstond. Kantelen, klokkentorentje en trap werden aan het einde van de renaissance toegevoegd. In 1850 werd het gebouw het onderkomen van de **Galleria Comunale** met werken van Toscaanse kunstenaars als Luca Signorelli en de uit Prato afkomstige schilderende monnik Fra Filippo Lippi. De Galleria bezit verder ook enkele werken van Napolitaanse en Hollandse meesters.

Santa Maria delle Carceri

Dag. 7-12, 16-19 uur, gratis

De Via Mazzini leidt naar een tweede sacraal kleinood van Prato: de Santa Maria delle Carceri, waarvan de koepel in de stijl van Brunelleschi als meesterwerk van de vroege renaissance geldt. Giuliano da Sangallo bouwde de kerk met zijn eenvoudige gevel in wit en groen marmer in 1484-1495 voor een wonderen verrichtende afbeelding van Maria. Het interieur is gedecoreerd met terracottamedaillons van Andrea della Robbia.

Castello dell'Imperatore

1 apr.-30 okt. ma., wo.-vr. 16-19, za., zo. 10-13, 16-19, 1 nov.-31 mrt. vr. 15-17, za., zo. 10-13, 15-17 uur, gratis

Het Centro per L'Arte Contemporanea Luigi Pecci bij Prato biedt hedendaagse kunst

Direct naast de fraaie renaissancekerk rijst het met kantelen bekroonde Castello dell'Imperatore op, dat op een groen eilandje omringd door asfalt staat. Het imposante kasteel heeft sterk naar voren springende torens, waarvan de twee zonder kantelen tot een ouder fort behoren. Frederik II liet het kasteel in 1237-1248 langs de route van Duitsland naar Apulië bouwen. Vergelijkbare keizerlijke kastelen zijn verder alleen in het zuiden van Italië te vinden.

Centro per l'Arte Contemporanea Luigi Pecci

Wo.-ma. 10-19 uur, www.centropecci. it. € 5, bibliotheek gratis
Dit museum voor hedendaagse kunst groeit en groeit, en de vaste collectie en wisselende tentoonstellingen trekken steeds meer publiek. Het is daarom beslist de moeite waard de rit naar de zuidoostrand van de stad te maken, naar het museumterrein bij de kruising van de Viale della Repubblica en de Viale Leonardo da Vinci (bus 7 vanaf het station).

Museo del Tessuto

Ma., wo.-vr. 10-15, za. 10-19, zo. (gratis) 15-19 uur, www.museodeltessuto.it. € 4
Aan de Via Santa Chiara 24 bevindt zich in een schitterend gerestaureerde textielfabriek uit de 19e eeuw het enige museum over de textielproductie van Italië. Tot de hoogtepunten van de collectie horen de 16e- en 17e-eeuwse stoffen en een collectie oosters textiel. Sommige stoffen mogen ook aangeraakt worden!

Poggio a Caiano

Nov.-feb. 8.15-16.30, mrt. 8.15-17.30, apr., mei, sept., okt. 8.15-18.30, juni-aug. 8.15-19.30 uur. reserveren verplicht, de rondleiding is gratis

De *Villa Medicea* midden in het plaatsje Poggio a Caiano, 9 km ten zuiden van Prato, werd in 1480 ontworpen door Giuliano da Sangallo en staat in een betoverend park. De gebogen dubbele buitentrap is een toevoeging uit de 19e eeuw, verder heeft de villa zijn heldere lijnen uit de vroege renaisscance weten te behouden. De toegangsloggia wordt door vier zuilen gedragen en bekroond door een driehoekig timpaan. De eerste verdieping van de villa is rondom omgeven door een terras. De belangrijke vertrekken liggen verdeeld over twee verdiepingen aan weerszijden van een grote, dubbelhoge salon. Deze salon werd in de 16e eeuw door de belangrijkste Florentijnse schilders met fresco's gedecoreerd.

Overnachten

Art nouveau – **Flora:** Via Cairoli 31, tel. 057 43 35 21, fax 0574 40 02 89, www.hotelflora.info, 2 pk met ontbijt € 75-140, weekendaanbiedingen. Gezellig hotel vlak bij het kasteel met 29 kamers en twee suites met art-nouveaudecoraties.
Centraal – **Giardino:** Via Magnolfi 4, tel. 0574 60 65 88, fax 0574 60 65 91, www.giardinohotel.com, 2 pk met ontbijt € 60-100, weekendaanbiedingen. Klein, net hotel met 28 kamers.
Huiselijk – **San Marco:** Piazza San Marco 48, tel. 0574 213 21, fax 0574 223 78, www.hotelsanmarcoprato.com, 2 pk met ontbijt € 80-150. Gezellig hotel met 40 kamers tussen het Castello dell'Imperatore en het station.

Eten en drinken

Hoog niveau – **Il Piraña:** Via Valentini 110, tel. 0574 257 46, aug. gesl., za. alleen diner, zo. gesl. Restaurant met grote reputatie. Gespecialiseerd in vis; vast vismenu € 55, anders vanaf € 45.

Vis – **Tonio:** Piazza Il Mercatale 161, tel. 0574 212 66, laatste twee weken van aug. gesl., zo. en ma. gesl. Menu vanaf € 33. Klassiek familierestaurant, gespecialiseerd in vis.
Leuke trattoria – **La Vecchia Cucina di Soldano:** Via Pomeria 23, tel. 0574 346 65, zon- en feestdagen en aug. gesl. Menu vanaf € 15. Gezellige trattoria vlak bij de Piazza San Marco met bescheiden prijzen.

Winkelen

Wie graag direct bij de fabriek, wijnproducent enzovoort koopt, zit goed in Prato, want de stad en provincie helpen de consument met diverse programma's en bieden zelfs een shoppingtour met gids langs modefabrieken aan. Op www.pratoturismo.it vindt u adressen van outlets en nog veel meer.
Niet alleen brood – **Panificio Loggetti:** Via Matteotti 11. De beste bakker van Prato.
Cantucci – **Biscottiofficio Antonio Mattei:** Via Ricasoli 20-22. De beste biscotti di Prato, ook *cantucci* genoemd, *de* amandelkoekjes van Toscane.

Actief en creatief

Te voet – **Trekking:** voor informatie over bergwandelingen met een van de lokale groepen kunt u terecht bij de APT en de coöperatie Alta Via Trekking, die op zondag groepswandelingen aanbiedt. Kijk op www.altaviatrekking.prato.it.

Uitgaan

De Piazza del Duomo is de huiskamer van de stad, hier ontmoeten de inwoners elkaar bij een van de cafés met uitzicht op de kathedraal en de fraaie buitenpreekstoel. Het aperitief is de aangewezen tijd. Een andere ontmoetingsplek is de Piazza del Comune, het mooie plein voor het stadhuis, waar u in het stijlvolle **Caffè delle Logge** iets kunt eten of drinken.

Info en festiviteiten

Informatie

APT: 59100 Prato, Piazza Duomo 8, tel. 0574 351 41, fax 0574 60 79 25, www.pra toturismo.it; verkeersbureau ook Piazza Duomo 8, maar tel./fax 0574 241 12

Festiviteiten

8 sept.: op Maria-Geboorte wordt het belangrijkste feest van Prato gevierd met een prachtige optocht in historische kostuums. Aan het einde wordt de heilige gordel (zie blz. 129) getoond.
Beurzen: in Prato vinden het hele jaar door belangrijke beurzen voor de stoffen- en mode-industrie plaats.

Vervoer

Trein: veel treinen op het traject Florence-Lucca stoppen in Prato, op spitstijden elk half uur.
Bus: COPIT, CLAP en LAZZI rijden tussen Florence en Prato, ze vertrekken ongeveer elk kwartier en doen er twintig minuten over.

Pistoia ▶ F 4

Op zo'n 10 km ten westen van Prato begint de provincie Pistoia en na nog eens 10 km bent u in de gelijknamige provinciehoofdstad. Pistoia ligt in de brede vlakte van de Arno en bezit slechts weinig torens, waardoor de stad van een afstand bezien geen markant silhouet heeft. De bezienswaardigheden van het gezellige centrum liggen vlak bij elkaar en kunnen makkelijk te voet bereikt worden.

Pistoriae was een Romeins *oppidum*, een versterkte plaats aan de Via Cassia. De vesting begon zich onder de Longobarden te ontwikkelen, maar de bloeitijd kwam na de dood van Mathilde van Canossa, toen de *comune* zich in 1117 onafhankelijk verklaarde en er paleizen, kerken en een muur met zestig torens werden gebouwd. Pistoia onderhield traditioneel vijandschappen met Florence en Lucca. In 1306 namen deze twee steden Pistoia in en braken de stadsmuren af. In de 14e eeuw werden nieuwe muren gebouwd, waarin vier bastions en later het **Fortezza Santa Barbara** **1** werden opgenomen. Deze muren zijn grotendeels bewaard gebleven.

Pistoia telt ruim 90.000 inwoners en is een belangrijk industrie- en handelscentrum met veel ambachtelijke bedrijven die werkzaam zijn in de textiel- en bekledingsindustrie. Daarnaast speelt de landbouw een belangrijke rol in de provinciale economie.

In het bergland van Pistoia leunt de economie niet alleen op toerisme, maar ook op de traditionele metaalindustrie met veel bedrijven die werkzaam zijn in de machinebouw en met fijnmetaal (bijvoorbeeld als toeleveranciers van Fiat).

Duomo San Zeno **2**

Dag. 8-9.30, 10.30-12.30, 15.30-19, zon- en feestdagen 8.30-13, 15.30-19 uur, gratis. Kapel van het Altare di S. Jacopo onregelmatig open, € 2. Torre Campanaria za., zo. 11/16 uur, reserveren verplicht, tel. 334 931 77 10. € 6
De kathedraal van San Zeno werd in de 12e eeuw opgetrokken op de plek waar in de 5e eeuw al een kerk stond. De gevel dateert van 1311 en bestaat uit een portiek met zeven bogen en daarboven maar liefst drie dwerggalerijen boven elkaar. In de drieschepige basiliek bevindt zich het **altare argenteo di San**

Jacopo, een zilveren altaar met 628 figuren, waar in 1287 door zilversmeden aan werd begonnen en dat pas in de 15e eeuw voltooid was. Filippo Brunelleschi legde de laatste hand aan het meesterwerk, maar verder zijn alle kunstenaars die eraan gewerkt hebben onbekend. Voor de kapel waar het altaar staat moet entree worden betaald, maar door het hek voor de kapel is het altaar ook heel goed te zien. De **Torre Campanaria,** de klokkentoren, is met zijn 67 m de enige markante toren van de stad.

Battistero 3

Ma.-vr. 10-13, 16-19, za., zo. 10-13, 15.30-19.30 uur, gratis

Het elegante baptisterium aan de Piazza del Duomo heeft wel wat weg van een juwelenkistje, geplaatst op een sokkel met enkele treden. De bekleding in wit marmer met donkergroene dwarsstrepen wijst onmiddellijk op Pisaanse invloed. Cellino di Nese voltooide de doopkapel in 1359 naar plannen van Andrea Pisano. De blinde arcaden in de bovenste verdieping geven het achthoekige bouwwerk lichtheid. Rechts naast het met beelden versierde portaal is een kleine buitenpreekstoel in de muur aangebracht. Binnen beheerst de hoge koepel de ruimtelijke indruk.

Museo Civico 4

Do.-zo. 10-18 uur. € 3,50, combinatiekaartje € 6-9

Het fraaie **Palazzo Comunale,** onderkomen van het stedelijke museum, komt ondanks de lange bouwtijd (1294-1385) harmonisch over: beneden vormen vijf bogen een arcade, daarboven bevinden zich vijf gotische tweelingvensters met eenvoudig maaswerk, daarna volgt een tussenverdieping met kleine raampjes, terwijl de bovenste verdieping vijf drielingvensters heeft.

Het Museo Civico bezit fraaie werken van anoniem gebleven plaatselijke schilders, maar is ook vanwege de grandioze open dakstoel van het paleis een bezoek waard.

Palazzo Rospigliosi della Ripa del Sale 5

Di.-za. 10-13, 15-18 uur. € 3,50, combinatiekaartje € 6-9

Aan de Piazza del Duomo staat rechts van de duomo het voormalige **Palazzo dei Verscovi** (met onder andere het Museo della Cattedrale di San Zeno), terwijl u als u het straatje tussen de duomo en het Palazzo del Comune inslaat bij het renaissancepalazzo van de uit Pistoia afkomstige paus Clemens IX komt, nu onderkomen van het **Museo del Ricamo** (borduurmuseum met borduurwerk uit de 17e-20e eeuw) en het **Museo Diocesano.**

Ospedale del Ceppo 6

Aan de **Piazza dell'Ospedale** staat het fraaie Ospedale del Ceppo uit 1514, duidelijk gebouwd in navolging van het Spedale degli Innocenti van Brunelleschi in Florence. Het opvallendste onderdeel van het bouwwerk is het kleurige **terracottafries** uit de school van Della Robbia waarin de zeven werken van barmhartigheid en de deugden zijn afgebeeld, passend bij een gebouw waar deze werken werden beoefend.

Sant'Andrea 7 en San Giovanni Fuorcivitas 8

De **Sant'Andrea** is vooral een bezoek waard vanwege de preekstoel van Giovanni Pisano (1298-1301) met vijf marmeren hoogreliëfs met taferelen uit het Oude Testament.

Pisano schiep ook de 'kardinale deugden' op het wijwaterbekken van de **San Giovanni Fuorcivitas,** een kerk die in de 8e eeuw werd gesticht, maar zijn huidige vorm in de 12e-14e eeuw kreeg. Omdat het gebouw ten zuidwesten van de Piazza del Duomo buiten de toenma-

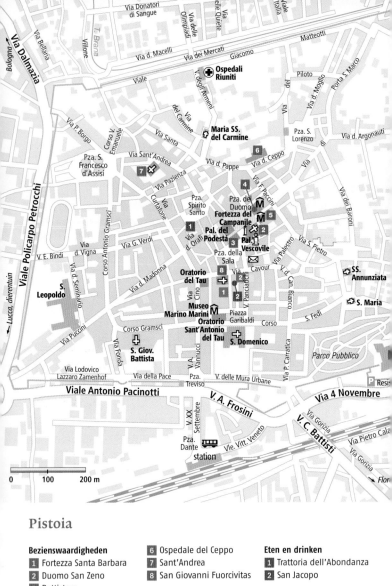

Pistoia

Bezienswaardigheden

1 Fortezza Santa Barbara
2 Duomo San Zeno
3 Battistero
4 Museo Civico
5 Palazzo Rospigliosi della
  Ripa del Sale
6 Ospedale del Ceppo
7 Sant'Andrea
8 San Giovanni Fuorcivitas

Overnachten

1 Patria
2 Leon Bianco

Eten en drinken

1 Trattoria dell'Abondanza
2 San Jacopo

lige stadsmuren werd gebouwd, moest men afzien van de gebruikelijke oost-westoriëntatie en werd de noordmuur de belangrijkste gevel. Deze façade is een van de mooiste voorbeelden van de Pisaanse stijl die we kennen: drie lagen blinde bogen met horizontale strepen van afwisselend wit en zwart marmer met ruitvormen rond de ramen en korte zuiltjes die de twee bovenste rijen bogen dragen.

Overnachten

Centraal en comfortabel – **Patria** **1**: Via Crispi 8, tel. 0573 35 88 00, www. patriahotel.com. 2 pk met ontbijt € 75-90. Centraal gelegen hotel met 28 comfortabele kamers.

In het centrum – **Leon Bianco** **2**: Via Panciatichi 2, tel. 0573 266 75, fax 0573 267 04, www.hotelleonbianco.it. 2 pk € 70-100. Dertig vriendelijk ingerichte kamers vlak bij de Piazza del Duomo.

Eten en drinken

Gewoon geweldig – **Trattoria dell'Abbondanza** **1**: Via dell'Abbondanza 10/14, tel. 0573 36 80 37, in mei en okt. twee weken gesl., wo. gesl., do. geen lunch, menu € 24-34. Voortreffelijke traditionele Pistoiese keuken en goede tafelwijnen voor redelijke prijzen.

Smakelijk – **San Jacopo** **2**: Via Crispi 15, tel. 0573 277 86. Ma. gesl., zo. alleen lunch. Menu vanaf € 25. Redelijk geprijsde Toscaanse gerechten onder baksteengewelven in het oude centrum.

Info en festiviteiten

Informatie

Informazioni: 51100 Pistoia, Palazzo Vescovile, Piazza del Duomo, tel. 0573

216 22, fax 05733 42 27, www.pistoia.tu rismo.toscana.it. Een andere nuttige website is www.comune.pistoia.it.

Vervoer

Vliegtuig: Pistoia ligt gunstig tussen de luchthavens van Florence en Pisa en is daar met trein of bus mee verbonden. **Trein:** Pistoia ligt aan de lijn Florence-Lucca, de treinen stoppen er ca. elk uur. **Bus:** bussen van COPIT (busstation bij het treinstation) verbinden Pistoia met onder andere Abetone, Cutigliano, Empoli, Florence, Gavinana, Maresca, Pian di Novello, Poretta Terme en Vinci. Bussen van LAZZI rijden tussen Pistoia en Florence, Montecatini Terme, Pescia, Lucca, Viareggio, Forte dei Marmi (Versilia), Sarzana en La Spezia.

Ten zuiden van Pistoia

Als u Pistoia in zuidelijke richting via de SP9 richting Empoli verlaat, komt u onder de snelweg Firenze-Mare door en belandt vanaf **Casalguidi** (7 km) in een andere wereld. De weg slingert zich over 17 km omhoog tegen de Monte Albano en komt na 7 km bij **San Baronto**, terwijl de weg vanaf **Vinci** (blz. 136) weer naar beneden kronkelt. Het landschap wordt gekenmerkt door zachtgolvende heuvels met olijfbomen, in terrassen aangelegde wijngaarden en steeneikenbossen.

San Miniato al Tedesco ▶ F 5

Ten zuiden van de Arno, vanaf Vinci via binnendoorweggetjes bereikbaar (12-15 km), ligt San Miniato al Tedesco fraai op een heuvel. Hier werd Mathilde van Canossa in 1046 geboren en liet keizer Frederik II in 1218 een burcht bouwen (zie blz. 139), waarvan de hoog ▷ blz. 138

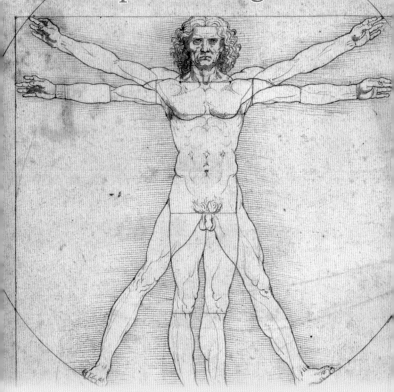

Bij Leonardo da Vinci thuis

Het genie Leonardo is vernoemd naar het plaatsje Vinci. Voor bewonderaars van Leonardo en natuurliefhebbers is het leuk om een bezoek te brengen aan het aardige dorp in de zachtgolvende heuvels van de Montalbano, dat bekend staat om zijn goede wijnen en voortreffelijke olijfolie.

Duur: 2-3 uur

Planning: Casa Natale di Leonardo in Anchiano, dag. 9.30-19, 's winters tot 18 uur, gratis. Museo Vinciano in Vinci mrt.-okt. 9.30-19, nov.-feb. tot 18 uur, € 6. Museo Ideale Leonardo Da Vinci wegens waterschade voorlopig gesloten.

Startpunt: Anchiano bij Vinci, geboortehuis van Leonardo

Het genie Leonardo da Vinci (1452-1519) bezat een groot aantal talenten en zijn belangstelling ging allerlei richtingen uit. Hij is vooral beroemd geworden als geniaal schilder, tekenaar en beeldhouwer, maar hij was al even innovatief als architect en uitvinder en bovendien hield hij zich onvermoeibaar bezig met het onderzoeken van de wereld om hem heen.

Het geboortehuis van Leonardo even buiten het gehucht Anchiano staat midden in een olijfgaard op een vlakke heuvel die aan het begin van de zomer rood van de klaprozen ziet. Het is weliswaar niet helemaal zeker of dit wel het echte geboortehuis is, maar het trekt niettemin een constante stroom bezoekers die de kunstenaar en wetenschapper Leonardo hulde willen brengen. Binnen valt er eigenlijk niet zo heel veel te zien en helaas is de informatieve winkel met boeken over Leonardo inmiddels gesloten, maar toch is het zeker de moeite waard om de auto op de nabijgelegen parkeerplaats te zetten om een bezoek aan het huis te brengen, want u wordt er met open armen ontvangen en mag er gratis rondkijken, terwijl de omgeving gewoon prachtig is.

Te voet naar Vinci

Vlak bij het geboortehuis van Leonardo bij Anchiano, een stukje langs de weg richting Vinci, wijst een bordje links (CAI-route nr. 14) een pad aan door een olijfgaard. Het pad leidt door een fraai deel van de Montalbano met oude en jonge olijfbomen (na de strenge vorst begin jaren tachtig van de 20e eeuw zijn veel olijfbomen gestorven en kwam er nieuwe aanplant). In mei en juni is het gras doorschoten met het diepe rood van klaprozen, in de hersft kunt u zien hoe de olijfboeren hun wankele ladders tegen de bomen zetten om bij de groene, naar zwart verschietende olijven te komen. Na de pluk worden de vruchten zo snel mogelijk naar de *frantoio* gebracht, de olijfmolen, om er een van de beste olijfolieën van Toscane uit te persen.

Na ongeveer een half uur komt u bij een groepje verlaten boerderijen en al snel daarna bij een groepje nieuwe huizen, waar u over een smalle, bochtige asfaltweg naar de hoofdweg kunt dalen, die u snel naar het centrum van Vinci brengt.

De musea

In het **Castello di Vinci**, dat de Conti Guidi ter verdediging lieten bouwen, bevindt zich het bekendste aan Leonardo gewijde museum met allerlei apparaten die zijn nagebouwd aan de hand van zijn tekeningen en waar u een interessante video kunt zien. Het is sowieso leuk om door het kasteeltje rond te dwalen en om van de uitzichten rondom te genieten.

Onder de gewelven van het castello concurreert al jaren een particulier museum onder de naam **Museo Ideale Leonardo Da Vinci** met het museum erboven. Dit museum richt zich vooral op de erfenis van Leonardo en op het beeld van Leonardo dat bijvoorbeeld de moderne reclame schetst.

In het **Palazzina Uzzieli** in Vinci is een dependance van het Museo Vinciano ondergebracht, u kunt er bouwmachines en weefapparaten zien die op basis van tekeningen van Leonardo zijn nagebouwd. De Piazza Nuova voor het palazzo is op een eigenzinnige manier door de moderne kunstenaar Mimmo Paladino vormgegeven met plaveisel dat schots en scheef omhoog komt. Heel anders is de Piazza Guido Masi op de stadsmuur tussen de twee delen van het museum. Op het plein met een prachtig uitzicht staat sinds 1987 een houten beeld van Mario Ceoli (*L'Uomo di Vinci*), gemodelleerd naar de beroemde tekening *Man van Vitruvius* (zie links) van Leonardo.

Tip

De truffelbeurs van San Miniato

In de laatste drie weekenden van november verandert het fraaie renaissancestadje in een geurige markt: de grootste truffelbeurs van Toscane trekt kenners en kopers uit heel Italië. In de restaurants staan truffelgerechten op het menu, terwijl in de marktkraampjes ook andere Toscaanse lekkernijen als brood, pecorino en pittige worsten naast goede olijfolieën en wijnen worden aangeboden. Als u rond deze tijd in San Miniato bent, vergeet dan niet om tijdig een tafeltje te reserveren!

oprijzende toren in de Tweede Wereldoorlog juist door een Duitse officier werd opgeblazen.

Onder het stadspark met de toren van Frederiks kasteel ligt op een terras de **Piazza del Duomo** en daaronder, bereikbaar via een trap, de opvallende **Piazza della Repubblica** met het bisschoppelijke seminarium. Het is een waar genoegen om door de straatjes van het stadje te slenteren, dat net als Siena op drie heuvelruggen is gebouwd. Wie er wil overnachten, kan voor het diner uit enkele aardige restaurants kiezen of gaan eten in het hotel met het mooiste uitzicht (Miravalle, zie onder).

Bijna alle bezienswaardigheden van San Miniato zijn te bezoeken met een combinatiekaartje, dat u bij elk museum van het Sistema Museale San Miniato kunt kopen. Het belangrijkste museum is zonder meer het **Museo Diocesano** (do.-zo. 10-17/18 uur) met onder andere prachtige werken van Lorenzo Lippi en een deel van de kerkschat van de kathedraal. In de prachtige *Sala delle Sette Virtù* in het **Palazzo Comunale** kunt u een fraaie *Madonna met kind* uit

de school van Giotto bewonderen (za. 15-18, zo. 11-18 uur, € 2,50).

Overnachten

Uitzicht over het dal – **Miravalle:** Piazza Castello 3, tel. 0571 41 80 75, fax 0571 40 68, www.albergomiravalle.com. 2 pk met ontbijt € 90-130. gerenoveerd hotel in het centrum met achttien kamers en indrukwekkend uitzicht, ook vanuit het goede restaurant.

Eten en drinken

Vriendelijk en goed – **Vecchio Cinema:** Via IV Novembre 30, tel. 0571 425 18. Ma. gesl., alleen 's avonds open. Pizza vanaf € 5. Vriendelijke, bij buurtbewoners populaire pizzeria annex osteria met enorme pizza's en eenvoudige, maar smakelijke primi. Goede huiswijn.
Aangenaam ontmoetingspunt – **Antico Bar:** Via IV Novembre 29, tel. 0571 40 08 12. Ma.-za. 7-21 uur. Populaire bar met trattoria. Eenvoudige lunchmenu's.

Informatie

San Miniato Promozione: 56028 San Miniato al Tedesco (PI), Piazza del Popolo 1, tel. 0571 427 45, fax 0571 41 87 39, www.sanminiatopromozione.it. Vriendelijke medewerkers en goed informatiemateriaal.

Montecatini Terme ▶ E 4

Het belangrijkste kuuroord van Toscane en waarschijnlijk heel Italië (21.400 inwoners) ligt 15 km ten westen van de provinciehoofdstad Pistoia en bezit een voortreffelijke infrastruc- ▷ blz. 140

Favoriet

Uitzicht vanaf de Rocca Federiciana

Het beklimmen van de 192 treden van de Rocca Federiciana (zie blz. 135) wordt beloond met een adembenemend uitzicht rondom. U kijkt uit over de rode daken van het charmante stadje op drie hellingruggen en over het weidse land eromheen.

Apr.-okt. di.-zo. 11-18 uur, nov.-mrt. tot 17 uur. € 3,50, combinatiekaartje zo. € 5, andere dagen € 4.

Genieten van de 'hel': ontspannen zweten in de Grotta Giusti van Monsummano Terme

tuur met hotels in alle categorieën. Het stadjes is niet alleen interessant voor wie graag kuurt, maar ook voor mensen die zich voor culturele en culinaire zaken interesseren.

Anders dan het drukke centrum is de wijk waar de kuurinrichtingen staan tijdens de rusttijden grotendeels verkeersvrij. Het prachtige **Parco delle Terme** bezit reusachtige bomen. De mooiste kuurinrichting is de **Terme Tettuccio** (toeristisch bezoek na 11 uur, € 6). De **Portici Gambrinus** zijn een leuke plek om te flaneren en om 's avonds naar muziek te luisteren.

De bovenstad van het kuuroord, **Montecatini Alto**, is een erg sfeervolle plek. De oplopende Piazza Giusti doet wel een beetje denken aan de wereldberoemde Piazzetta van Capri: een zee van terrassen, die open gaan zodra de eerste zonnestralen het plein opwarmen of beloven dat te doen. Een kabelspoor verbindt beneden- en bovenstad in enkele minuten, maar het is ook leuk om om-

hoog te lopen over de **Via Crucis,** de processieweg, die door een dicht bos leidt.

In de beboste heuvels met hier en daar dorpen van de **Valdinievole** ten noorden van het kuuroord kunt u tal van **uitstapjes** maken om te wandelen of te mountainbiken. Iets ten zuiden van Montecatini ligt **Monsummano Terme,** waar u ook zonder meteen een kuurarrangement te nemen zich in de thermen kunt laten verwennen of in het 750 m lange, 35°C warme thermale zwembad met zijn vele hoekjes kunt rondspartelen. Een derde mogelijkheid tot een uitstapje is naar het fraaie stadje **Pescia** en vervolgens door naar **Collodi,** de geboorteplaats van Pinokkio (zie blz. 142).

Overnachten

Bij het Parco delle Terme – **Grand Hotel Croce di Malta:** Viale IV Novembre 18, tel. 0572 92 01, fax 0572 76 75 16, www.crocedimalta.com. 2 pk € 180-

320. Aangenaam hotel aan het park met 137 kamers, vijftien suites en verwarmd zwembad.

Huiselijk – **Torretta:** Viale Bustichini 63, tel. 0572 703 05, fax 0572 703 07, www.hoteltorretta.it. 2 pk € 100-140. Prettig hotel boven het Parco delle Terme met restaurant voor de gasten met goede keuken en in de kleine tuin een fraai zwembad met cascade. 63 gemoderniseerde kamers en parkeerplaats. De gastheer, die meerdere talen spreekt, vertelt in de gezellige enoteca graag over Toscaanse wijnen en biedt wellnessarrangementen in de Terme Excelsior aan.

Gewoon goed – **Locanda Talenti:** Montecatini Alto, Via Talenti 2, tel. 0572 77 22 31. 2 pk met ontbijt € 50-70. Prettig, klein familiepension met acht kamers (twee aan de Piazza Giusti!) in de bovenstad. Restaurant met terras op de piazza.

Eten en drinken

Voor wijnliefhebbers – **Enoteca Giovanni:** Via Garibaldi 25/27, tel. 0572 730 80, ma. gesl. Menu vanaf € 59. Levendige enoteca met goed maar duur restaurant en terras.

Uitnodigend – **La Torre:** Montecatini Alto, Piazza Giusti 8/9, tel. 0572 706 50, di. gesl. Menu € 19-24. Aardig restaurant met enoteca aan het centrale plein van de charmante bovenstad.

Winkelen

In Montecatini Terme vinden meestal na 21 uur **veilingen** (*aste*) plaats, die vaak leuk zijn om te zien. De banketbakkers van de stad bieden een specialiteit aan: *cialde di Montecatini,* flinterdunne, niet al te zoete wafels. In de winkelstraten van de benedenstad zitten talrijke **modewinkels.**

Actief en creatief

Thermaal zwembad – **Grotta Giusti Terme:** Monsummano Terme, Via Grotta Giusti 1411, 2 km ten oosten van Montecatini Terme, tel. 0572 907 71, www.grottagiustispa.com. De entree voor het zwembad voor niet-hotelgasten is € 17 per dag, vanaf 14 uur € 11.

Uitgaan

De **pianobars** in de hotels, ook in familiehotels als het Torretta, zijn uitnodigend. U kunt ook omhoog gaan (tot middernacht ook met het kabeltreintje) naar Montecatini Alto voor een van de cafés aan de Piazza Giusti, bijvoorbeeld **La Torre** of **La Rughetta.**

Beneden in de kuurstad liggen de prijzen wat hoger en wordt de bezoeker heel verzorgd verwend in de **Enoteca Giovanni,** terwijl ook **Il Chicco d'Uva,** Viale Puccini 2D, een goede plek is om wijnen te proeven. Wie naar de disco wil, kan tussen Montecatini Terme en Alto naar **Grotta Maona,** met een leuke grot, café met bar en 's zomers dansen onder de sterrenhemel.

Info en festiviteiten

Informatie

Azienda Autonoma di Cura e Soggiorno: Viale Verdi 66a, 51016 Montecatini Terme (PT), tel./fax 0572 77 22 44, www. montecatini.turismo.toscana.it

Vervoer

Trein: Montecatini Terme is een station aan het traject Florence – Lucca. Vooral tijdens de spits stoppen er veel treinen. **Bus:** de bussen van LAZZI rijden minstens een keer per uur van Montecatini naar Pistoia (20 min.) en Florence (50 min.).

Pescia ▶ E 4

Dit stadje ligt 8 km ten noordwesten van Montecatini aan de gelijknamige rivier, waar vroeger talrijke papiermolens aan stonden. Met 19.900 inwoners is Pescia de grootste gemeente van de Valdinievole. Het stadje is een centrum van bloementeelt en de **bloemenveiling** achter het station is een van de belangrijkste van Europa, het is leuk om er een kijkje te nemen (ma.-za. 6-8.30 uur).

Het religieuze centrum van de stad ligt aan de oostkant van de rivier, het centrale plein aan de westkant. Tot de bezienswaardigheden behoort de **San Francesco** (14e eeuw, in de 17e eeuw verbouwd) met een paneel van Bonaventura Berlinghieri van Franciscus (1235).

De centrale **Piazza Grande** (eigenlijk **Piazza Giuseppe Mazzini**) is een van de indrukwekkendste pleinen van Toscane. Langs de lange zijden van het plein staan talrijke palazzi, terwijl de smalle zijden gevormd worden door het **Palazzo dei Vicari** (13e eeuw, nu stadhuis) en aan de overkant het barokkerkje **Madonna di Piè di Piazza**.

Museo Civico Carlo Magnani

Wo., vr., za. 10-13, do, 16-18 uur

Als u links langs het stadhuis loopt en links de Via Obizzi inslaat, komt u via de Piazza degli Obizzi bij de **Piazza Santo Stefano,** waar het Museo Civico beslist een bezoek waard is. Het bezit onder meer fraaie paneelschilderingen uit de 14e en 15e eeuw, die grotendeels afkomstig zijn uit de kerken van het oostelijke deel van de stad.

Overnachten

In de papiermolen – **San Lorenzo:** Località San Lorenzo 2 km ten noorden van Pescia, tel. 0572 40 83 40, fax 0572 40 83 33, www.rphotels.com. 2 pk met ontbijt € 90-135. Aangenaam hotel in een papierfabriek uit de 18e eeuw aan de rivier met 35 kamers en twee suites.

Fraai park – **Villa delle Rose:** Via del Castellare 21, Località Castellare, tel. 0572 46 70, fax 0572 44 40 03, www.rp hotels.com. 2 pk met ontbijt € 89-185. Mooi hotel met 103 kamers en drie suites in een villa uit de 18e eeuw.

Centraal en eenvoudig – **Cecco:** zie restaurant Cecco onder. Aardig hotel met 26 kamers en een suite boven het restaurant. Sommige kamers bieden uitzicht op de piazza.

Eten en drinken

Sfeervol – **Restaurant Cecco:** Viale Francesco Forti 96, tel. 0572 47 79 55, www.ristorantececco.com. Okt.-mrt. ma. gesl. Menu vanaf € 20. *Het* historische restaurant (sinds 1911) in het centrum, met aangename sfeer.

Landelijk – **Trattoria Da Nerone:** Loc. Pietrabuona, Via Mammianese 153, tel. 0572 40 81 44, www.trattoriadanerone. it. Wo. gesl. Menu vanaf € 20. Gemoedelijke trattoria 2 km ten noorden van Pescia, tussen San Lorenzo en Pietrabuona. Lokale specialiteiten als eekhoorntjesbrood en wild, huisgemaakte pasta.

Informatie

Vervoer

Bus: de lijnbussen van LAZZI rijden elke 15-20 minuten tussen Montecatini en Pescia.

Uitstapje naar Collodi

Parco di Pinocchio

Dag. 8.30 uur tot zonsondergang, 2 nov.-26 feb. za., zon- en feestdagen van 9 uur tot zonsondergang, www.

pinocchio.it. € 11 (laagseizoen € 10), combinatiekaartje met Villa Garzoni € 20 (laagseizoen € 14).

Collodi ligt 5 km ten westen van Pescia bij de grens met de provincie Lucca. Het stadje is een leuke bestemming voor een uitstapje als u met kinderen bent. De geboorteplaats van de houten pop Pinokkio (zijn 'vader' Carlo Lorenzini, die hier vandaan kwam, gebruikte het pseudoniem Carlo Collodi) trekt tijdens de Italiaanse schoolvakanties duizenden gezinnen, die voor het Parco di Pinocchio komen. Het park is een fraai groengebied langs de rivier met beeldhouwwerken die figuren en taferelen uit het boek voorstellen. Ze zijn gemaakt door beroemde moderne Italiaanse kunstenaars als Emilio Greco.

Parco della Villa Garzoni

Dag. 8.30 uur tot zonsondergang, 2 nov.-26 feb. za., zon- en feestdagen van 9 uur tot zonsondergang. € 13 (laagseizoen € 8)

De tweede bezienswaardigheid van Collodi is de Villa Garzoni (1630) met zijn oplopende tuin vol fonteinen, beelden en bloemperken, die het dorp boven de villa visueel in het landschap integreert. De baroktuin van Villa Garzoni, een van de mooiste van Italië, wordt helaas maar matig onderhouden. Wel is er tegenwoordig als extraatje een vlinderhuis bij gekomen. De villa is alleen bij bijzondere gelegenheden opengesteld voor het publiek. De eigenaren van de villa hebben bij de toegang tot het park een restaurant met enoteca en winkel geopend (waar u ook zonder een kaartje te kopen kunt binnen lopen).

Eten en drinken

Vlak bij Pinokkio – **Ristorante Villa Garzoni:** bij de ingang van de tuin van de villa, tel. 0572 42 85 45, dag. 9-24 uur,

di. geen diner. Toscaans fijnproeversrestaurant met bar, maar ook met snacks en een toeristenmenu voor € 20.

Lucca ✳ ▶ D 4

Wat een heerlijke stad om rond te slenteren! Het is een genot het oude centrum te verkennen, maar het hoogtepunt is misschien wel om te voet of op de fiets over de stadswallen een rondje om Lucca heen te maken.

De stad, zo vertellen de geschiedenisboekjes, is op zijde gebouwd. Zijde maakte de stad zo rijk dat de inwoners een onneembare stadsmuur konden bouwen, die als de mooiste van Toscane geldt. Binnen de muren is de Piazza del Mercato een van de beroemdste bezienswaardigheden vanwege zijn perfecte ovalen vorm, ontstaan omdat de huizen op de resten van een Romeinse amfitheater zijn gebouwd.

De provinciehoofdstad met 84.800 inwoners is vrijwel geheel intact gebleven binnen de bakstenen stadsmuren. De promenade over de muren, die aan fietsers en voetgangers is voorbehouden, biedt heerlijk uitzicht over de rode pannendaken van de fraaie stad. Okergeel, wat roze en het wit van Carraramarmer zijn de kleuren van Lucca.

Zijde en muziek

Lucca is vanwege de zijde-industrie traditioneel een welvarende stad. De provincie leeft nu vooral van de bloementeelt en van droogbloemen, maar ook van luxestoffen, smeedijzer, keramiek, bronzen armaturen, houtverwerking, de productie van prefabelementen en prefabhuizen, papier- en kartonproductie, schoenen, marmer uit de Garfagnana, verven, plastic en de productie van veel geroemde voedingsmidde-

Lucca is grotendeels autovrij en kent daardoor een aangenaam rustig ritme

len als olijfolie en wijn, terwijl het brood en gebak uit vooral Lucca, Porcari und Altopascio een goede naam hebben.

Ook op muzikaal gebied heeft Lucca veel te bieden met tal van evenementen (zoals de Sagra Musicale Lucchese, een muziekfestival in apr.-juni), terwijl de componisten Luigi Boccherini (1743-1805) en Giacomo Puccini (1858-1924) in Lucca werden geboren.

De stadsmuren

De derde gordel verdedigingswallen rond Lucca ontstond in 1544-1645 als investeringsobject van de republiek en deels ook als werkverschaffingsproject. De wallen zijn 4,2 km lang, 12 m hoog en aan de basis tot 12 m breed. Er werden twaalf bastions in opgenomen, waarvan er elf bewaard zijn gebleven. De bastions, die als pijlpunten naar buiten steken, werden gebouwd op de plekken waar eerder wachttorens stonden. De muren, die nooit een aanval te verduren hebben gehad, zijn opgetrokken uit zes miljoen bakstenen. Op de muren is een dubbele rij bomen geplant nadat ze in de 19e eeuw tot **Passeggiata della Mura** (muurwandelpad) waren omgevormd om de Lucchesi een wandelgebied met

zoeker heeft daardoor de indruk door een levend museum te lopen.

Een goede plek om het bezoek te beginnen is de uitgestrekte **Piazza Napoleone** voor het Palazzo Ducale (Palazzo della Provincia), want aan de zuidwestkant van het plein zit het toeristenbureau (mogelijkheid om te parkeren). Bij de aangrenzende **Piazza del Giglio** begint de Via del Duomo, die naar het sacrale hart van de stad leidt, de **Piazza San Martino** met de kathedraal.

Duomo San Martino **1**

Ma.-vr. 7-19, 's winters 7-17 uur; graf van Ilaria apr.-okt. ma.-vr. 9.30-17.45, za. 9.30-18.45, zo. 13-16.45 uur, 's winters korter. € 2, combinatiekaartje met Museo della Cattedrale (10-14/18 uur) € 6

De drieschepige dom werd in de 6e eeuw gesticht en in de 8e eeuw tot bisschopszetel verheven. In de 11e en 12e eeuw volgde een grootscheepse herbouw en in de 14e en 15e eeuw werd het interieur grondig onder handen genomen. De kathedraal, de belangrijkste kerk van Lucca, herbergt een van de betoverendste grafmonumenten van de vroege renaissance, geschapen door de uit Siena afkomstige Jacopo della Quercia: de **tombe van Ilaria del Carretto**. De echtgenote van de strenge heer van Lucca, Paolo Guinigi, stierf in het kraambed. De vrijstaande sarcofaag uit 1406, die zich nu in de sacristie bevindt, toont een fijnbesnaard, jong gezicht boven een lichaam gehuld in een dun gewaad, zo echt dat het geen moment de indruk wekt uit steen te zijn gehouwen.

Maar de belangrijkste sacrale schat van de dom is de **Volto Santo** (Heilige Gezicht), een houten crucifix die in de 11e eeuw uit het Oosten naar Lucca is gekomen en elk jaar op 13 september in een grandioze processie door de straten van Lucca wordt gedragen.

fraaie uitzichten over de stad te geven. Enkele van de bastions zijn ook toegankelijk.

Het historische centrum

Lucca leent zich goed om gewoon maar wat door de oude stad rond te zwerven, want vrijwel alle gebouwen zijn inmiddels gerestaureerd. Veel huizen werden daarbij in hun middeleeuwse staat teruggebracht, terwijl bij andere oude elementen als muren en vensters zijn vrijgelegd, zodat hun middeleeuwse oorsprong zichtbaar is gemaakt. De be-

Torre Guinigi 2

Dag. 9-16.30/17.30/18.30/19.30 uur, afhankelijk van de maand. € 3,50

Het opvallendste aan de 44,24 m hoge toren zijn de steeneiken die op het dak groeien. De Torre Guinigi is het beste voorbeeld van middeleeuwse profane architectuur in Lucca en biedt een fraai uitzicht over de daken van de stad.

Piazza dell'Anfiteatro 3

Van de Torre Guinigi is het niet ver naar dit plein, dat in de middeleeuwen ont-stond toen men huizen op de resten van een Romeins amfitheater bouwde. Op het schitterende plein wordt al eeu-wen een markt gehouden. De huizen rondom zijn twee tot zes verdiepingen hoog. Het Romeinse amfitheater werd op 56 bogen gebouwd, waarvan vier gro-ter dan de rest zijn: deze dienden als in-gang. De ovale binnenruimte van het theater werd in de middeleeuwen he-lemaal dichtgebouwd met huizen, die in de 19e eeuw weer werden afgebroken zodat de contouren van het amfitheater

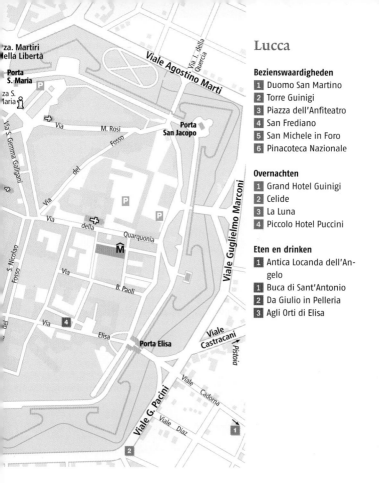

Lucca

Bezienswaardigheden

1. Duomo San Martino
2. Torre Guinigi
3. Piazza dell'Anfiteatro
4. San Frediano
5. San Michele in Foro
6. Pinacoteca Nazionale

Overnachten

1. Grand Hotel Guinigi
2. Celide
3. La Luna
4. Piccolo Hotel Puccini

Eten en drinken

1. Antica Locanda dell'Angelo
2. Buca di Sant'Antonio
3. Da Giulio in Pelleria
4. Agli Orti di Elisa

---

nu weer zichtbaar zijn. De leuke winkels in de huizen hebben een ingang aan het plein en een aan de straat die rond het plein loopt. Ze nodigen uit om wat rond te snuffelen, terwijl de cafés de mogelijkheid tot een pauze bieden.

San Frediano 4

Ma.-za. 8.30-12, 15-17, zon- en feestdagen 10.30-17 uur, gratis

Vanaf de winkelstraat **Via Fillungo**, die vlak langs de Piazza dell'Anfiteatro loopt, bent u zo bij de San Frediano aan de Piazza Sant'Agostino. De relatief kleine kerk (eerste helft 12e eeuw gesticht, verbouwd in de 13e eeuw) staat zo dicht op de stadsmuur dat na de verbouwing de façade vanwege de muur tegen de christelijke traditie in niet op het westen kon worden gericht en daarom op het oosten werd georiënteerd. De gevel valt al van verre op door het voor Toscane ongewone mozaïek met gouden grond in Byzantijnse stijl, waarop Christus in de mandorla, geflankeerd door twee engelen, boven de twaalf apostelen is te zien.

San Michele in Foro 5

Dag. 7.40-12, 15-18 uur, gratis

Deze kerk (afb. blz. 144) staat aan het gelijknamige plein. De San Michele, gesticht halverwege de 12e eeuw, is helemaal met carraramarmer bekleed en bezit een schitterende gevel met vijf lagen blinde bogen. De buitenkant is het hoogtepunt van de Pisaans-romaanse architectuur in Lucca, terwijl het sobere interieur werken van onder andere Andrea della Robbia en Filippino Lippi heeft te bieden.

Pinacoteca Nazionale 6

Di.-za. 8.30-19.30 uur. € 4

Het schilderijenmuseum in het **Palazzo Mansi** bezit een rijke verzameling werken van Italiaanse en buitenlandse meesters, onder andere van Bassano, Tintoretto en Andrea del Sarto. Elisa Bacciocchi, een zuster van Napoleon, begon de verzameling.

Overnachten

Modern – **Grand Hotel Guinigi** 1: Via Romana 1247, tel. 0583 49 91, fax 0583 49 98 00, www.grandhotelguinigi.it. 2 pk met ontbijt € 90-210. Het beste hotel van de stad zit in een modern gebouw aan de rand van het centrum en heeft 156 comfortabele kamers, elf suites en een restaurant.

Pretentieloos – **Celide** 2: Viale Giusti 27, tel. 0583 95 41 06, fax 0583 95 43 04, www.albergocelide.it. 2 pk met ontbijt € 120-190. Goed hotel met 52 kamers aan de zuidoostkant van de stad bij de stadsmuren.

Aangenaam centraal – **La Luna** 3: Via Fillungo/Corte Compagni 12, tel. 0583 49 36 34, fax 0583 49 00 21, www.hotel laluna.com. 2 pk met ontbijt € 110-140. Gerenoveerd hotel bij het Romeinse amfitheater met een dependance om de hoek. 27 kamers en twee suites.

Vriendelijk – **Piccolo Hotel Puccini** 4: Via di Poggio 9, tel. 0583 554 21, fax 0583 534 87, www.hotelpuccini.com, 2 pk met ontbijt € 95. Klein, erg vriendelijk hotel met veertien eenvoudige kamers, direct bij de San Michele.

Eten en drinken

Elegant – **Antica Locanda dell'Angelo** 1: Via Pescheria 21, tel. 0583 46 77 11, www.anticalocandadellangelo. it. Zo. geen diner, ma. buiten de zomer gesl. Lunchmenu € 20, diner vanaf € 42. Traditionele locanda met degelijke Lucchese gerechten. Met terras.

Fraaie ambiance – **Buca di Sant'Antonio** 2: Via della Cervia 3, tel. 0583 558 81, www.bucadisantantonio.com, zo. geen diner, ma. gesl. Lunchmenu € 22, diner vanaf € 35. Traditioneel restaurant met goede Toscaanse keuken.

Alleen diner – **Da Giulio in Pelleria** 3: Via delle Conce 45/Piazza San Donato, tel. 0583 559 84, zo. gesl. Menu incl. wijn vanaf € 20. Erg geliefd bij de plaatselijke bevolking en relatief goedkoop (reserveren).

Jong publiek – **Agli Orti di Elisa** 4: Via Elisa 17, tel. 0583 49 12 41, www.ristoran tegliorti.it, zo., wo. gesl. Menu vanaf € 23. Moderne trattoria met specialiteiten uit de Garfagnana.

Actief en creatief

Fietsen – **Fietsverhuur:** Antonio Poli, Piazza Santa Maria 42, tel. 0583 49 37 87, www.biciclettepoli.com

Info en festiviteiten

Informatie

APT: 55100 Lucca, Piazzale Santa Maria 35, tel. 0583 91 99 31, fax 0583 46 99 64,

www.luccaturismo.it, www.luccaterre.it
(evenementen, voorstellingen).

Festiviteiten

Summer Festival: meestal de eerste drie
weken van juli (www.summer-festival.
com). Hedendaagse muziek in uiteenlopende genres op de fraaiste pleinen van
de stad (Piazza Anfiteatro en Piazza San
Martino), de concerten beginnen steeds
om 21.30 uur.
Casa Natale di Puccini: diverse uitvoe-
ringen van Puccini, bijvoorbeeld in kerken, op de Piazza Anfiteatro etc., www.
puccinielasualucca.com.

Vervoer

Vliegtuig: de internationale luchthaven
van Pisa ligt op 22 km.
Trein: Lucca is een spoorknooppunt op
het traject Florence-Pisa met spoorlij-
nen naar het noorden en zuiden.
Bus: Lucca is een belangrijk overstap-
punt in het busnetwerk van CLAP en
LAZZI (busstation bij de Piazzale Verdi).
Vanuit Lucca rijden bussen door de provincie tot in de Garfagnana (Bagni di
Lucca, Barga), langs de kust van de Versilia (Viareggio, Lago Puccini), naar de
andere provincies van Toscane, en naar
steden als Genua en Rome.

Garfagnana ▶ D 2 – D 4

De Garfagnana is beroemd om zijn kastanjebossen en de specialiteiten die er in
de herfst met de kastanjes worden gemaakt. In het fraaie en ruige landschap
liggen ook enkele interessante plaatsjes.
Begin een uitstapje naar de Garfagnana
door de oostoever van de Serchio te volgen. Bij **Borgo a Mozzano** overspant de
Ponte della Maddalena met een grote
boog en diverse kleinere bogen de Serchio, die hier tot een meer is opgestuwd.
De brug zou in 1101 in opdracht van Mathilde van Canossa zijn gebouwd.

Tip

Reizen door de Garfagnana

In de Garfagnana kunt u het beste met
de auto reizen, ook al is het wat verwarrend om de juiste route te vinden door
allerlei nieuwe wegen. Als u niet over
een auto beschikt, kunt u op de Piazzale
Verdi in Lucca een bus van de CLAP nemen. Wie ruim in zijn tijd zit, kan ook
de trein van Lucca naar Aulla nemen:
stap over in Piazza al Serchio en maak
vervolgens stops in Bagni di Lucca (aansluiting op bus), Barga-Gallicano en
Castelnuovo di Garfagnana.

Bagni di Lucca ▶ E 3

Om vanuit Lucca het fraai tegen de hellingen gelegen Bagni di Lucca (150 m)
te bereiken, neemt u de SS12 in noordelijke richting. U volgt daarbij 23 km
lang de Serchio en passeert de Ponte
della Maddalena. Vanaf Chifenti gaat
het nog 4 km langs de Lima. Het kleine
kuuroord werd in de 18e eeuw populair
bij Britse reizigers. Volgens boze tongen
omdat het in Bagni di Lucca net zo veel
regent als in Groot-Brittannië. Heinrich
Heine richtte met zijn *Bädern von Lucca*
uit 1828 een literair monument voor het
plaatsje op.
  Negentien warmwaterbronnen met
temperaturen van 38 tot 54°C en diverse
kuurinrichtingen bieden volgens de fol-
ders hulp bij de genezing van vrouwen-
kwalen en stofwisselingsziekten. Maar
Bagni is vooral een heerlijk plaatsje om
in het groen aan de zomerse warmte te
ontsnappen.

Informatie

Ufficio Informazioni: 55201 Bagni di
Lucca (LU), Via Whipple, tel. 0583 80
57 45, fax 0583 82 49 37, www.bagnidi
lucca.net   ▷ blz. 151

Favoriet

Uitzichtbalkon

Barga troont als een balkon boven de Garfagnana. Het mooiste uitzicht hebt u vanaf het terras voor de kathedraal, waar u over de daken van de stad uitkijkt. Achter de stralend witte façade van de kerk kunt u in het donkere interieur van de San Cristoforo een van de mooiste preekstoelen van Toscane bewonderen, een romaans werk uit de 13e eeuw.

Barga ▶ D 3

Rijd na Bagni di Lucca terug richting de Serchio en volg deze rivier over de SS445 stroomopwaarts tot aan de afslag naar Barga, die in talrijke bochten omhoog loopt. Kleine dorpjes kleven als zwaluwnesten tegen de hellingen, die deels geterrasseerd zijn. Barga (10.300 inwoners) is alleen al vanwege zijn ligging een bezoek waard (35 km van Lucca). De kunstliefhebber zal ook voor de preekstoel komen die Guido da Como voor de kerk van **San Cristoforo** (10e-15e eeuw) maakte.

Castelvecchio Pascoli

Geboortehuis okt.-mrt. di. 14-17.15, wo.-zo. 9.30-13, 14.30-17.15, apr.-sept. di. 15.30-18.45, wo.-zo. 10.30-13, 15-18.45 uur. € 3

Via een fraaie binnendoorweg of over de SS445 kunt u naar de op de oostoever van de Serchio gelegen geboorteplaats van de politiek geëngageerde dichter Giovanni Pascoli (1855-1912) rijden.

Informatie

Informatie

Pro Loco: 55051 Barga (LU), Via di Mezzo, tel. 0583 72 47 43, 0583 72 47 45, www.comune.barga.lu.it

Castelnuovo di Garfagnana ▶ D 3

De 6100 inwoners tellende hoofdplaats van de Garfagnana ligt op een hoogte van 277 m aan de Serchio. In de **Rocca** (13e eeuw) resideerde de dichter Ludovico Ariosto in 1522-1525 als gouverneur voor de familie d'Este van Ferrara. In de **duomo** uit 1504 kunt u onder andere de terracottagroep *Jozef en zijn broeders* uit de school van Della Robbia zien.

Eten en drinken

Levendig – **Vecchio Mulino:** Via Vittorio Emanuele 12, tel. 0583 621 92, www.vecchiomulino.info. 's Winters zo. gesl., 's zomers ma. Osteria met typische producten van de Garfagnana.

Informatie

Informatie

Pro Loco: 55032 Castelnuovo di Garfagnana (LU), Via Cavalieri di Vittorio Veneto, tel. 0583 64 10 07, www.castelnuovogarfagnana.org

Naar de Grotta del Vento

▶ D 3

Apr.-okt. afhankelijk van route 10-18 uur, nov.-mrt. alleen route 1 open, tel. 0583 72 20 24, www.grottadelvento.com. route 1 € 9, route 2 € 14, route 3 € 20

Ga terug langs de westoever van de Serchio en neem na 10 km bij **Gallicano** de afslag de Alpi Apuane in. De weg voert 8 km lang door een schitterend landschap langs het riviertje de Turrite, door tunnels en onder rotswanden langs naar de Grotta del Vento. Er zijn drie routes (1-3 uur, met gids) door het 3,5 km lange grottenstelsel uitgezet, waarbij u een hoogteverschil van maximaal 132 m moet overwinnen.

Eten en drinken

Betoverend – **Al Ritrovo del Platano:** 55027 Gallicano (LU), Loc. Ponte di Campia, Via Provinciale 8/4, tel. 0583 68 99 22, www.osteriaalritrovodelplatano.it. Wo. gesl. Menu vanaf € 20. Lokale keuken met een eigen draai.

Carrara en de Versilia

Hoogtepunt! ✳

Riviera della Versilia: kilometerslange, brede stranden met fijn zand, die vlak in zee aflopen – een genot voor strandliefhebbers, zeker als ze ook nog kinderen mee hebben. Blz. 159

Op ontdekkingsreis

Een spannende tocht langs de marmergroeven van Carrara: een rit door de bergen van Carrara naar de marmergroeven is een bijzondere belevenis. Blz. 156

Marmergroeven van Carrara

Carrara
Marina di Carrara · · Massa
Marina di Massa · Pietrasanta
Forte dei Marmi ·
Riviera della Versilia ■ *wandelen tussen*
de olijfbomen
· Viareggio

Lago Puccini

Bezienswaardigheden

De marmerkunstenaars van Pietra-santa: nergens anders zijn zo veel werk-plaatsen van marmerkunstenaars als in en rond Pietrasanta. Blz. 162

De art nouveau van Viareggio: de hotels en cafés aan de strandpromenade wer-den veelal in de tijd van de art nouveau gebouwd en zijn gedecoreerd met kleu-rige tegels. Blz. 164

Actief en creatief

Beeldhouwcursussen: in Carrara en Pietrasanta worden cursussen beeld-houwen gegeven. Blz. 154, 162

Wandelen tussen de olijfbomen: schit-terende uitzichten over de Versilia. Blz. 159, 163

Sfeervol genieten

Carnaval van Viareggio: in geen en-kele andere Italiaanse stad wordt het *carnevale* zo aangegrepen om politieke satire te bedrijven als in Viareggio. Blz. 164, 166

Uitgaan

Bruisend nachtleven: de beste tips voor het nachtleven vindt u op www.vacan-zeinversilia.com. Vooral in Marina di Massa en in Marina di Carrara is veel te doen. Blz. 158

Festival Puccini: liefhebbers van opera en klassieke muziek komen jaarlijks sa-men voor het muziekfestival aan het Lago Puccini. Blz. 166

Marmer en strandplezier

Aan de zeezijde vertonen de Alpi Apuane witte wonden die de indruk wekken dat de bergen hier met eeuwige sneeuw zijn bedekt, maar het gaat om groeven waar de mooiste steen ter wereld wordt gewonnen: het witte marmer van Carrara. Massa en Carrara, de vrij onbekende hoofdsteden van de dubbelprovincie, vormen samen met Pietrassanta in het noordwesten van Toscane de culturele tegenhanger van de stranden van de Versilia, die op slechts 4-6 km liggen en tot de mooiste van de Middellandse Zee behoren.

Van de kustplaatsjes springen er twee uit: Forte dei Marmi, de oude marmerhaven en nu een chique badplaats, en Viareggio, de stad van het beroemde carnaval, dat in tegenstelling tot dat van Venetië vrij politiek getint is. Maar Viareggio is ook een art-nouveaustad, waar u nog diverse juweeltjes in deze stijl kunt vinden.

Een andere attractie is het Lago di Massaciuccoli, ook bekend als het Lago Puccini, dat zijn tweede naam te danken heeft aan Giacomo Puccini, de componist uit Lucca, die hier een villa had. Aan het meer wordt 's zomers een aan Puccini gewijd muziekfestival gehouden.

INFO

Internet

www.rivieratoscana.com. Een overzicht van hotels, campings, agriturismo's en vakantiehuizen met een gedetailleerde beschrijving en hun website, indien aanwezig. Verder het cultuur- en vrijetijdsaanbod, horeca, stranden en informatie over de plaatsen. Een andere nuttige website is **www.vacanzeinver silia.com**, een particuliere site met veel nuttige links en vergelijkbare informatie als de eerste website over accommodatie en meer. Beide websites zijn in diverse talen.

Reizen naar en in de Versilia

Massa en Carrara en de plaatsen van de Versilia zijn goed bereikbaar over het spoortraject La Spezia-Rome en over de snelweg A12. Het spoor met de stations en de hoofdweg SS1 Aurelia liggen een eindje landinwaarts, zodat de stranden er geen last van hebben. De kust is via parallel lopende toegangswegen bereikbaar. De badplaatsen van de Versilia zijn door een kaarsrechte, zeer brede strandweg met elkaar verbonden. Aan deze boulevard liggen de prachtige zandstranden met vaak kleurige kleedhokjes. Parallel aan de strandweg lopen andere brede straten gevuld met restaurants, pizzeria's, cafés en winkels.

Carrara ▶ B/C 3

Wie langs de kust van de Versilia rijdt, moet zeker een bezoek brengen aan dit stadje, waarvan de naam synoniem is voor sneeuwwit marmer.

De Liguriërs, die hier voor de Romeinen woonden, noemden de plek *kar*, wat steen betekent. Ze zullen dus het marmer al gekend hebben, dat later door de Romeinen systematisch werd gewonnen. In 1235 werd Carrara een vrije *comune* en nam een wiel in het wapenschild op, een symbool dat overal in de stad is te zien. Maar buiten het kleine historische centrum toont de stad verder weinig historisch bewustzijn. De stad met zijn rond 65.500 inwoners is zo snel gegroeid dat het ten koste van de schoonheid is gegaan, terwijl Carrara in de tijd van het fascisme enkele

architectonische monstruositeiten op-
gedrongen kreeg. Carrara is een stad van
marmerarbeiders en was in 1945 locatie
van het eerste congres van de Italiaanse
anarchisten.

Duomo

Dag. 7-12, 15.30-19 uur, gratis

De belangrijkste bezienswaardigheid
in het wat donkere centrum is de kathedraal (11e-14e eeuw) met een gevel
in Pisaanse stijl van wit en groen marmer. Het onderste deel is nog duidelijk
romaans, terwijl het bovendeel al gotisch is met spitsbogen, maaswerk en
een fijnzinnig bewerkt roosvenster. De
sobere schoonheid van de slanke zuilen
van de drieschepige basiliek is het resultaat van een restauratie waarbij de kerk
van opsmuk en schreeuwerige kleuren
werd ontdaan. Op de zijmuren werden
daarbij aanzienlijke resten van fresco's
gevonden.

Andere bezienswaardigheden

In 1769 werd het kasteel van de Malaspina samengevoegd met het bisschoppelijke paleis en niet veel later werd het
gebouwencomplex zetel van een kunstacademie, die u op aanvraag gratis kunt
bezoeken.

Het **Marmermuseum** in het voorstadje Stadio (Museo Civico del Marmo,
okt.-apr. ma.-za. 9-12.30, 14.30-17, mei-
sept. 9.30-13, 15.30-18 uur, € 4,50) bezit
voorwerpen die de geschiedenis van de
marmerwinning documenteren, daarbij maakt het museum ook van interac-
tieve media gebruik.

Overnachten

Weldadig – **Michelangelo:** Corso Filli
Rosselli 3, tel. 0585 77 71 61, fax 0585
745 45, www.michelangelocarrara.it. 2
pk met ontbijt € 95-200.

B&B – **Effe:** Via Garibaldi 27, tel. 335 681

82 99, fax 0585 78 04 33, va.endriz@
tin.it. 2 pk met ontbijt rond € 70. Huiselijke B&B in een fraai gerestaureerd
pand. Drie kamers, waarvan twee met
terras, en een ontbijtzaal met leeshoek.
Bescheiden prijzen – **Da Roberto:** Via
Apuana 5, tel. 0585 706 34. 2 pk zonder badkamer € 42, met badkamer € 47.
Dertien eenvoudige kamers.

Eten en drinken

De *bagni* (verpachte stranden) beschikken over bars/restaurants. Wie goed wil
eten, gaat de bergen in naar **Colonnata**,
7 km ten noordoosten van Carrara:
Beroemd – **Da Venanzio:** Piazza Palestro 3, tel. 0585 75 80 33, www.risto
rantevenanzio.com. Zo. alleen lunch,
do. gesl. Zomermenu met huiswijn € 40.
Verfijnde Apuaanse keuken.
Heerlijk – **Locanda Apuana:** Via Comunale 1, tel. 0585 76 80 17, www.lo
candaapuana.com, half dec.-jan. gesl.,
zo. alleen lunch, ma. gesl. Menu vanaf
€ 28. Populaire trattoria met prettige
sfeer. Zelfgemaakte Lardo di Colonnata,
goede huiswijnen.
Levendig – **L'Incanto:** Via Fantiscritti,
tel. 0585 752 37. Dag. 8-17 uur, 's zomers
tot 20 uur. Levendige kroeg van marmerarbeiders waar u kleinigheden kunt
eten en interessante foto's en informatie vindt over de groevearbeiders en de
gevaarlijke winning van het 'witte goud'
van Carrara.

Winkelen

Marmer en nog eens marmer, van originele kunstwerken tot kleine replica's
(ook in het Cava Museo).
Lardo di Colonnata: het witte vetspek
uit het dorp van de marmerarbeiders, te
verkrijgen in de zogeheten *larderie*; let
op het echtheidscertificaat! ▷ blz. 158

Langs de marmergroeven van Carrara

In de bergen waar Michelangelo en voor hem de Romeinen het witste marmer van de wereld voor beelden en paleizen haalden, winnen de marmerarbeiders nog altijd de schitterende witte steen uit de talrijke groeven. Een tocht over de oude transportwegen leidt naar het hart van de marmerbergen.

Duur: ca. 2 uur

Planning: rondleiding door de marmergroeven van Ravaccione mei-aug. 11-18.30, apr., sept., okt. 11-17 uur (elk half uur). € 7, www.marmotour.com. Het marmermuseum van Walter Danesi tegenover de groeve is het hele jaar open (gratis), www.cavamuseo.com.

Start: Carrara

Vanuit Carrara volgt u de borden naar Colonnata en de Vie Cava/Marmotour. Volg de grote rode pijl richting de aangevreten marmerbergen, waar ook in de zomer sneeuw lijkt te liggen. U komt langs talrijke werkplaatsen waar beelden en andere voorwerpen van wisselende artistieke kwaliteit uit marmer worden gemaakt. Blijf doorgaan richting Fantiscritti.

Ferrovia Marmifera

De avontuurlijke rit over de marmerroute is 10 km lang en leidt door vijftien tunnels en over zestien bruggen over een traject dat in de 19e eeuw werd aangelegd. Tussen 1876 en 1964 reed hier een stoomtrein die de tonnen wegende blokken marmer naar het dal en de haven van Marina di Carrara bracht. Om de waardevolle steenblokken op de wagons te krijgen, moesten ze eerst op houten sleden langs de berghellingen vervoerd worden, een zware en levensgevaarlijke klus.

De spoorrails zijn inmiddels weggehaald, want het transport over het traject is overgenomen door enorme vrachtwagens. De indrukwekkendste onderdelen van de route zijn de tunnel tussen Fantiscritti en Ravaccione, de ponte di Vara, de ijzeren bruggen van Vezzala en Ravaccione, en de op hoge pijlers en bogen rustende viaducten van Miseglia.

Ravaccione en het marmermuseum

Tijdens de ook landschappelijk interessante tour zijn er twee leuke stops, beide in Ravaccione. De eerste is bij het wat knullige maar toch ook interessante privémuseum **Cava Museo** met als symbool een groot span marmeren ossen dat een houten kar trekt. Afwisselend met zijn zoon Alberto vertelt Walter Danesi de bezoekers graag over de geschiedenis van de marmerwinning. De entree

is gratis, ze verdienen aan de verkoop van grote en kleine souvenirs van uiteraard marmer.

De **Cava di Ravaccione** biedt rondleidingen door de groeve aan en die zijn behoorlijk spannend. Met een krakkemikkige VW-bus gaat het naar het startpunt, waar de bezoekers een helm op krijgen en met de veeltalige gids diep de berg in gaan om te zien hoe de arbeiders aan het werk zijn. Uit het plafond van de groeve druppelt koud water op de bezoekers. Dit is overigens de enige marmergroeve die de berg in gaat, en wel over een lengte van 600 m. De gang gaat dwars door de berg heen en heeft ingangen aan beide zijden, want de oorsprong van de groeve is een oude spoortunnel door de berg. Toen het spoor opgeheven werd, kregen de exploitanten vergunning om het marmer rond de tunnel te winnen. Dit marmer is buitengewoon dicht omdat het volle gewicht van de berg het samen heeft geperst en daardoor is het ook erg kostbaar.

Naast de adembenemende indrukken waar de omgeving voor zorgt, komt u ook veel te weten over het werk in de marmergroeven: hoe het water dat voor het zagen nodig is, uit de buurt wordt gehaald, hoeveel centimeter de zagen per minuut (5 cm) en uur (9-15 m|) zagen en dat al deze moeite midden in de berg alleen lonend is als het mamer van echt hoge kwaliteit is. De marmerblokken die hier gewonnen worden, kunnen 7-15 m hoog zijn, terwijl in de groeven in de openlucht de blokken hoogstens 6 m hoog zijn omdat ze in terrassen uit de berg worden gezaagd.

De eigenlijke tour door tunnels en over bruggen is ongeveer 5 km lang; als u vanuit Carrara komt, moet u op ongeveer 10 km naar het startpunt rekenen. Als u ook nog naar het dorp van de groevearbeiders, Colonnata, wilt, moet u er nog eens 4 km bij optellen (2 km heen en 2 km terug naar de afslag).

Tip

Uitbundig nachtleven

De Versilia leeft in de zomer vooral 's nachts, zo zeggen insiders en degenen die het horen te weten. Het begint 's avonds met concerten en shows, maar het is zaak om daarna fit te blijven tot middernacht, want pas dan barst het nachtleven echt los. Om de beste en nieuwste clubs te ontdekken, kunt u het beste ter plekke informatie inwinnen. Daarnaast kunt u relevante websites als www.vacanzeinversilia.com raadplegen. De echte nachtbrakers blijven natuurlijk niet in hun vakantieplaats rondhangen, maar gaan de ene hippe club na de andere af.

Info en festiviteiten

Informatie

Informazioni Turistiche: 54033 Carrara (MS), Piazza Matteotti, tel. 0585 77 97 07.

Vervoer

Trein: station Avenza di Carrara aan het traject La Spezia-Viareggio, tijdens de spits goede verbinding per bus met Carrara (4 km).
Bus: redelijk veel bussen tussen Carrara en Marina di Carrara.

Massa ▶ C 3

De Monte Belvedere (895 m) is voor de provinciehoofdstad Massa meer dan een decorstuk, want de inwoners hebben van de ligging tegen de berghelling gebruikgemaakt om hun stad (70.000 inwoners) van enkele fraaie stedenbouwkundige accenten te voorzien. Het uiterlijk van Massa is vooral het werk van de familie Malaspina, die het hier van de 15e tot in de 18e eeuw voor het zeggen had.

Castello Malaspina

Juli, aug. di.-zo. 10.30-13, 17.30-24, sept.-juni za., zon- en feestdagen 14.30-18.30 uur, bij evenementen ook langer. € 5,50

Het middeleeuwse Castello Malaspina troont hoog boven de stad op een heuveltop. In een kwartiertje loopt u vanuit het oude centrum over de niet al te inspannende weg omhoog, waarbij u schitterende uitzichten over de stad en de kust krijgt. Tijdens de renaissance werd het kasteel tot een betoverend paleis verbouwd met onder andere een elegante loggia met vijftien bogen, die op dubbele zuilen rusten. De met sgraffiti versierde binnenplaats is de beste plek om de bezichtiging te beginnen, die zowel binnen als buiten langs fraaie zaken leidt. Zo komt u in zalen waar de plafonds met fresco's zijn versierd, terwijl aan de achterkant van het paleis een nog langere loggia is te vinden. En steeds weer zijn er heerlijke uitzichten over zee.

Rond om de Piazza Aranci

De grote, met sinaasappelbomen beplante piazza onder het castello is het middelpunt van de stad. Hier staat het machtige **Palazzo Cybo Malaspina** (ook Palazzo Ducale genoemd, 1560-1705, nu zetel van het provinciebestuur) met zijn binnenplaats uit de renaissance, omgeven door arcaden.

De **kathedraal** (14e eeuw, later sterk gewijzigd, gevel uit 1936), die om de hoek aan het einde van een licht omhooglopende straat staat, herbergt de grafkapel van de hertogen van Malaspina. De kapel kan op aanvraag 's ochtends bezichtigd worden.

De Malaspina lieten in hun zucht naar stadsvernieuwing talrijke middeleeuwse huizen afbreken en nieuwe rechte straten aanleggen. In de periode 1920-1930 werden vervolgens nog grote gebouwen in de stijl van die tijd in de stad neergezet.

Rond Massa

Vanuit Massa is het 4 km rijden naar de stranden van **Marina di Massa** en rond 25 km over bochtige wegen met regelmatig fraaie uitzichten naar de **marmergroeven van Arni**, die uit de verte op wonden lijken midden tussen de kastanje- en steeneikbossen van de uitlopers van de Garfagnana. De terrassen lager tegen de hellingen met eeuwenoude olijfbomen nodigen uit tot korte of langere **wandelingen**.

Overnachten

Centraal – **Galleria**: Viale Chiesa/Galleria Michelangelo, tel. 0585 421 37, www.galleriahotel.it. 2 pk met ontbijt vanaf € 70. Hotel in het centrum met 23 kamers en panoramaterras.
Vriendelijk – **Annunziata**: Via Villafranca 4, tel. 0585 410 23, fax 0585 81 00 25, www.hotelannunziata.com. 2 pk met ontbijt € 75-85. Aardig hotel met 38 kamers, bar, ontbijtzaal en restaurant.
Echt Italiaans – **Italia**: 54037 Marina di Massa (MS), Viale Vespucci 3, tel. 0585 24 06 06, fax 0585 24 35 80, www.hotelitalia-massa.com. 2 pk met ontbijt € 70-110. Huiselijk aanvoelend hotel uit 1913 met 25 divers ingerichte kamers aan een straat die parallel aan het strand loopt. Groot restaurant met veranda.

Eten en drinken

Aan het strand – **La Meridiana**: Marina di Massa, Lungomare Vespucci 34, tel. 0585 62 40 05. Het voormalige **Sandro** Rossi uit 1895 is een gezellig adresje aan het fraaie zandstrand met bar en klein restaurant, het is 's zomers dagelijks tot laat geopend. Op het menu staan *panini*, maar ook verse vis en goede salades.
Authentiek – **Osteria del Borgo**: Massa, Via Beatrice 17, tel. 0585 81 06 80. Di. gesl. (behalve juli, aug., dan alleen 's middags gesl.). Menu vanaf € 20. Kleine osteria vlak bij de Piazza degli Aranci. Vriendelijke bediening. Vis-, wild- en paddenstoelengerechten.

Informatie

APT Massa-Carrara: 54037 Marina di Massa (MS), Lungomare Vespucci 24, tel. 0585 24 00 63, fax 0585 86 90 16, www.aptmassacarrara.it

Riviera della Versilia ✳ ▶ B 3-C 4

Forte dei Marmi ▶ C 4

Met Forte dei Marmi, de 'Koningin van de Versilia', begint de Riviera della Versilia, ook wel de Versiliese genoemd. De verder naar het zuiden gelegen badplaatsen Marina di Pietrasanta en Lido di Camaiore horen er ook bij, net als die andere koningin, Viareggio.
Forte dei Marmi dankt zijn naam aan een fort dat hier werd gebouwd om de marmerhaven te beschermen. Al in 1890 was Forte een druk bezochte badplaats. Iedereen die ertoe deed, kwam hier om zich te laten zien. En dat is eigenlijk nog steeds zo, iets wat aan de prijzen valt af te lezen.
De huizen staan er in een dicht bos van parasoldennen en de strandpromenade is een parade van ijdelheid, net als het fijnzandige strand met de *bagni* en kleurige kleedhokjes. Aan het einde van de middag stromen de mensen naar de

voetgangerszone en promenade voor de *passeggiata*, later op de avond komen ze terug om wat te drinken en nog later voor een ijsje of een middernachtelijke snack aan zee.

De blijvende populariteit van Forte bij de elite zal voor een deel liggen aan het verstandige bouwbeleid van de gemeente, waarbij rekening wordt gehouden met het landschap: van elke 100 m² grond mag hooguit 20 m² bebouwd worden. Zo is er voor elke zonaanbidder genoeg strand, iets dat erg aangenaam is aan een kust waar elders de stranden overvol zijn. Voor betaalbare accommodatie zie onder.

Overnachten

Tussen de dennen – **Le Pleiadi:** Via Civitali 51, tel. 0584 88 11 88, fax 0584 88 16 53, www.hotellepleiadi.it, apr.-sept. 2 pk met ontbijt € 95-220. Prettig hotel met 30 kamers in een schaduwrijke tuin vol dennen met een speeltuin. Dit kindvriendelijke hotel met restaurant staat 300 m van het strand.

Ruim opgezet – **Park Hotel Cinquale:** Via delle Pinete 2, Cinquale, tel. 0585 30 95 05, fax 0585 30 95 07, www.parkhotelcinquale.com. 2 pk met ontbijt € 100-150. Hotel met 43 kamers een tuin. Met zwembad en restaurant.

Strandgangers bij de chique badplaats Forte dei Marmi met op de achtergrond de 'marmerbergen'

Rustig – **Giulio Cesare:** Via Giulio Cesare 29, Cinquale, tel. 0585 30 93 18, fax 0585 30 93 19. Pasen-sept. 2 pk met ontbijt € 100-140. Huiselijk aanvoelend hotel met kleine tuin en twaalf gerenoveerde kamers.

Eten en drinken

De restaurants van Forte zijn net als de meeste hotels prijzig. Langs de strandpromenade zit echter ook een aantal betaalbare pizzeria's en bars. Daarnaast hebben de *bagni* ook bars en restaurants in alle soorten en maten.

Eersteklas – **Lorenzo:** Via Carducci 61, tel. 0584 896 71. Ma. gesl, di. alleen diner, 15 juni-15 sept. alleen 's avonds open. Menu vanaf € 74. Lorenzo heeft al jaren een Michelinster en is gespecialiseerd in vis. Voortreffelijke wijnkelder.

Rijk aan traditie – **La Barca:** Viale Italico 3, tel. 0584 893 23, www.labarcadel forte.it. Ma. of di. gesl. Vismenu rond € 50. Het oudste restaurant van Forte zit al sinds 1906 aan het fraaie strand en is beroemd om zijn visgerechten uit de houtoven. Voortreffelijke wijnkaart.

Actief en creatief

In de golven – **watersport:** verhuur van motor- en zeilboten, surfplanken en andere spullen voor watersporten langs de stranden bij de *bagni*.

Informatie

Informatie

Comune di Forte dei Marmi: 55042 Forte dei Marmi (LU), Piazza Dante 1, tel. 0584 28 01, www.comune.fortedei marmi.lu.it en **APT Versilia,** www.apt versilia.it.

Pietrasanta ▶ C 4

Pietrasanta is misschien wel het mooiste plaatsje in het achterland van de Versilia. Het telt rond 25.000 inwoners en is vooral bekend om zijn beeldhouwcursussen en uitstekende bronsgieterijen, die van zo'n beetje alle bedreigde beeldhouwwerken van Italië en in het bijzonder van Toscane afgietsels maken – van de Paradijspoort van het baptisterium in Florence tot de bronzen deuren van de Porta di San Ranieri in Pisa. En dan zijn er nog talrijke marmerwerkplaatsen (zie blz. 162).

Maar het door Lucca in 1255 gestichte Pietrasanta is ook een levendige stad waar het goed flaneren is in de verkeersvrije **Via Mazzini** met zijn talrijke boetieks. De langgerekte **Piazza Bruno Giordano** met de fraaie duomo (eigenlijk de **Collegiata di San Martino**, gesticht in de 13e eeuw) is het middelpunt van de stad. Hier en daar staan schijnbaar lukraak reusachtige bronzen beelden – waaronder indrukwekkende werken van de Colombiaanse schilder en beeldhouwer Fernando Botero (geboren 1932), voor wie Pietrasanta (na New York en Parijs) zijn derde thuis is.

tafeltjes op straat. 's Middags staan er vooral kleine dingen als *bruschette,* salades, diverse *carpacci* en *taglieri* (vleeswarenschotels) op het menu. 's Avonds een goede zaak voor een aperitief met wat knabbels of later een heerlijke cocktail, eventueel alcoholvrij.

Informatie

Informatie

APT: 55045 Pietrasanta (LU), Piazza Statuto 11, tel./fax 0584 28 32 84, info@pietrasantaemarina.it

Eten en drinken

Verfrissend – **El Barrio:** Via Barsanti 4, mob. 347 758 91 63, ma. gesl., do. alleen diner. Pretentieloos zaakje met enkele

Camaiore ▶ C 4

Dit stadje (32.300 inwoners), dat in 1255 door Lucca als voorpost versterkt werd, heeft geen bijzondere bezienswaardig-

Tip

Naar de marmerwerkplaatsen

Pietrasanta is beroemd om zijn vele ateliers. De meeste kunstenaars zijn verenigd in de **Associazione Artigian Art,** die gratis rondleidingen aanbiedt, kijk op www.artigianart.org.

In de stad vindt u onder andere marmerwerkplaatsen, bronsgieterijen en andere beeldhouwateliers, ijzersmeden, drukkerijen, ateliers voor mozaïek en keramiek, en werkplaatsen waar gipsen afgietsels van beroemde beelden worden gemaakt.

De **Associazione Cose Vive**, gesticht in 1996, organiseert elke tweede zondag van de maand de kunst- en kunstnijverheidsbeurs Cose Vive in het centrum van het stadje (www.cosevive.it).

Voor wie liever op eigen houtje de ateliers van de kunstenaar bezoekt, volgen hier enkele tips:

Fondazione SEM, 55045 Pietrasanta (LU), Via della Gara 4, www.fondazionesem.org. Coöperatie van internationaal bekende marmerkunstenaars met een divers aanbod aan **cursussen.**

Asart – Artisti Scultori Associati, 55045 Pietrasanta (LU), Via Garibaldi 97, tel. 0584 28 30 92, www.asart.it.

Fondazione ARKAD, 55047 Seravezza (LU), Via del Palazzo 417, tel. 0584 75 70 34, www.arkad.it. Deze marmerwerkplaats aan de rand van de stad tegenover het Palazzo Mediceo is tevens een culturele instelling die talrijke tentoonstellingen organiseert in de ruimten van de voormalige viskwekerij en watermolen van de tegenover liggende villa (di.-zo. 15-20 uur, bel bij voorkeur even om te informeren of er wel een tentoonstelling is).

heden, maar bezit met de Via Vittorio Emanuele een leuke voetgangerszone met talrijke bars en aardige winkels. In het achterland van Camaiore vindt u geterrasseerde hellingen met oeroude olijfbomen en hier en daar een fraai huis, vaak verbouwd tot vakantieverblijf, van waaruit de gast uren door de omgeving kan **wandelen**. Het belangrijkste monument van Camaiore is het fraai gerestaureerde **Ospedale San Michele in Borgo** met een kerk uit de 12e eeuw. Het is nu het onderkomen van een aardig museum voor sacrale kunst.

Museo d'Arte Sacra

Via IV Novembre 71, www.museoar tesacracamaiore.it. Juni-sept. di., do., za. 16-19.30, zo. 10-12, okt.-mei do.-za. 15.30-18, zo. 10-12 uur. Donatie
Erg mooi, maar vrij klein museum in oude kloosterruimten. Op de website kunt u al even kijken wat de belangrijkste werken zijn.

Overnachten

Lekker centraal – **Locanda Le Monache:** Piazza XXIX Maggio 36, tel. 0584 98 92 58, fax 0584 98 40 11, www.lemonache. com. 2 pk met ontbijt € 75-90. Dertien fraaie, deels met antiek ingerichte kamers boven een goed restaurant.

Eten en drinken

Met osteria – **Le Colonne:** Via Vittorio Emanuele 62, tel. 0584 98 13 77, www.os terialecolonne.com. Ma. gesl. (niet in de zomer). Menu vanaf € 25, pizza € 6-8. Sfeervol restaurant met paddenstoelen- en wildgerechten, goed vlees van de houtskoolgrill en lekkere pizza. Wijnkelder met keuze uit 350 wijnen.
Eenvoudig maar goed – **Lo Zodiaco:** Via Vittorio Emanuele 188, tel. 0584 98 40

Bij Roberto

Sprookjesachtig mooie B&B met fraai uitzicht over de omgeving van schilder en beeldhouwer Roberto Barberi, die zich tijdens zijn reizen (hij trekt graag de woestijn in) door licht en kleuren laat inspireren. Daarnaast is hij een begenadigd kok die zijn gasten op verzoek de heerlijkste gerechten voorzet. De gast kan Roberto in de keuken helpen of schilderlessen bij hem nemen. Een heerlijke accommodatie voor mensen die rust weten te waarderen in een schitterend landschap met oeroude olijfbomen. Er zijn vijf kamers, waarvan twee met kookhoek, en een houten hut te huur.
Casa del Sole: Via della Verdina 100, mobiel 333 667 83 89, www.casadelsoleca maiore.it. 2 pk met ontbijt € 90-130.

95. Do. gesl. Pizza, focaccia en eenvoudige vleesgerechten € 5-7. Kleine, eenvoudige pizzeria in de voetgangerszone met vriendelijke bediening en pizza uit de houtoven. Trekt veel buurtbewoners, en dat is altijd een goed teken.

Winkelen

La dolce vita – **Pasticceria Del Dotto:** Via Vittorio Emanuele 139, 7.30-20 uur, ma. gesl. Deze banketbakker maakt al sinds 1936 de heerlijkste dingen.

Informatie

Informatie

APT Versilia: 55043 Lido di Camaiore (LU), Viale Colombo 127/129, tel. 0584 61 77 66, fax 0584 61 86 96, www.apt versilia.it

Kleurig, luidruchtig en erg politiek getint: het carnaval van Viareggio

Viareggio ▶ C 4

Deze carnavalsstad, het paradepaardje van de Versilia, bezit een stedelijke uitstraling maar tegelijkertijd een duidelijke vakantiesfeer. Viareggio heeft een groot aanbod aan accommodaties, maar biedt de reiziger die er voor het eerst komt toch een verrassing: de meeste hotels hebben er, net als elders langs de Riviera della Versilia, maar één of twee sterren, terwijl er ook veel vakantiewoningen zijn.

Hertogin Marie Louise de Bourbon verleende begin 19e eeuw het vissersplaatsje Viareggio stadsrechten en liet een havenbekken aanleggen en een stratenplan opstellen, dat nog altijd de basis van de stad vormt. Het plaatsje groeide uit tot een havenstad met vier scheepswerven, een jachthaven en een vissershaven.

Vanwege het uitgestrekte goudgele zandstrand ontwikkelde Viareggio zich bovendien tot de belangrijkste badplaats van Toscane. De huizen en strandpaviljoens zijn gebouwd in een mengeling van classicisme en **art nouveau** en dat heeft tot een aangenaam stadsbeeld geleid, waarin de meeste gebouwen wit zijn gehouden. Tot de markantste gebouwen van Viareggio horen het chique **Grand Hotel Royal**, het **Principe di Piemonte** en het beroemde, Moors geïnspireerde **Caffè Margherita**, waarvan de geelgroen geschubde koepels midden op de strandpromenade van verre zichtbaar zijn als symbool van de belle époque, ook al is het restaurant inmiddels tot middelmaat afgegleden.

Viareggio telt inmiddels rond de 64.000 inwoners en is daarmee een echte stad, die in februari tijdens het carnaval uit zijn voegen barst, als er flink de draak wordt gestoken met de Italiaanse politici, want de actualiteit, en de politiek is altijd actueel, biedt de bouwers van praalwagens en poppen altijd weer inspiratie.

Overnachten

Pluche – **Plaza e de Russie:** Piazza d'Azeglio 1, tel. 0584 444 49, fax 0584 440 31, www.plazaederussie.com. 2 pk met ontbijt € 158-286. Aangenaam, stijlvol hotel uit 1871 met restaurant La Terrazza en schitterend uitzicht. 47 veelal ruime kamers en vier suites. Geen eigen parkeerplaats.

Stile Liberty – **Villa Tina:** Via Aurelio Saffi 2, tel./fax 0584 444 50, www.villa tinahotel.it. Feb.-mrt., begin apr-begin nov. 2 pk met ontbijt € 69-260. Twaalf kamers en twee suites in een art-nouveauvilla uit 1929 'op de tweede rij' met fraaie verblijfsruimten en stijlmeubelen. Geen restaurant.

Betaalbaar – **Lupori:** Via Galvani 9, tel./ fax 0584 96 22 66, www.luporihotel.it. 22.-27. Dec. gesl. 2 pk € 80-110. Klein hotel iets verder van het strand met negentien comfortabele kamers, deels met terras. Al twee generaties een familiehotel.

Eten en drinken

De restaurants van Viareggio zijn over het algemeen goed tot zeer goed, maar aan de dure kant. Voor goedkoper eten kunt u terecht bij de pizzeria's, bars en *bagni*.

Met Michelinster – **Romano:** Via Mazzini 120, tel. 0584 313 82, www.roma noristorante.it. Jan. gesl., ma. gesl., di. geen lunch. Menu vanaf € 62. Al decennia een begrip, een voortreffelijk visrestaurant in het centrum (dus niet direct aan zee) met altijd verse vis. De smalle eetzaal voor de keuken komt wat koel over, maar laat u zich daar niet door tegenhouden. Erg goede wijnen.

Jonge bediening – **Il Puntodivino:** Via Mazzini 229, tel. 0584 310 46, www.risto ranteilpuntodivino.com. Juli/aug. geen lunch, ma. gesl. Menu vanaf € 32. Goed restaurant met enoteca in het centrum, dus niet direct bij de zee. De dagschotels staan op een schoolbord gekrijt, 's avonds zijn de gerechten verfijnder.

Adieu traditie – **Ristorante Margherita:** Viale Margherita 30, tel. 0584 58 11 43, www.ristorantemargherita.info. Wo. gesl. Menu vanaf € 25, pizza vanaf € 5. Ooit een chic café met lange traditie in een art-nouveaupaviljoen, nu een vriendelijk en groot restaurant.

Goed en gunstig geprijsd – **Osteria N° 1:** Via Pisano 140, tel. 0584 38 89 67. Eerste helft nov. gesl.,ma. gesl. Menu vanaf € 20, pizza vanaf € 5. Een van de goedkoopste visrestaurants van Viareggio, maar niettemin met een goede keuken. Het bevindt zich aan de zuidkant van de stad vlak bij de campings, ten zuiden van het kanaal. Vooral het relatief voordelige lunchmenu, inclusief wijn, is een aanrader.

Actief en creatief

Biciclette – **fietsverhuur:** onder andere bij de campings Italia en Dei Tigli, beide aan het bij Torre del Lago Puccini horende deel van de fraaie Viale dei Tigli. Er zijn talloze mogelijkheden in de buurt om te fietsen.

Op het water – **watersporten:** informeer voor verhuur van motor- en zeilboten, zeilplanken en andere watersportbenodigdheden bij de *bagni*.

Info en festiviteiten

Informatie

APT: Piazza Mazzini, Palazzo delle Muse, tel. 0584 488 81, www.aptversilia. it. Informatiekiosk bij de centrale bushalte en bij het station.

Festiviteiten

Carnaval: zes optochten met enorme praalwagens die 2 km over de promenade paraderen. Aan het einde is er een groot vuurwerk. Rondom stalletjes met etenswaren en talrijke optredens. Bel voor informatie en tickets tel. 0584 184 07 55 of kijk op www.ilcarnevale.com. Buiten carnavalstijd kunt u het moderne carnavalscentrum (Città del Carnevale) en het Museo del Carnevale bezoeken.

Vervoer

Trein: het station staat aan het einde van de Via Mazzini. Er rijden elk uur treinen van Liguria/La Spezia naar Viareggio en door naar Pisa, waar u kunt overstappen voor treinen naar Lucca en Florence.
Bus: de lijnbussen (busstation bij de Piazza d'Azeglio nabij de kanaalhaven aan de zuidkant van Viareggio) rijden ongeveer hetzelfde traject als de treinen.

Torre del Lago ▶ C 4

Dit plaatsje aan het Lago di Massaciuccoli, dat gewoonlijk Lago Puccini wordt genoemd, dankt zijn bekendheid vooral aan de operacomponist Giacomo Puccini (1858-1924) uit Lucca, die diverse huizen in de provincie bezat, maar vooral graag in zijn villa aan het meer verbleef, waar hij uiteindelijk ook stierf. Hij is bijgezet in dit huis, dat door zijn nakomelingen in stand wordt gehouden en als museum voor het publiek is opengesteld.

Wie van varen houdt, kan het meer en zijn zijkanalen verkennen door met een rondvaart mee te gaan of zelf een roeiboot te huren. Het meer wordt omringd door riet en waterplanten en overal zitten vogels. Langs de oever staan visinstallaties waarmee netten in het water gelaten kunnen worden – al met al een pittoresk landschap, maar niet geschikt voor mensen die zich door stekende insectjes laten afleiden!

Museo Villa Puccini

www.giacomopuccini.it, nov.-jan. 10-12.40, 14.30-17.10, feb./mrt. 10-12.40, 14.30-17.50, apr.-okt. 10-12.40, 15-18.20 uur
In deze villa schreef Giacomo Puccini zijn belangrijkste opera's, waaronder *Manon Lescaut*, *La Bohème*, *Tosca* en *Madama Butterfly*. Er zijn memorabilia, muziekinstrumenten en meubels van Carlo Bugatti en Tiffany te zien.

Actief & creatief

Het water op – rondvaart over het Lago Puccini: met Eco-Idea vanuit Torre del Lago, Piazzale Belvedere, tel. 0584 34 20 69, mobiel 338 902 94 65.

Info en festiviteiten

Informatie

Pro Loco: 555048 Torre del Lago (LU), Viale Kennedy/kruising Viale degli Tigli, tel. 0584 35 98 93, www.prolocotorre dellagopuccini.it

Festiviteiten

Juli/aug.: Festival Pucciniano in het splinternieuwe openluchttheater. Informatie en kaarten: tel. 0584 35 93 22, www.puccinifestival.it.

De weelderige villa van Puccini

Pisa, Livorno en de Toscaanse archipel

Hoogtepunten! ✳

Pisa: geen enkele andere toren is zo beroemd als de scheve toren van Pisa, geen plein waarschijnlijk harmonischer dan het plein waar de toren op staat: de Piazza dei Miracoli. Maar de levendige studentenstad telt nog heel wat meer schatten. Blz. 170

Elba: gewoon een must voor iedereen die van natuurschoon, kristalhelder water met fraaie duiklocaties en goed eten houdt. Blz. 192

Op ontdekkingsreis

Een kijkje in het leven van de mijnwerkers van San Silvestro: een heel dorp waar alleen mijnwerkers woonden – van de oudheid tot in de middeleeuwen. Blz. 184

Populonia – centrum van de Etruskische ijzerindustrie: trek minimaal een halve dag uit voor een bezoek aan de uitgestrekte opgraving in een dicht steeneikenbos. Daarna gaat het omhoog naar de Romeinse acropolis. Blz. 188

Bezienswaardigheden

Livorno: vanwege de Toscaanse impressionisten in het Museo Civico is deze stad een bezoek waard. Blz. 178

Archeologisch museum van Piombino: hier zijn de fraaiste Etruskische en Romeinse vondsten uit de omgeving te vinden. Blz. 190

De residentie van Napoleon: de belangrijkste bezienswaardigheid van Elba. Blz. 193

Actief en creatief

Uitbundig strandleven voor de deur van Pisa en verder naar het zuiden tot aan Tirrenia en Calambrone. Blz. 177

Duiken en andere watersporten bij de Toscaanse archipel. Blz. 194, 197, 198

Sfeervol genieten

Marina di Pisa: vis eten in een van de restaurants op palen. Blz. 176

Venturina: laat u verwennen in het *Calidario*. Blz. 182

Uitgaan

Kroegentocht op Elba: een heerlijk rondje voor nachtbrakers. Blz. 194

Pisa (87.500 inwoners), de stad van de scheve toren en de wondermooie Piazza dei Miracoli, is een van de hoogtepunten van Italië. Als studentenstad met bijbehorende levendigheid komt Pisa jonger over dan veel andere Toscaanse steden. En als bonus is er nog de kust met zijn zandstranden, vooral bij Tirrenia.

INFO

Informatie

APT: 56100 Pisa, Via Silvio Pelico/station, tel. 050 92 97 77, informatielijn 050 422 91. Ook voor de provincie Pisa.

Internet

www.pisaunicaterra.it: officiële website van de provincie Pisa.
www.pisaonline.it: goede links voor de hele provincie Pisa.
www.costadeglietruschi.it: uitstekende website voor de kust bij Livorno.

Reizen naar en in Pisa

Vliegtuig: de luchthaven Galileo Galilei (tel. 050 50 07 07, www.pisa-airport. com) ligt op slechts 3 km van het centrum van Pisa, waar u met bus van LAM Rossa of trein in enkele minuten bent. Transavia en Ryanair vliegen vanuit Nederland resp. België op Pisa.
Trein: Pisa is via Lucca met grote regelmaat (ca. elk uur, vaker tijdens de spits) met Florence verbonden.
Bus: de busmaatschappij LAZZI (tel. in Pisa 050 462 88) rijdt minstens elk uur in twee uur tijd via Lucca naar Florence. De bussen van de **Compagnia Pisana Trasporti** (CPT, www.cpt.pisa.it) rijden naar tal van bestemmingen in de provincie. Voor gehandicaptenvervoer (bus) bel: tel. 050 59 53 26.

Pisa bezit daarnaast nog een fraai stadsbeeld met langs de Arno imposante palazzi en talrijke andere schatten.

De middeleeuwse stadsmuur is vrijwel geheel bewaard gebleven, waarbij een deel na oorlogsschade herbouwd werd. Het indrukwekkendste deel van de muur is ten noorden van de Arno te vinden. Aan de zuidzijde werd een flink deel afgebroken voor stadsuitbreidingen. Aan de zuidoostkant van Pisa is het formidabele bastion van Sangallo gezichtsbepalend.

Waarschijnlijk begon Pisa zijn bestaan als Etruskische nederzetting. De stad groeide in de Romeinse tijd uit tot een belangrijke haven. In de 4e eeuw werd Pisa net als andere grote Toscaanse plaatsen zetel van een bisschop. De stad ontwikkelde zich in de 8e en 9e eeuw tot een van de machtigste zeerepublieken van Italië. Deze republieken domineerden de Middellandse Zee militair en economisch. In 1096 begon de eerste kruistocht, die bedoeld was om Jeruzalem te bevrijden uit de handen van de moslims, een gebeurtenis die de handelsmacht van Pisa verder vergrootte. De scheepswerven van Pisa waren beroemd en de Pisaanse vloot bestond uit minstens driehonderd galeien.

De Oriënt zorgde voor een stimulans van het geestelijke leven, de islamitische natuurwetenschappen en kunstvormen werden via Pisa in Europa geïntroduceerd. Pisa floreerde en groeide. Er werden ruime stadsmuren gebouwd, die niet alleen het historische centrum, maar ook tuinen en akkerland omgaven.

In de 13e eeuw kreeg Pisa met verzanding van de haven te maken, waardoor de zee steeds verder van de stad kwam te liggen. Tegenwoordig ligt Pisa 8 km landinwaarts. In 1284 werd Pisa door de vijandelijke zeerepubliek Genua vernietigend verslagen en in 1406 moest de republiek Pisa zich overgeven aan het gehate Florence. In 1494-1509 herkreeg de stad dankzij de Franse koning Karel VIII kortstondig weer zijn onafhankelijkheid, maar daarna bleef Pisa tot de eenwording van Italië Florentijns.

Tussen station en Arno

Neem bij het station de Viale Gramsci naar de **Piazza Vittorio Emanuele II**, waar u de Corso Italia inslaat, de belangrijkste winkelstraat van de stad. Aan het einde van deze straat komt u bij de **Logge di Banchi** **1** uit 1603 en het **Palazzo Gambacorti** **2** uit de 14e eeuw, nu het stadhuis. Voor u ligt de **Ponte di Mezzo**, de belangrijkste brug van de stad. Hier vindt elke juni het mooiste historische feest van Pisa plaats, dat in 1982 weer in ere werd hersteld: de Gioco del Ponte.

Door de oude stad naar de duomo

Bij de Piazza Garibaldi begint de drukke **Borgo Stretto**. Als u halverwege links via Via Dini inslaat, komt u bij een van de mooiste pleinen van Pisa, de **Piazza dei Cavalieri** met de **Chiesa dei Cavalieri** **3**, in 1565 door Vasari gebouwd ter vervanging van een oudere kerk. Daarnaast staat het **Palazzo della Carovana** **4**, ook Palazzo dei Cavalieri genoemd. Sinds 1810 is het op bevel van Napoleon het onderkomen van een eliteschool. Vasari verbouwde het paleis in 1562 voor de ridderorde van Santo Stefano. Hij was verantwoordelijk voor de trap en de gevel met zijn sgraffitidecoraties, waarin zes busten van de groothertogen van Toscane zijn opgenomen. Voor het palazzo staat een standbeeld van Cosimo I (1596).

Piazza dei Miracoli

Als u vervolgens verder loopt door de smalle straatjes van het centrum, komt u al gauw bij de **Piazza dei Miracoli**, het 'Plein der Wonderen', ook wel de 'Piazza del Duomo' genoemd. Het plein ligt in de uiterste noordwesthoek van de ommuurde stad. Als eerste komt u langs het Museo dell'Opera del Duomo, rechts van de Torre Pendente, de scheve toren van Pisa. Voor € 15 kunt u een combinatiekaartje kopen voor de vijf monumenten aan het plein, www.opapisa.it.

Campanile **5**

Dag. 8.30/10-16.30/22.30 uur met de kortste openingstijden in dec., jan. en langste juni-aug., andere maanden ertussenin; toegang elke 30 min., max. 40 mensen. Reserveren verstandig. € 15

De scheve toren is met zijn fijnzinnig gebeeldhouwde, rondlopende zuilengalerijen van wit marmer beslist het fotogeniekste bouwwerk van het plein. Daarnaast biedt de toren ook het fraaiste uitzicht over de marmeren 'wonderen' van de piazza.

In 1173 werd onder kathedraalbouwmeester Bonanno aan de toren begonnen, maar al in 1178 kwam de bouw stil te liggen omdat de grond begon te verzakken. In 1275 werd de bouw hervat, waarbij de nieuwe verdiepingen in tegenovergestelde richting werden gemetseld om de verzakking te corrigeren. Tevergeefs, want in 1370 bleek de top van de toren al 1,63 m uit het lood te staan. Giorgio Vasari stelde in 1550 op de zevende verdieping een afwijking van 3,79 m vast, bij een totale hoogte van 57,90 m stond de toren daarmee 4,75 m uit het lood. In 1817 was dat 4,97 m.

Sinds 1926 proberen de autoriteiten het verzakken van de toren tegen te gaan. In 1992 bracht men 600 ton aan loden gewichten aan de noordzijde aan en werden stalen kabels gespannen om de toren rechter te trekken. In 1999 volgden boringen om grond te verwijderen. Eind juni 2001 mochten er voor het eerst sinds lang weer toeristen de toren op.

Duomo Santa Maria Assunta 6

Dag. 10-20, 's winters 7.45-12.45, 15-17 uur, € 2, nov.-feb. gratis

Alleen al door zijn onvoorstelbare afmetingen is de kathedraal een grote bezienswaardigheid. De bouw begon in 1063. In 1118 werd de kerk onvoltooid gewijd en pas in de 13e eeuw was de kathedraal voltooid. Het exterieur is een indrukwekkend voorbeeld van de romaans-Pisaanse stijl met talrijke bogen, cirkels, vierkanten en pilasters.

Het beroemdste kunstwerk in de kathedraal is de **preekstoel** van Giovanni Pisano (1302-1311, links voor het hoogaltaar): zuilen van diverse kleuren marmer, waarvan er twee op leeuwen rusten, en prachtig plastisch uitgewerkte figuren dragen de eigenlijke preekstoel.

Het portaal aan de kant van de campanile bezit de mooiste deuren van de kerk, ook al zijn ze inmiddels vervangen door kopieën: de **Porta San Ranieri**, gewijd aan de stadspatroon en in 1180 door Bonanno in brons gegoten. Deze deuren bleven bij de brand van 1595 gespaard, terwijl die van de andere drie portalen verloren gingen. De deuren tonen het leven van Christus in 24 eenvoudige, bijna naïeve taferelen. Sinds de restauratie van de deuren door de familie Morigi uit Bologna, die gespecialiseerd is in dit soort werk, zijn ze in het Museo dell'Opera del Duomo te zien. De fraaie kopieën zijn in 2007 in het atelier van Massimo del Chiaro in Pietrasanta gegoten.

Battistero San Giovanni 7

Dag. 8-20, 's winters 9-17 uur. € 5, combinatiekaartje

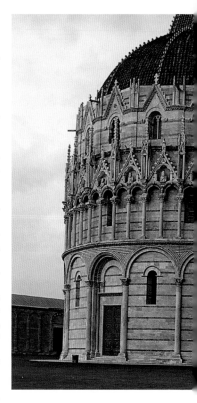

In 1153 begon met geld van de burgers van Pisa de bouw van de grootste doopkapel ter wereld (107,25 m in omtrek). Het bouwwerk in romaans-gotische stijl (het gewelf werd pas in 1358 voltooid) maakt een overweldigende ruimtelijke indruk en komt ondanks de lange bouwtijd harmonisch over. De vloer rond het achthoekige **doopvont** is ingelegd met groene marmerstrepen, die terugkeren in de wanden. Ook de akoestiek van het baptisterium is bijzonder.

Nicola Pisano schiep met zijn **preekstoel** uit 1259/1260 misschien wel het mooiste beeldhouwwerk uit de romaanse periode. Bovendien is het de

De Piazza dei Miracoli, het 'plein der wonderen' met baptisterium, dom en scheve toren, is en blijft de grote publiekstrekker van Pisa

eerste vrijstaande preekstoel ooit, want er was geen muur of pijler ter ondersteuning voor nodig. De zes reliëfs naar Grieks-Romeinse voorbeeld tonen in levendige taferelen de *Geboorte en jeugd van Jezus*, de *Annunciatie*, de *Aanbidding der herders*, de *Aanbidding der koningen*, de *Kruisiging* en het *Laatste Oordeel*.

Camposanto Monumentale 8

Dag. apr.-sept. 8-20, okt.-mrt. 9-17 uur, € 5, combinatiekaartje

De Pisanen begonnen aan hun monumentale kerkhof nadat aartsbisschop Ubaldo de' Lanfranchi diverse scheepsladingen aarde van Golgotha van de kruistocht had meegenomen, vandaar de naam *camposanto*, want men werd er in heilige aarde begraven.

In de 14e en 15e eeuw voorzagen diverse schilders de wanden van fresco's, maar bij het bombardement van 27 juli 1944 werden ze door gesmolten lood uit het dak vrijwel volledig verwoest. Bij pogingen ze te restaureren werd een grote ontdekking gedaan: de *sinopie*, dat wil zeggen de ondertekeningen van de fresco's, bleken intact te ▷ blz. 175

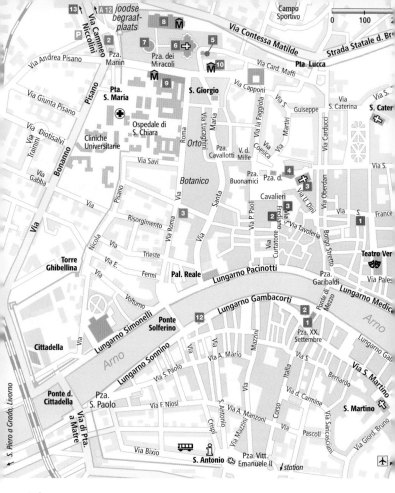

Pisa

zijn en konden worden blootgelegd. Een deel van deze ondertekeningen is in de noordvleugel van het Camposanto te zien, maar de meeste bevinden zich nu in het voormalige klooster van Santa Chiara waar het Museo delle Sinopie (zie onder) is ingericht. Het mooiste fresco, tevens een van de grootste schilderingen van de 14e eeuw, is de *Triomf van de Dood*, die in een aparte ruimte van de Campo Santo is te zien.

Museo delle Sinopie 9

Dag. 8-20, 's winters 9-17 uur. € 5, combinatiekaartje

Het Museo delle Sinopie bezit een belangrijke verzameling ondertekeningen van fresco's uit de 14e en 15e eeuw. Ze zijn sinds 1979 ondergebracht in het voormalige hospitaal van Santa Chiara (1257-1286). Het museum is uniek in de wereld in zijn geslaagde samenspel tussen middeleeuwse hospitaalarchitectuur en moderne museuminrichting. Het resultaat was zo geslaagd, dat de architecten Gaetano Nencini en Giovanna Piancastelli in 1989 de architectuurprijs van Italië voor hun project kregen.

Museo dell'Opera del Duomo 10

's Zomers dag. 8-20, 's winters 9-17 uur. €5, combinatiekaartje

Het kathedraalmuseum in het voormalige verblijf van de kanunniken is een van de mooiste musea van Toscane. In de betoverende kloosterzalen zijn kunstwerken uit alle belangrijke kerken van de stad te zien, maar de nadruk ligt op beelden en architectuurfragmenten van de kathedraal, terwijl de kerkschat er ook is ondergebracht. Sinds 2007 is de gerestaureerde **Porta di San Ranieri** een van de hoogtepunten van het museum. Vanuit de kloostergang van het voormalige klooster hebt u ook een prachtig zicht op de campanile.

Andere bezienswaardigheden

Museo Nazionale di San Matteo 11

Di.-za. 9-18.30, zon- en feestdagen 9-13.30 uur. € 5

Dit fraaie museum in het voormalige benedictijnenklooster (gesticht in de 11e eeuw) aan de Lungarno Mediceo is vooral interessant vanwege de beelden uit de hele stad die hier zijn ondergebracht omdat ze buiten sterk te lijden hadden. Daarnaast hangen er talrijke paneelschilderingen uit de Pisaanse kerken, waardoor dit een van de belangrijkste verzamelingen van Toscaanse kunst uit de 13e en 14e eeuw is.

Santa Maria della Spina 12

Sept.-mei di.-vr. 11-13, 14-17, za., zo. tot 18, juni-aug. ma.-vr. 10-13, 15-18, za., zo. tot 19, 16 juni tot 24 uur. € 1,50, www.coidira.it

Aan de zuidoever van de Arno staat aan de Lungarno Gambacorti ter hoogte van de Ponte Solferino een betoverend kerkje (gesticht 1325), dat van buiten fraai met beelden is versierd (de originelen staan nu in diverse musea in de stad). Binnen zijn er regelmatig tentoonstellingen van hedendaagse kunst.

Cantiere delle Navi Antiche 13

Samen met het Centro di Restauro del Legno Bagnato (Restauratiecentrum van het 'natte hout') ma.-vr. 9-13 uur op afspraak, tel. 055 321 54 46 (maar vaak gesl.). Algemene informatie op www.cantierenavipisa.it

In 1998 werd bij werkzaamheden voor de uitbreiding van het station San Rossore de antieke Romeinse haven ontdekt. De rondleidingen met gids over het opgravingsterrein zijn niet alleen voor vakmensen interessant. De haven werd mogelijk in de oudheid door een vloedgolf weggevaagd.

Marina di Pisa

Als u vanuit Pisa de smalle laan die omzoomd wordt door prachtige platanen in westelijke richting neemt, komt u bij het aardige badplaatsje Marina di Pisa uit. Hier kunt u zich in een van de **restaurants op palen** te goed doen aan vis en op de stranden een rustig dagje aan zee doorbrengen. De inwoners van Pisa houden veel van dit strand, iets wat blijken mag uit het feit dat hier steeds meer nieuwe horecagelegenheden opengaan, ook aan de andere zijde van de strandpromenade, die in het weekend verkeersluw en soms zelfs geheel verkeersvrij is. En dan is er nog de jachthaven aan de monding van de Arno, die na decennia van planning er eindelijk echt gaat komen.

Zo'n 5 km verder naar het zuiden ligt **Tirrenia**, de chicste maar ook aangenaamste badplaats van Pisa, die grotendeels in het groen schuilgaat. Met zijn aanhangsel **Calambrone** ligt Tirrenia al bijna op de grens met de provincie Livorno.

Overnachten

Comfortabel – **Verdi** **1**: Piazza Repubblica 5/6, tel. 050 59 89 47, fax 050 59 89 44, www.verdihotel.it. 2 pk met ontbijt € 60-119. Centraal gelegen hotel met 32 aangename, maar eenvoudige kamers. Geen parkeerterrein.

Artistiek – **Giardino** **2**: Piazza Manin 1, tel. 050 56 21 01, fax 050 3 83 50 62, www. arthotelilgiardino.it. 2 pk met ontbijt € 160. Klein designhotel direct voor de stadspoort die toegang geeft tot de Piazza dei Miracoli, vanuit kamer 4 hebt u fraai uitzicht op de koepels en toren. Niet al te stil.

Gezellig – **Amalfitana** **3**: Via Roma 44, tel. 050 290 00, fax 050 252 18, www.ho telamalfitana.it. 2 pk met ontbijt € 55-

65. Net maar klein hotel (21 kamers) in een rustige wijk in het centrum.

Eten en drinken

Pisa bezit een groot aantal restaurants en pizzeria's, met de grootste concentratie rond de Piazza dei Miracoli. Erg hoog is de kwaliteit daar over het algemeen niet, maar de prijzen zijn vaak verbazingwekkend bescheiden – de horeca is hier op de haastige toerist ingesteld. Richting Arno kunt u rond het marktplein Piazza delle Vettovaglie betere restaurants vinden, zoals:

Aangenaam – **La Grotta** **1**: Via San Francesco 103, tel. 050 57 81 05, www. osterialagrotta.com. Zo. gesl. Sympathieke tussenvorm tussen een traditionele osteria en een restaurant.

Grote keuze aan kazen – **Osteria La Mescita** **2**: Via Cavalca 2, tel. 050 54 42 94. Ma. gesl. doordeweeks geen lunch. Menu € 30-35. Aardige trattoria in een palazzo uit de 15e eeuw.

Authentiek – **Osteria dei Cavalieri** **3**: Via San Frediano 16, tel. 050 58 08 58, www.osteriacavalieri.pisa.it. Aug. gesl., za. geen lunch, zondagmiddag dagschotel met bijgerecht voor € 12, bijvoorbeeld ossobuco met saffraanrijst; viergangenmenu's € 26-32. Gezellige osteria met lokale keuken in het centrum.

Actief en creatief

Taalcursussen – **Mondo Lingua**: Largo Menotti 15, www.mondolinguapisa.org.

Met de boot – **Il Navicello**: Centro Visite San Rossore, Tel 050 53 01 01, www.il navicello.it/cooperativa.php. Excursies door het natuurgebied San Rossore (€ 8, toeslag voor fiets € 1).

Al mare – **stranden**: veel inwoners van Pisa gaan in het weekend naar Marina di Pisa voor het strand, waar ze een van

Smal strand, fijn zand: badgasten in Marina di Pisa

de *bagni* bezoeken, die veelal een eigen restaurant hebben.

Uitgaan

Pisa heeft als studentenstad veel sfeer, met de meeste levendigheid in het centrum binnen de driehoek van de Piazza Cavalieri, Piazza Dante en Piazza Garibaldi, en dan vooral rond de universiteit aan de Lungarno Pacinotti en rond de Scuola Superiore aan de Piazza Cavalieri.

Langs het prachtige, lange strand van **Tirrenia** zitten talloze *bagni*, waarvan sommige 's nachts openblijven om zich als dicobar te ontpoppen. Ook het kleine kuuroord **San Giuliano Terme** 5 km ten noordoosten van Pisa is vanwege zijn leuke cafés een populaire plek om uit te gaan.

Info en festiviteiten

Informatie

APT: 56124 Pisa, Galleria Gerace c/o Centro Forum; informatiekantoren Piazza dei Miracoli/Museo dell'Opera del Duomo en station, tel. 050 422 91, fax 050 92 97 64; op de luchthaven, tel. 050 50 25 18, www.pisaunicaterra.it. Op www.comune.pisa.it vindt u informatie over de gemeente Pisa.

Festiviteiten

Laatste zondag van juni: Gioco del Ponte.
17 juni: Regata di San Ranieri. De Regata Storica delle Repubbliche Marinare tussen de vier vroegere Italiaanse zeerepublieken vindt afwisselend in de vier steden plaats, maar niet in vaste volgorde.

Vervoer

Vliegtuig, trein, bus: zie blz. 171.
Vervoer in Pisa: van het station naar het centrum en de Piazza dei Miracoli: bus E en 4, nachtbus 21. De bussen rijden frequent op de vijftien buslijnen binnen de stad (ze vertrekken ongeveer om de tien minuten van 6-23.30 uur).
Parkeren: parkeren buiten de stadsmuren is vanwege het gevaar van inbraak en diefstal niet aan te bevelen, ga liever op de betaalde parkeerplaats vlak bij de Piazza dei Miracoli staan (alleen voor personenauto's, geen campers).

Livorno en de Toscaanse archipel

De kalme en vrij onbekende havenstad Livorno met zijn vriendelijke bevolking is de hoofdstad van de gelijknamige provincie, die uit een kuststrook en vijf eilanden van de Toscaanse archipel bestaat. Het bekendste eiland is Elba, door de bewoners de mooiste vakantiebestemming van Toscane genoemd.

De provincie Livorno bezit 100 km aan kust tussen Livorno en Follonica, maar is zo smal, dat de afstand tussen de zee bij Cecina en de grens met de provincie Pisa slechts 3 km bedraagt.

De provincie Livorno omvat naast de gelijknamige hoofdstad de industriestad Rosignano Solvay, de havenstad Piombino aan de Riviera degli Etruschi en de eilanden Elba, Gorgona, Capraia, Pianosa en Montecristo. Langs de kust trekken badplaatsjes als Castiglioncello met zijn baaitjes, en Marina di Castagneto Carducci en San Vincenco met grote vlakke zandstranden talrijke strandtoeristen. In het zuiden van de provincie begint de Maremma met dichte bossen van oude parasoldennen langs de kust.

INFO

Informatie

APT Livorno: 57100 Livorno, Piazza Cavour 6, tel. 0586 89 42 36, fax 0586 89 61 73, www.costadeglietruschi.it. Voor de provincie Livorno.
Voor Elba: www.aptelba.it.

Internet

www.costadeglietruschi.it: uitvoerige informatie over de provincie met goede links. In diverse talen.
www.aptelba.it voor Elba en de tot de provincie Livorno behorende eilanden. Giglio hoort bij de provincie Grosseto en heeft een eigen website: www.isola delgiglio.com.

Reizen naar en in Livorno

De **luchthaven** van Pisa ligt op 20 km van Livorno, u kunt met de trein of bus van de luchthaven naar Livorno en andere bestemmingen in de provincie. Wie met de auto reist, kan de A12 langs de kust nemen, die met een boog rond Livorno naar Cecina loopt en daar op de SS 1 Aurelia uitkomt.
Trein: de EuroCity op het traject Genua-Rome stopt op het station van Livorno.

Livorno ▶ C 6

Het stadsgebied van Livorno (161.000 inwoners) begint direct ten zuiden van de smalle Naviglio di Novicelli, die de grens met de provincie Pisa vormt. De op twee na grootste stad van Toscane is een echte havenstad, waarvan de groei door de Medici werd bevorderd. Het fascisme en de Tweede Wereldoorlog hebben de stad echter ernstig verwond, zodat het niet de mooiste stad van Toscane is. Maar Livorno is vanwege de beroemde vissoep *cacciuco* wel erg aantrekkelijk voor lekkerbekken.

Livorno is ook een stad van kanalen. Het **Fortezza Nuova** (1590) staat ten noorden van het centrum op een eigen eiland naast de **quartiere Venezia**. De stad is in de afgelopen decennia flink opgeknapt, waarbij het centrum deels tot voetgangerszone werd omgevormd.

De talrijke *bagni* ten zuiden van de stad getuigen van de lange strandtraditie van Livorno. De langs de kust lopende **Viale Italia** is in de zomer druk en biedt allerhande vermaak. De beter gesitueerden van de stad geven echter de voorkeur aan de villawijken op de 193 m hoge **Montenero**, waar het zeebriesje de zomerhitte draaglijk maakt.

Museo Civico Giovanni Fattori

Di.-zo. 10-13, 16-19 uur. € 4
Het museum staat aan de Via San Jacopo in Acquaviva ter hoogte van het ver in zee stekende **Terrazza Mascagni**. Het bezit enkele van de belangrijkste kunstwerken van de stad, waaronder Etruskische en Romeinse vondsten, een muntenverzameling en beelden, maar het belangrijkst zijn de werken van de Toscaanse impressionisten, de *macchiaioli*, en andere schilders uit de 19e eeuw. De bekendste namen zijn Fattori, Nomellini, Signorini en Modigliani, die uit Livorno afkomstig was.

Overnachten

Met traditie – **Gran Duca**: Piazza Micheli 16, tel. 0586 89 10 24, www. granduca.it. 2 pk met ontbijt € 100-250. Hotel met 62 kamers en suites gebouwd in en op een historisch bastion tegenover de haven. Met fitnessruimte, goed restaurant en bar.
Centraal – **Città**: Via di Franco 32, tel. 0586 88 34 95, www.hotelcitta.it. 2 pk met ontbijt € 75-120. Klein hotel met twintig kamers, die ook geschikt zijn voor zakenreizigers. Multimediaruimte, parkeergelegenheid.
Vriendelijk – **Touring**: Via Goldoni 61, tel. 0586 89 80 35, fax 0586 89 92 07, www.hoteltouringlivorno.it. 2 pk met ontbijt € 90. Vriendelijk hotel vlak bij de centrale Piazza Cavour. Twintig gerenoveerde kamers. Parkeergelegenheid in garage (betaald).

Eten en drinken

Zonder opsmuk – **Osteria del Mare**: Borgo dei Cappuccini 5, tel. 0586 88 10 27.

In sept. drie weken dicht, do. gesl. Menu vanaf € 27. Prettige osteria met goede visgerechten in de havenwijk.
Alleen overdag – **Cantina Nardi**: Via Cambini 6-8, tel. 0586 80 80 06, www. ristoranteenotecanardi.com, zo. gesl. Menu vanaf € 25. Prettige wijnbar met twee eetzaaltjes waar u voor bescheiden prijzen echt Toscaans kunt eten en drinken (beroemd om zijn aperitivi).

Winkelen

Culinair walhalla – **de markthal van Livorno** aan de Scali Sassi is een paradijsje voor wie op zoek is naar kwalitatief goede etenswaren als vis, vlees, worst, groente, fruit en biologisch geteelde granen.
Wijn – **Enoteca Faraoni**: Via Mentana 85, www.enotecafaraoni.it. De grootste keuze aan wijnen van de stad.

Actief en creatief

Op de klippen – **de bagni** aan de zuidkant van de stad trekken zowel jongeren als gezinnen. Het strand is hier niet groot, want de kust is rotsachtig en de parasols en ligstoelen zijn vaak op platforms opgesteld.
Taal- en tekencursussen – bijvoorbeeld bij **ItaliaAmo** in Livorno, Via Traversa 3, tel. 0586 82 83 64, fax 0586 82 83 65, www.italiamo.it.

Uitgaan

Ook hier spelen de *bagni* een belangrijke rol, want hun bars zijn in de zomer tot laat op de avond open. Daarnaast zijn er disco's en voor de wijnliefhebbers de enoteca's, die komen en gaan (zie boven of informeer bij uw hotel naar adressen). Erg leuk is het om te flaneren langs de kilometerslange **zeepromenade**, die van de haven tot in de zuidelijke voorsteden langs de rotsachtige kust loopt. De afgelopen jaren is de promenade verbreed en zijn er enkele kiosken gekomen, zodat de wandelaar zijn dorst onderweg kan lessen.

Historisch – **Teatro Goldoni** en **Goldonetta:** het hele jaar door poëzie, proza, ballet en speciale voorstellingen in het fraaie historische theater (ook jazz), tel. 0586 20 42 11, www.goldoniteatro.it.

Info en festiviteiten

Informatie

APT/Ufficio Informazioni: verkeersbureaus voor de stad in de zomer aan de Barriera del Porto Mediceo (bij de haven dus) en in het centrum in de Via Pieroni 18, tel. 0586 89 42 36, www.costade glietruschi.it.

Festiviteiten

Juli: jaarlijks staat Livorno eind juli in het teken van de kleurige roeiregatta *Palio Marinaro*, waarbij de roeiboten langs het Terrazza Mascagni varen.

Vervoer

Trein: Livorno ligt aan het traject Genua-Rome (elk uur treinen).
Bus: verbindingen met alle provinciehoofdsteden van Toscane met uiteraard veel bussen op het nabije Pisa.
Auto: over de SS1 (Aurelia) is het van Livorno nog geen 20 km naar Pisa. De snelweg loopt parallel aan de SS1.

Costa degli Etruschi ▶ C 6-D 10

De kust tussen Livorno en Piombino staat bekend als de Costa degli Etruschi en de Riviera degli Etruschi. Langs dit stuk kust liggen enkele lange stranden met fijn zand tegen een decor van hoge parasoldennen, waartussen hotels en pensions staan. Langs sommige stranden zitten goed tot zeer goed uitgeruste campings, vooral ten noorden en ten zuiden van Cecina en tussen Vada en Forte di Bibbona. De stadjes zelf hebben niets bijzonders te bieden, maar de Italianen komen er graag om er hun zomer aan het strand door te brengen.

Castiglioncello ▶ D 7

Dit is misschien wel het mooiste badplaatsje van de Riviera degli Etruschi, fraai tussen de parasoldennen genesteld en met enkele kleine baaitjes met strand. De kust is in deze omgeving net als bij Livorno voornamelijk rotsachtig – een fraai decor voor de charmante villa's die boven zee zijn gebouwd. Door het rotsachtige karakter is er nauwelijks plaats te vinden voor grote hotels en dus heeft Castiglioncello het geluk dat het er bijna nog net zo uitziet als aan het einde van de 19e eeuw, toen Italië de strandvakantie ontdekte.

Tussen Vada en Marina di Bibbona ligt langs de kust een smal, maar prachtig dennenbos met grote dennen, het **Riserva Naturale di Cecina.** U kunt het bos te voet of met de fiets verkennen, waarbij er steeds paden vanuit het bos naar het strand lopen.

Overnachten

In het dennenbos – **Park:** Via Fellini 19, tel./fax 0586 75 22 29, www.hotel-park. it. 2 pk met ontbijt € 84-126. Familiehotel in een villa uit de 19e eeuw tussen hoge dennen. Met historische terrazzovloeren, vijftien eenvoudige kamers, nieuwe badkamers en restaurant.
Gezellig – **Bartoli:** Via Martelli 9, tel./fax 0586 75 20 51, www.albergobartoli.

com, Pasen-okt. 2 pk met ontbijt € 66-76. Ouder hotel met stijlmeubels, kleine voortuin en uitzicht op zee. Tien eenvoudige kamers en restaurant voor de hotelgasten.

Actief en creatief

Duiken – **Chioma Beach Diving Center,** Porticciolo del Chioma, Via Aurelia km 300, tel./fax 0586 75 46 35, www.utrtek. it, en **Sub C.I.S.A.N.,** Località Rosignano Solvay, Via Aurelia 250, tel. 0586 76 01 15, fax 0586 76 00 78.
Fietsverhuur aan het strand bij **Bagni Etruria** en **Bagni Italia.**
Italiaans leren – **Pasolini:** www.italian-language-courses.net. Cursussen in het imposante Castello Pasquini in het centrum.

Informatie

Informatie

Ufficio Informazioni Turistiche: 57012 Castiglioncello (LI), Via Aurelia 632, tel./fax 0586 75 48 90 (alleen juli-sept.), www.costadeglietruschi.it

Bolgheri ▶ E 8

Bolgheri ligt te midden van wijn- en olijfgaarden met hier en daar prachtige landhuizen, die meestal nog in particulier bezit zijn. Het dorp is daardoor een fraaie bestemming voor een uitstapje. Vanaf de Via Aurelia loopt de misschien wel bekendste cipressenlaan van Toscane over 4 km kaarsrecht naar het plaatsje als een pittoreske streep door het landschap. Bolgheri is een goede plek om wijn, olijfolie en andere goede voedingsmiddelen te kopen, maar het dorp bezit ook enkele voortreffelijke, maar niet direct goedkope restaurants.

Eten en drinken

Goed – **Osteria Magona:** Piazza Ugo 2/3, tel. 0565 76 21 73. Nov. gesl., ma. gesl., ma.-vr. geen lunch. Menu vanaf € 26. Klassieke trattoria met lokale keuken en wijnen. 's Zomers met terras.

Informatie

www.castagnetoedintorni.it: eersteklas website met allerlei wetenswaardigheden over Bolgheri, ook met lokale recepten.

Castagneto Carducci ▶ E 8

In de plaats waar de Italiaanse dichter Giosuè Carducci (1835-1907) zijn jeugd doorbracht, staan de hoge huizen dicht op elkaar aan smalle straatjes, die wat onoverzichtelijk zijn, maar wel aangenaam dwalen mogelijk maken.

Centro Casa Giosue Carducci

16 juni-sept. di.-zo. 10-13, 16-19 uur.
€ 1,50
In het huis waar de dichter opgroeide, zijn nu memorabilia en manuscripten te zien.

Informatie

Ufficio Informazioni Turistiche: 57022 Castagneto Carducci (LI), Località Marina di Castagneto, tel./fax 0565 74 42 76, www.costadeglietruschi.it

Suvereto ▶ E 9

Via het nog bijna middeleeuws donkere **Sassetta** op rond 400 m hoogte gaat het door dichte macchia met hoge, markante kurkeiken over de kronkelende provinciale weg omlaag naar Suvereto, dat omringd door olijfgaarden tegen een helling ligt. Het plaatsje is omsloten door middeleeuwse muren, maar stelt zich toch open voor de buitenwereld, die hier in de herfst graag komt, als het jachtseizoen voor wilde zwijnen open is en heel Suvereto naar de wildzwijnspecialiteiten ruikt.

De met natuursteen geplaveide hoofdstraat doorsnijdt het dorp vol mooie gebouwen van de **Porta di Sopra** tot aan de **Porta di Cima**. Ook de andere straatjes van het centrum zijn met natuursteen geplaveid, sommige zijn overspannen door bogen en ze leiden naar kleine pleintjes die het dorpsbeeld zijn charme verlenen.

Kuren in de Calidario

Mrt.-dec. dag. 8.30-21, juli/aug. tot 24 uur, dan fraai aangelicht. Ma.-za. € 16, zon- en feestdagen € 18. www.calidario.it

Vroeger kon de bezoeker gewoon in het bekken met warm geneeskrachtige water stappen dat Venturina aan de voet van Suvereto beroemd maakte, nu wordt er entree geheven. Daar staat tegenover dat het volledig gerenoveerde kuurcentrum behandelruimten heeft gekregen, terwijl er ook ligstoelen rondom het architectonisch verantwoord vormgegeven bekken en een goed restaurant bij zijn gekomen. Voor wie serieus wil kuren, zijn er bovendien appartementen in de buurt gebouwd. Gelikt dus, maar ook erg degelijk opgezet en zelfs in het koude jaargetijde een interessante bestemming voor een uitstapje. Het weldadig warme water (36 °C) spuit met 12.000 l per minuut direct in het grote bekken.

Een van de hoogtepunten van het kuuroord is het **Thermarium**, dat onder andere over een calidarium, frigidarium en tepidarium beschikt, net zoals de baden van de Etrusken en Romeinen, die al op de bronnen van Venturina afkwamen (€ 38, vanaf de tweede dag € 15, inclusief thermaal zwembad).

Overnachten

In een klooster – **Il Chiostro:** Piazza della Cisterna, tel. 0565 82 70 67, fax 0565 82 74 40, www.vacanzeilchiostro. it. Suite of appartement voor twee personen € 255-550, driekamerappartement € 465-910 per week. Fraaie onderkomens in het voormalige franciscanenklooster binnen de middeleeuwse muren.

In een olijfgaard – **Il Falcone:** Località Il Falcone, tel. 0565 82 93 31, www.ilfalcone.net. Tweekamerappartement € 450-760, driekamerappartement € 630-990 per week. Schitterend, 100 ha groot historisch landgoed met eeuwenoude olijfbomen en 20 ha aan wijngaarden. Er zijn acht appartementen te huur. De gasten mogen gebruikmaken van de moes- en kruidentuin. Verder met speeltuin en zwembad met uitzicht op zee.

Eten en drinken

Gezellig – **La Loggia:** Via Magenta 6, tel. 0565 82 70 57. Di. gesl. Polenta met wild zwijn € 9,50, *pici* (een soort dikke spaghetti) met diverse sauzen € 7-8. Aan de voorkant vindt u een lange marmeren toog, achter een aardige ruimte met balkenplafond en enkele tafeltjes.

Goed en goedkoop – **Peccati di Gola:** Via Don Minzioni 12, tel. 0565 82 82 38. Deze *rosticceria* beschikt over een onvoorstelbaar uitgebreide kaart, u bestelt er aan de toonbank, terwijl achter in de keuken de bestelling om mee te nemen wordt klaargemaakt. In de ruimte ernaast zit onder de bakstenen gewelven een gezellige kroeg (met langzame bediening).   ▷ blz. 187

Favoriet

Suvereto

Het kleine, middeleeuws ogende dorp tegen de heuvels van de Maremma ademt zeelucht en heeft over dichte macchia, wijngaarden en olijfbomen een fraai uitzicht op de kust. Het centrum van Suvereto is heerlijk knus met sobere stenen huizen en met natuursteen geplaveide steegjes en steile trappen. Het plaatsje staat hoog op de lijst van mooiste dorpen van Italië.

Een kijkje in het leven van de mijnwerkers van San Silvestro

De Etrusken groeven hier al naar ijzererts, later gevolgd door de Romeinen. In de middeleeuwen kwam er een ommuurd dorp voor de mijnwerkers, inclusief smeltovens.

Duur: minstens een halve dag

Planning: mrt.-mei, okt. za., zon- en feestdagen 10-18, juni, sept. di.-zo. 10-19, juli-aug. dag. 9.30-19.30 uur. € 11-15, combinatiekaartje voor alle bezienswaardigheden € 20-25, www.parchi valdicornia.it

Startpunt: bij het informatiecentrum van het Parco Archeominerario di San Silvestro tussen Campiglia Marittima en Rocca San Silvestro (vanaf de kust duidelijk aangegeven).

Het Parco Archeominerario meet 450 ha en is gewijd aan de archeologie van de mijnbouw. Het park omvat een mijnenstelsel waar mijnwerkers 2500 jaar lang bijna continu ijzer, lood, zink, koper en zelfs zilver hebben gedolven. De bezoeker kan mee op een spannende ontdekkingstocht door de mijnen na zich aangemeld te hebben bij het informatiecentrum, waar de toegangskaartjes worden verkocht. Het uitgestrekte park is slechts deels een openluchtmuseum.

Het bezoekerscentrum en Il Temperino

Begin uw bezoek aan het park bij het Museo dell'Archeologia e dei Minerali dat samen met het informatiecentrum in de voormalige kantoren van de mijn Il Temperino is ondergebracht. Het museum beschikt over een boekwinkel en een bar-restaurant. Na het museum is het tijd voor de mijn, die 360 m lang is. De bezoeker krijgt een helm op en wordt in rond 40 minuten door een deskundige gids ingelicht hoe de Etrusken en hun opvolgers de ertsen dolven. De mijn was tot begin 20e eeuw in gebruik, met als laatste exploitant de Engelse *Etruscan Copper Estate Mines*, die diverse nieuwe mijngangen en transportwegen lieten aanleggen. Weer buiten komt u bij de *Area di Pozzo Earle* met het machinegebouw en de lift waarmee de mijnwerkers de mijnschacht op en neer gingen. Hier staat de ertstrein met zijn gele open wagons al op de bezoekers te wachten. De trein rijdt door de in de 19e en 20e eeuw gegraven, 1 km lange mijngang Lanzi-Temperino, waar u over het gereedschap en de technieken van de mijnbouw wordt geïnformeerd. De tocht gaat ook langs enkele gangen die de Etrusken rond ertsaders uit de rotsen hebben gehouwen. In de 16e eeuw werden deze gangen in opdracht van Cosimo I de' Medici verder uitgebreid of weer in gebruik genomen – een werk dat in de 19e en 20e eeuw werd voortgezet. Let tijdens de tocht op handen en hoofd, want het treintje rijdt vlak langs de mijnwanden!

Het laatste stuk van de rit gaat weer door de open lucht, licht omhoog naar het station Valle Lanzi. Over de niet al te vermoeiende Via dei Lanzi gaat het vervolgens te voet verder omhoog naar Rocca San Silvestro.

Het mijnwerkersdorp

Prachtig, dat is het dorp van de mijnwerkers en metaalgieters uit de 10e en 11e eeuw in één woord, ook al bestaat het nu alleen nog maar uit ruïnes. Het ligt hoog boven de omgeving binnen een 400 m lange muur op een witte kalkrots, die in de zon bijna verblindend oplicht. Onneembaar oogt deze vesting, die zelfs een dubbele muurring bezat. Gewapende soldaten bewaakten het dorp, want het ging om de winning van metalen die voor de Toscaanse munten werden gebruikt. Eerst ging het metaal naar Lucca, later vooral naar Pisa. In de 12e eeuw was de burcht in bezit van de conte Gherardesca en later van de tot heren opgeklommen militaire vertegenwoordigers van de graven, die zich naar de rocca (burcht) Signori della Rocca noemden.

De Rocca San Silvestro was volledig zelfvoorzienend, er was een broodoven, een keramiekoven en een oliemolen. De kerk zorgde voor het zielenheil van de bewoners, die na hun overlijden op het kleine kerkhof werden begraven. Er was alleen geen waterbron en dus verzamelde men het regenwater in cisternen (maar uiteindelijk werd de vesting vanwege watergebrek toch verlaten). In de 42 huizen met piepkleine kamertjes woonden zo'n 200-250 mensen, die met 4-5 personen per huis boven sliepen, terwijl zich beneden de vuurplaats, stal en opslagruimten bevonden. Ook de graaf, die slechts zelden op bezoek kwam, bezat op de hoogste plek van het dorp slechts een miniwoning. Er moest namelijk ruimte gemaakt worden voor de werkplaatsen voor de koperwinning, die zich aan de achterzijde van het dorp bevonden.

Als u via de hoge stenen trap door de enige poort van de rocca loopt, moet u even een blik werpen op de in het steen gekraste (en nu door plexiglas beschermde) molenspel. Kennelijk verdreven de wachters hier hun verveling met dit spel, dat in 1283 al bekend was. Vervolgens gaat het tussen de resten van huizen door naar de kerk en verder omhoog naar de *Cassero,* de woning van de graaf of zijn vertegenwoordiger, aangebouwd tegen de grootste cisterne, die koste wat het kost beschermd moest worden.

De bezoeker kan verder wat rondkijken en op eigen houtje op ontdekkingsreis gaan door het dorp, waar alles goed is aangegeven. Overal vanuit de rocca hebt u prachtige uitzichten over het omringende land en over zee, maar ook op het dorp Campiglia Marittima. In de zomer rijdt er een gratis pendelbus tussen de twee dorpen. Achter het ommuurde dorp ziet u het **Palazzo Gowett** tegen de helling staan – het is nu de jeugdherberg van het park (zie onder).

Quota 212

Natuurliefhebbers moeten deze route langs het opgeheven smalspoor van de mijn op een hoogte van 212 m (vandaar de naam, die Hoogte 212 betekent) beslist niet aan zich voorbij laten gaan. **Etruscan Mines** liet het spoor aanleggen als verbinding tussen de mijnen en de smeltovens aan het einde van de Valle dei Manienti. Langs de route bloeien overal prachtige en heerlijk ruikende mediterrane bloemen. De wandeling van ongeveer een uur leidt over een onverharde weg uiteindelijk weer terug naar Temperino, het startpunt.

Eten, drinken en overnachten

De cafetaria aan de voet van de rocca en het restaurant bij de ingang van de mijn Temperino in het Parco Archeominerario San Silvestro zijn alleen in het hoogseizoen open. U kunt natuurlijk ook zelf een picknick meenemen, er zijn voldoende mooie picknickplekken. **Palazzo Gowett:** Parco San Silvestro, 57020 Campiglia Marittima (LI), www.gowett.it. 2 pk met ontbijt € 50-70, warme maaltijd € 16-18. Fraai gelegen jeugdherberg in wat vroeger de kantoren van de Britse mijnbouwmaatschappij waren.

De pyrietmijn van Gavorrano

16 juni-15 sept. di.-za. 10-20, zon- en feestdagen 9-13 uur. Rest van het jaar zon- en feestdagen 10-13, 15-18 uur. € 6.

Wie nog meer over de geschiedenis van de mijnbouw wil weten, kan vervolgens een bezoek brengen aan de pyrietmijn van Gavorrano (1898-1981 in bedrijf, 1984 definitief gesloten). De berg bevat hier de grootste, nog steeds niet uitgeputte voorraad pyriet van Europa. De mijn ligt onder het kalme dorpje Gavorrano, een paar kilometer landinwaarts van Follonica. Ook dit landschap is inmiddels beschermd door middel van het Parco Minerario Naturalistico Gavorrano. Het voormalige springstoffendepot in een mijngang is tot een interessant museum omgetoverd. De vroegere mijnwerkers hebben geholpen bij de inrichting van de circa 250 m lange mijngang, waar u hun werktuigen en kleding kunt bekijken.

Als het park helemaal voltooid is, zal de bezichtiging van het museum en de 700 m lange schacht Impero rond de twee uur duren. Op verzoek (tijdig reserveren) kan er een diepgravende rondleiding in het Engels of Duits worden verzorgd; zie ook www.parcominerario.it.

Winkelen

Olijfolie en wijn – **Il Facone:** Azienda Agricola Il Falcone (zie blz. 182, Overnachten).

Deze producten kunt u uiteraard ook in de enoteca's en levensmiddelenwinkels van Suvereto krijgen.

Vers geperst – **Il Coppaio:** Via San Leonardo 29. Heerlijk winkeltje in het palazzo van een familie waar u de olijfolie kunt kopen die de familie uit eigen olijven in de eigen molen even verderop heeft geperst.

Actief en creatief

Aanbevolen – **Lingua Toscana:** Barbara Ginanneschi, Via Caporali 10, tel./fax 0565 82 83 20, www.linguatoscana. de (zie rechtsboven Tip).

Informatie

Ufficio Informazioni Turistiche: 57028 Suvereto (LI), Via Matteotti 42, tel.0565 82 93 04, www.costadeglietruschi.it

Populonia en de Golfo di Baratti

Het schitterend op een eenzame heuvel hoog boven de Golfo di Baratti gelegen dorpje met een formidabel bastion wordt in de weekenden en tijdens de Italiaanse vakanties overspoeld met bezoekers. Ze komen niet alleen voor de gebouwen, maar ook voor de fraaie souvenirwinkels die, heel Italiaans, voornamelijk lokale delicatessen te bieden hebben. Verder vindt u er een gastvrije bar, een goed restaurant en een klein privé-museum met Etruskische en Romeinse vondsten uit de omgeving van Populonia. Het uitzicht rondom is prachtig,

Tip

Thematische taalcursussen

De Italiaanse Barbara Ginanneschi studeerde Italiaans en woonde lange tijd in Duitsland voordat ze zich in de buurt van Suvereto vestigde om cursussen te geven. Het leuke van haar cursussen is dat Barbara de hele dag met haar cursisten bezig is. 's Ochtends zijn er lessen en 's middags is het tijd voor uitstapjes, bijvoorbeeld naar de opgravingen van Baratti of naar het museum van Piombino. Maar de groepen gaan ook gezamenlijk specialiteiten kopen in de naburige plaatsjes. Ze verzorgt ook taalcursussen die rond een thema draaien, bijvoorbeeld de olijvenoogst of druivenoogst – zo leert de cursist de vaktaal en alles wat er bij de oogst komt kijken direct van de vakmensen (Lingua Toscana, www.linguatoscana.de).

maar wordt nog mooier als u de toren beklimt.

Eten en drinken

Met kanten kleedjes – **Il Lucumone:** Populonia Alta, Via San Giovanni 14, tel. 0565 294 71. Okt.-mei ma. gesl., zo. geen diner, juni-sept. dag. Menu vanaf € 42. Visspecialiteiten in een van buiten onooglijk zaakje, dat bij binnenkomst verrassend elegant blijkt te zijn. Met enkele tafeltjes op straat bij het museum.

Stijlvol – **Taverna di Populonia:** Populonia Alta, Via San Giovanni/bij de stadspoort, tel. 0565 295 41. 's Zomers de hele dag tot laat geopend. Moderne bar met terras bij de muur. Goede drankjes en lokale specialiteiten.

Aan het strand van Baratti – diverse zaken, onder andere **Bar-Ristorante La Perla.** ▷ blz. 191

Populonia – hart van de Etruskische ijzerindustrie

Het mooiste opgravingsterrein van de wijde omgeving laat niet alleen zien hoeveel fantasie de Etrusken bij de aanleg van hun necropolissen aan de dag legden, maar ook hoe ze het ijzer van het eiland Elba verwerkten.

Duur: minstens een halve dag, daarna bijvoorbeeld naar het strand of als alternatief eten of winkelen in het castello.

Planning: nov.-feb. za., zon- en feestdagen 10-16, mrt.-mei, okt. di.-zo. 10-18, juni, sept. 10-19, juli-aug. dag. 9.30-19.30 uur. € 11-15, nov.-feb. € 5-9 **Museo Etrusco Gaspari** in Populonia di.-zo. 9-19 uur, 's winters alleen za., zon- en feestdagen. € 2.

Startpunt: parkeerterrein van de opgravingen bij het strand van de Golfo di Baratti.

Rond 100 ha beslaat het in een schitterend landschap gelegen Parco Archeologico di Baratti e Populonia, waar interessante vondsten zijn gedaan die tot op de 7e eeuw v.Chr. teruggaan. Er lopen vijf routes door het park (bij de kassa kunt u een plattegrondje met de routes en genummerde bezienswaardigheden krijgen), waarbij u af en toe ook buiten het hek komt. Een rondwandeling leidt langs de mooiste en interessantste delen van de Etruskische stad en zijn necropolissen. Populonia lag ooit in het hart van de Etruskische wereld, die zich uitstrekte tot de grote, ertsrijke eilanden Elba en Capraia. Na de Etrusken vestigden de Romeinen zich in Populonia en de bewoning is eigenlijk ononderbroken tot op de dag van vandaag doorgegaan.

Necropoli

Het is het handigst om het bezoek beneden bij de Golfo di Baratti te beginnen, waarna u zich vervolgens langzaam en ontspannen omhoog naar de acropolis werkt.

Er lopen twee wegen door de necropolissen, de Via del Ferro (IJzerweg, ca. 1 ½ uur) en de Via delle Cave (Grottenweg, ca. 2 uur), die samen een rondweg vormen. Als u nu energie over heeft, kunt u ook nog de Via del Monastero doen, de Kloosterweg, die omhoog naar de acropolis leidt.

Necropoli di San Cerbone

Meteen rechts van de ingang liggen als een soort aanhangsel van de Via del Ferro de Necropoli di San Cerbone (7e-5e eeuw v.Chr.) met de mooiste Etruskische graven van Baratti, die vanaf de weg al te zien zijn. Het hoogtepunt onder de graven hier is de opengestelde **Tomba del Bronzetto di Offerente**, die de vorm van een woonhuis heeft en heel goed bewaard is gebleven. Het graf dankt zijn naam aan een bronzen beeldje dat in het graf werd gevonden en dat een persoon voorstelt die iets aanbiedt. Het beeldje is net als alle andere belangrijke vondsten uit de graven te zien in het museum van Piombino.

Vlak bij de ingang is ook een verbazingwekkend groot graf te zien, de **Tomba dei Carri** – een perfect cirkelvormig heuvelgraf waar in het midden de resten van twee wagens zijn gevonden. Na deze twee hoogtepunten is het aardig om gewoon wat tussen de graven door te slenteren, die deels in de bodem zijn uitgegraven en deels de vorm van sarcofagen hebben. Overal op het terrein geuren kruiden als oregano, munt en kamille, terwijl u tussen de hoge parasoldennen door uitzicht heeft over de Golfo di Baratti, waar in de zomer vaak dolfijnen ronddartelen.

Via del Ferro

De Via del Ferro loopt eerst door een ruig en donker, maar in de zomer heerlijk schaduwrijk bos van steeneiken met een dichte ondergroei. De weg stijgt en daalt geleidelijk en vooral langs het eerste stuk wijzen bordjes naar rotsgraven, maar ook naar resten van industriële gebouwen (*edifici industriali*) – tenslotte werd hier ijzer verwerkt!

Via delle Cave

Aangekomen bij de **Fosso delle Grotte** neemt u voorbij het Centro di Archeologia Sperimentale, waar de bezoeker zelf kan experimenteren, de Via delle Cave. Deze route, die ongeveer twee uur duurt, leidt door een gebied vol grotgraven. Ga onderweg ook zeker langs het **Punto Panoramico**, want daar hebt u een fraai overzicht over het terrein en meteen prachtig uitzicht op de Golfo di Baratti. Tegenover de graven die als honingraten in de huizenhoge rotsen zijn uitgehouwen en die u alleen van een afstandje kunt bewonderen, ligt ook nog een interessante steengroeve.

Via del Monastero

De Via del Monastero begint aan het zuidelijke einde van de Via delle Cave en loopt behoorlijk steil naar beneden naar het draaihek waarmee de bezoeker op het vrij toegankelijke deel van het park komt. Volg alleen het eerste stuk van de goed aangegeven Via del Monastero, want het klooster zelf heeft buiten zijn fraaie ligging weinig te bieden. Sla daarom bij de kleine **Cappella di San Quirico** liever scherp naar rechts en loop door het aangename bos omhoog. Het begin van het pad is goed onderhouden, maar als u eenmaal de asfaltweg bent overgestoken en een stuk geklommen bent, komt u bij een verwilderd deel (u kunt ook op de weg blijven). De tamelijk inspannende, maar fraaie wandeling van de necropolissen naar de ingang van de acropolis duurt ongeveer een half uur. U kunt natuurlijk ook de auto nemen of met de bus gaan.

Acropoli

De acropolis, die in de 6e/5e eeuw v.Chr. volledig ommuurd werd en waarbinnen het versterkte en buiten de weekenden slaperige **Castello di Populonia** ligt, is pas sinds 2007 voor het publiek toegankelijk.

Trek rond een uur uit voor de acropolis. Het bezoek begint direct achter het informatieve bezoekerscentrum, waar ook de kassa is. Volg na het kopen van en kaartje de bordjes *Inizio Percorso*. Al snel komt u bij de resten van drie Romeinse tempels uit de 2e/1e eeuw v.Chr. met kleurige borden die uitleggen hoe ze ooit waren opgebouwd. Een brede, met grote platen natuursteen geplaveide processieweg leidt omhoog tegen de heuvel.

De thermen

Le Logge, zoals de hoge stenen muur met gaten en hoge blinde bogen wordt genoemd, is lang gebruikt als steunmuur voor een wijngaard. Toen de archeologen de wijngaard afgroeven, vonden ze een groot, vierkant bekken, dat het middelpunt van een termencomplex moet zijn geweest. De muren waren versierd met marmerimitaties en de vloeren bedekt met mozaïeken. De motieven van de mozaïeken (foto's op een bord, de mozaïeken zelf bevinden zich in het Museo Archeologico van Piombino) wijzen op het bestaan van een Venuscultus op deze plek. Op een van de mozaïeken zijn schelpen te zien, het symbool van Venus. Een van die schelpen verandert in een vogel, terwijl het mozaïek ook een vissersbootje toont dat door een reuzengolf in moeilijkheden komt.

Aan de voet van de Logge liggen de resten van een typisch Romeins woonhuis met vertrekken rond een atrium en een klein badhuis, misschien het huis van een priester. Links daarvan is de **Loggiato**, een viskwekerij annex visverwerkingsbedrijf (waar de vis gezouten of gedroogd werd om hem te conserveren).

Capanne Etrusche

Het bos waar de route na de Acropoli door leidt, bestaat uit dichte mediterrane macchia met onder andere cipressen, laurierbomen en andere bomen die vroeger door de boeren zijn aangeplant. Een wandeling door deze natuur is heerlijk in de bloeitijd, als er overal bloemen en kruiden zijn te ontdekken, met een overvloed aan koekoeksbloemen en juffertjes-in-het-groen.

De stenen fundering van een windmolen uit de 19e eeuw staat er verlaten bij, terwijl een picknicktafel tot een rustpauze uitnodigt. Als u genoeg gezien of gewandeld hebt, kunt u terug naar de ingang slenteren en het korte stukje omhoog naar het Castello di Populonia lopen.

Piombino ▶ D 10

Deze grote havenstad (35.000 inwoners) ligt strategisch gunstig halverwege de Toscaanse kust. Met het *Progetto Città Antica* is de oude stad aangepakt en in korte tijd enorm opgeknapt: de gevels van de huizen zijn gerestaureerd en de luifels van de restaurants kregen allemaal dezelfde kleur, een fraai scharlakenrood.

De historische kern van Piombino, dat de belangrijkste toegangspoort tot de Toscaanse eilanden is, is deels verkeersvrij. De voetgangerzone begint bij de decoratieve **Porta Terra** (1212) en loopt via de **Corso Vittorio Emanuele II** met het **stadhuis** (15e eeuw, in 1935 in neogotische stijl herbouwd) tot aan de **Piazza Corvo**, die als een soort pier ver de zee in steekt.

Museo Archeologico del Territorio di Populonia

Jan.-feb. za., zon- en feestdagen 10-17, mrt.-mei za., zon- en feestdagen 10-13, juni en sept. di.-zo. 10-13, 15-19, juli en aug. di.-zo. 10-13, 16-20 (vr. tot 23) uur. € 6

In de didactisch voortreffelijke opgezette permanente tentoonstelling zijn vondsten uit Populonia te zien. Tot de hoogtepunten van het museum horen de in 1968 gevonden zilveren amfoor, die rondom met medaillons is versierd, en een in 2002 voor de kust ontdekte schat van zilveren munten uit de Romeinse keizertijd.

Overnachten

Met eigen strand – **Esperia:** Lungomare Marconi 27, tel./fax 0565 422 84, www. hotelristoranteesperia.it. 2 pk met ontbijt rond € 100. Hotel met 27 comfortabele kamers en suites, restaurant en eigen strand.

Voor individualisten – **Italia:** Via XX Settembre 39, tel. 0565 22 09 22, fax 0565 22 80 35, www.hotelpiombino.com. 2 pk € 59-70, suite € 154, 's winters € 72 respectievelijk € 120. Een echte ontdekking midden in het centrum.

Eten en drinken

Professioneel – **Taverna dei Boncompagni:** Corso Vittorio Emanuele II 38, tel. 0565 22 21 76. Di. gesl. Vast vismenu in de zomer rond € 30.

Voortreffelijk – **Il Garibaldi innamorato:** Via Garibaldi 5, tel. 0565 494 10. Ma. gesl. Menu vanaf € 29. Il Garibaldi krijgt al jaren juichende recensies van de 'Osterie d'Italia'. Grote antipastoschotel met zeebeesten en een *primo* € 30.

Info en festiviteiten

Informatie

APT: 57025 Piombino (LI), Via Ferruccio (bij het stadhuis), tel. 0565 22 56 39 en bij de veerboothaven, tel. 0565 22 66 27, www.piombino.it

Festiviteiten

Juli/aug.: Piombino Estate, muziekfestival met nachtelijke uitstapjes naar de archeologische parken van de Val di Cornia, maar ook met jazz en theater.

Vervoer

Trein: station Campiglia Marittima op het traject Livorno-Rome, daarna de bus naar Piombino.

Bus: bussen van Tiemme (ex ATM) rijden van Piombino op de Golfo di Baratti, Campiglia, Cecina, Follonica, Suvereto enzovoort. Informatie op www.atmli.it.

Schip: Toremar (www.toremar.it) en Moby Lines (www.moby.it) verzorgen veerbootverbindingen met Elba; zie blz. 194.

De Toscaanse archipel

Elba ✳ ▶ B 10/11-D 10/11

Alleen de grootste eilanden van de in totaal zeven eilanden van de Toscaanse archipel (acht als de Monte Argentario wordt meegerekend) zijn toeristisch goed ontsloten. Elba (223 km²), Gorgona (2,23 km²), Capraia (19,5 km²), Pianosa (10,25 km²) en Montecristo (10,39 km²) horen tot de provincie Livorno, Giglio (21,21 km²), Giannutri (2,62 km²) en het met het vasteland verbonden voormalige eiland Monte Argentario (ca. 50 km²) tot de provincie Grosseto.

De eilanden danken hun populariteit aan hun fraaie ruige natuur met een geurige en kleurig bloeiende mediterrane macchia, steile rotswanden, kleine baaien met strandjes en het kristalheldere zeewater. De eilanden en zee zijn inmiddels beschermd als onderdeel van het **Parco Nazionale dell'Arcipelago Toscano**.

Van de Toscaanse eilanden bezit Elba de beste toeristische infrastructuur. De 31.700 inwoners van het eiland krijgen jaarlijks zo'n twee miljoen toeristen op bezoek, de meeste in de zomer. Buiten het hoogseizoen zitten de toeristen verspreid over het eiland zodat de rust gewaarborgd is. De bewoners van Elba zijn er van het begin af aan op bedacht geweest de natuur van het eiland zo goed mogelijk te bewaren en de hotels behoedzaam in het landschap in te passen. Ondanks het bloeiende toerisme leven de eilandbewoners in de eerste plaats van de visvangst en de landbouw.

De hoogste top van het eiland is de 1019 m hoge **Monte Capanne** (kabelbaan vanuit Marciana tot 960 m). De 147 km lange kust biedt zowel lange stranden en miniatuurstrandjes als rotsbaaien in alle soorten en maten.

Reizen naar en op de eilanden

Elba

Vliegtuig: in de zomer vluchten vanaf onder andere Milaan en Florence op Elba (www.elba-airport.it).

Veerboot: er varen het hele jaar veerboten vanuit Piombino, de overtocht duurt een uur, met de draagvleugelboot 35 minuten; zie blz. 188.

Bus: in het hoogseizoen rijden de bussen frequent, ze komen langs alle belangrijke stranden.

Huurauto: verhuurders bij de luchthaven, zeehavens en grotere plaatsen. 's Zomers is reserveren noodzakelijk.

Kabelbaan: van Marciana (375 m) naar de Monte Capanne (tot 960 m). Apr.-sept. 10-13, 14.20-17.30/18 uur, tel. 0565 90 10 20.

Rio nell'Elba: per veerboot verbonden met Piombino, Porto Azzuro en Pianosa, er varen ook draagvleugelboten vanaf Piombino.

Giglio

Veerboot: vanuit Porto Santo Stefano in 1 uur, met een draagvleugelboot in 35 minuten. 's Zomers is het aantal auto's dat mee mag naar het eiland beperkt.

Naar de kleinere eilanden

Vanuit Livorno varen veerboten het hele jaar naar **Capraia**, meestal 's ochtends heen en 's middags terug (soms via Gorgona), duur twee uur. Vanaf Elba en Piombino gaan er schepen naar **Pianosa**, van Livorno naar Gorgona. **Giannutri** is een dagbestemming vanaf Giglio of vanaf Monte Argentario via Giglio. Informatie en boeken, tel. 0049 611 140 20, www.toremar.it/en.

Portoferraio ▶ C 10

De hoofdstad (12.200 inwoners) van Elba is vernoemd naar het ijzer (ferro in het Italiaans) dat hier al door de Etrusken en Romeinen verscheept werd. Het fraaie en levendige plaatsje met zijn grote, vrijwel ronde havenbekken, wordt gedomineerd door de dubbele vesting, gebouwd door de Medici (1548). Binnen de stadsmuren staan de huizen dicht op elkaar. Trappen en steegjes leiden omhoog naar de vesting, tot bescheiden residentie uitgebreid door Napoleon, die in 1814/1815 tien maanden op Elba woonde als een in de watten gelegde balling.

Palazzina dei Mulini

Ma., wo.-za. 9-19, zon- en feestdagen 9-13 uur. € 3, in combinatie met Villa San Martino € 5

Op het hoogste punt van de vesting staat het crèmekleurig palazzina uit de 18e eeuw dat Napoleon tot zijn residentie liet verbouwen. Tegenwoordig is het gebouw een museum met als belangrijkste bezit de bibliotheek van Napoleon.

Museo Archeologico

15 juni-15 sept. dag. 9.30-14.30, 17-24, rest van het jaar do. 10.30-13.30, 16-20 uur, € 3

Aan de oostzijde van de haven staat het archeologisch museum, de trots van het eiland, maar helaas onregelmatig geopend. Maar alleen al de buitenkant is een blik waard, want het zetelt in het **Fortezza della Linguella** (16e eeuw) met de pittoreske **Torre del Martello**, ooit een zoutpakhuis van de Medici. Het museum bezit interessante vondsten uit de 8e eeuw v.Chr. tot de 5e eeuw n.Chr.

Villa Napoleonica

Di.-za. 9-19, zon- en feestdagen 9-13 uur. € 3, in combinatie met het Palazzina dei Mulini € 5

Zo'n 6 km ten zuidwesten van Portoferraio staat in San Martino op een hoogte van 370 m de Villa Napoleonica, waar u vanuit Portoferraio in het hoogseizoen ook met een bus naar toe kunt. Napoleon liet de villa als zijn zomerresidentie bouwen, maar heeft er nooit in gewoond. De villa kreeg zijn huidige naam pas in 1851, toen de Russische prins Demidoff, een groot vereerder van de Franse keizer, er een monument voor Napoleon van maakte.

De stranden aan de westkant

Procchio is een karakteristiek badplaatsje ten westen van Portoferraio met het misschien wel mooiste openbare strand van het eiland. Wat meer richting Portoferraio ligt het aardige stadje **Biodola**. **Marciana Marina** heeft een kiezelstrand en is bij Italianen het populairste badplaatsje van Elba. De dennen groeien hier tot aan zee, de haven wordt bewaakt door een toren en de huisjes staan op de rotsen tegen een decor van wijngaarden, met op de achtergrond de hoogste berg van het eiland. Het deel van het eiland ten westen van Marciana is ruig en veel minder bekend bij de toeristen.

Overnachten

Aan het strand – Desirée: Località Spartaia, 12 km ten oosten van Procchio, tel. 0565 90 73 11, fax 0565 90 78 84, www.htdesiree.it. Mei-half okt. 2 pk met ontbijt € 154-344. Populair hotel met 78 lichte kamers en familiesuites aan een fraaie baai. Tuin met zeewaterzwembad, tennisbanen, strand.

Tuin tot aan zee – Casa Rosa: Località Biodola, tel. 0565 96 99 31, fax 0565 96 98 57, www.elbasolare.it. 2 pk met ontbijt € 92-204. Hotel met 38 kamers in een tuin die tot aan zee loopt. Met zwembad en tennisbaan.

Zoals vroeger – **Ape Elbana**: Salita Cosimo de'Medici, tel. 0565 91 42 45, fax 0565 94 59 85, www.ape-elbana.it. 2 pk met ontbijt € 70-140. Klein pension in het centrum met 24 eenvoudige kamers en een veranda.

Supercamping – **Acquaviva**: Località Acquaviva, tel./fax 0565 91 55 92, www.campingacquaviva.it. € 7,50-15,20 per persoon, standplaats € 7-15,30, ook caravans en huisjes te huur. Populaire camping in een dennenbos aan zee. Met duikschool.

Eten en drinken

Rondom het havenbekken van Portoferraio zitten talrijke bars, cafés en restaurants die tot laat in de avond open zijn en waar u van een hapje tot een volledige maaltijd kunt krijgen. Ook aan en rond de Piazza della Repubblica, vlak achter de oude haven, zitten veel horecagelegenheden.

Betrouwbaar – **La Barca**: Via Guerrazzi 60-62, tel. 0565 91 80 36. Feb. gesl., wo. gesl. Menu rond € 30. Deze familietrattoria biedt al vele jaren goed eten in het historische centrum. Goede prijs-kwaliteitverhouding.

Uitgaan

Het beste startpunt voor een avondje stappen is het **Caffè Roma**, maar ook **Rifrullo** en de **Inferno Pub** komen in aanmerking. Beide zijn groot en bieden eten met muziek. Een ander adresje voor livemuziek is **Club 64** (in het voorstadje Capannone), waar het publiek komt om te dansen. Wie uitgestapt is, kan vroeg op de ochtend bijkomen in **Bar della Bionda** vlak bij het voetbalstadion.

Actief en creatief

Op Elba worden vooral **watersporten** bedreven, maar ook de golfliefhebber kan er terecht, te weten bij Acquabona (golfbaan met negen holes), 7 km ten zuidoosten van Portoferraio, en bij de Hermitage (zes holes) bij La Biodola. De meeste grote hotels beschikken over een **tennisbaan**.

Camping Acquaviva bij Portoferraio heeft een eigen duikschool. Daarnaast zijn er **duikscholen** in Cavo, Porto Azzurro, Marcone/Capoliveri en Marciana Marina. Kijk voor scholen op www.divecenters.net.

Zeilvakanties: kijk bijvoorbeeld op www.zeilnet.nl of op www.zeilboot-huren.nl. U kunt ook ter plaatse een zeilboot huren.

Info en festiviteiten

APT/Agenzia per il Turismo dell'Arcipelago Toscano: 57037 Portoferraio (LI), Viale Elba 4, tel. 0565 91 46 71, fax 0565 91 46 72, www.tuscany islands.info, ook www.aptelba.it; **Parco Nazionale dell'Arcipelago Toscano:** Località Enfola, tel. 0565 91 94 11, fax 0565 91 33 50, www.islepark.it.

Marciana en Marciana Marina ▶ C 10

Marciana Marina is misschien wel het mooiste badplaatsje van Elba, al was het maar vanwege zijn ligging aan de voet van het fraaie middeleeuwse dorp Marciana, locatie van het **Fortezza Pisana** (nu een museum), en de **Monte Capanne**. Het strand van Marciana Marina is helaas niet erg bijzonder, het gaat om een smal kiezelstrand. Maar het plaatsje heeft als voormalig vissersdorp ontegenzeggelijk charme, vooral rond de **Via Cotone** boven de baai en rond de Piazza Vittorio Emanuele. Ook de zee-

Op het heetst van de dag liggen de straten van Portoferraio er verlaten bij

promenade met zijn talrijke cafés is een aantrekkelijke plek.

Madonna del Monte

Marciana is een heerlijk dorp met een wirwar aan stegen en een klein **Museo Archeologico** (onregelmatig open). Vanuit het plaatsje leidt een prachtig pad omhoog naar het kerkje Madonna del Monte (1 uur), dat geschiedenis heeft geschreven (overdag meestal open). Op 15 augustus stromen pelgrims hier samen om een Mariabeeld uit de 15e eeuw te vereren. Maar toeristen en romantici komen om een andere reden naar de op een hoogte van 630 m gelegen hermitage met verfrissende bron en prachtige kastanjebomen: op 1 september 1814 bracht Napoleon hier heimelijk twee dagen door met zijn Poolse minnares gravin Maria Walewska en hun gezamenlijke zoon.

Monte Capanne

De hoogste berg van Elba meet 1019 m en is een leuke bestemming voor een uitstapje. U kunt omhoog lopen over een van de fraaie paden, bijvoorbeeld vanuit Marciana, of u kunt de kabelbaan nemen, waarbij de passagiers in een soort boodschappenmandjes vervoerd worden (zie blz. 194).

Overnachten

In een mooie tuin – **Piccolo Hotel Barsalini:** Località Sant'Andrea 6 km ten noordwesten van Marciana, tel. 0565 90 80 13, fax 0565 90 89 20, www.hotelbarsalini.com. Apr.-okt. 2 pk/halfpension pp € 56-133. Hotel met 32 kamers in een fraaie tuin met zwembad.
Voor romantici – **Andreina:** Località La Cala 3,5 km ten oosten van Marciana Marina, tel./fax 0565 901 50, www.hotelandreinaelba.it. Apr.-okt. 2 pk met ontbijt € 75-120. Aan een prachtige een-

zame baai gelegen, alleen per boot of te voet (een kwartier lopen van de weg over een pad vol mooie uitzichten) te bereiken. Acht kamers en een restaurant voor de hotelgasten.

Eten en drinken

Fraai uitzicht – **Publius:** Località Poggio, Piazza del Castagneto 11, tel. 0565 992 08, www.ristorantepublius.it. Apr.-nov. Ma. geen lunch. Menu vanaf € 37. Misschien wel het beste restaurant van het eiland, met prachtig uitzicht. Gespecialiseerd in vis, degelijke keuken, goede wijnen.
Grote keuze aan bruschette – **La Porta:** Piazza For di Porta 3. Buiten het hoogseizoen wo. gesl. Hier bij de poort naar het bovendorp ontmoeten de dorpelingen elkaar in het laagseizoen, terwijl de toeristen er in de zomer de boventoon voeren. Lange kaart met *bruschette, panini,* salades.

Actief en creatief

Voor klimmers – **Elba Free Climbing Club:** tel. 0564 96 70 29, www.infoelba.com/sports-free-time/land-sports/free-climbing. Tips voor sportklimmen en andere sportieve activiteiten op Elba.

Informatie

Ufficio Informazioni Turistiche: 57033 Marciana Marina (LI), Piazza Vitt. Emanuele, tel. 0565 990 61 (juni-sept.)

Marina di Campo ▶ C 11

Dit aardige badplaatsje ligt aan de zuidkust van Elba voor de hellingen van de Monte Capanne, die begroeid zijn met dennen, olijfbomen en wijnstokken. Het strand is lang en breed en bedekt met fijn zand. Erlangs loopt een brede promenade die toegang geeft tot de *bagni*. In het plaatsje staan grote en kleine hotels door elkaar.

Overnachten

Huiselijk – **Elba:** Via Mascagni 51, tel. 0565 97 62 24, fax 0565 97 72 80, www.hotel-elba.it. Pasen-okt. Alleen halfpension, pp € 46-88. Prettig hotel met 21 kamers, zwembad en restaurant voor de hotelgasten.

Centraal – **La Barcarola:** Via Verdi/Piazza del Municipio, tel. 0565 97 60 41, fax 0565 97 64 37, www.labarcarolahotel.it. Hele jaar open. 2 pk € 68-130. Prima hotel in het centrum met dertig kamers op 100 m van het strand.

Eten en drinken

Verfijnd dineren – **La Lucciola:** Viale Nomellini 64, tel. 0565 97 63 95. Pasen-okt., in het laagseizoen di. gesl. Menu vanaf € 35. Populair strandrestaurant met overdag lichte zaken en 's avonds voortreffelijke visschotels.

Uitgaan

Het uitgaanspubliek trekt 's avonds naar de bars langs het strand of begint in **Baobab,** om later bijvoorbeeld in **Tennis** of **Tinello** naar optredens te luisteren.

Informatie

Ufficio Informazioni Turistiche: 57034 Marina di Campo (LI), Piazza dei Granatieri 3, tel. 0565 97 79 69

Capoliveri ▶ D 11

Midden op het schiereiland dat aan de zuidoostkant van Elba in zee steekt, ligt het bergdorp Capoliveri (3900 inwoners) op een hoogte van 167 m te midden van wijngaarden en mediterrane macchia. De grote parkeerterreinen aan de voet van het dorp maken duidelijk dat het plaatsje in de zomer veel vakantiegangers trekt, die vooral 's avonds na de hele dag op het strand te hebben gelegen hier de koelere berglucht, maar vooral ook de goede restaurants van Capoliveri komen opzoeken.

Het schiereiland wordt uiteraard omspoeld door zee en dat betekent dat bij de badplaatsjes allerlei watersporten beoefend kunnen worden. Zo zit bij Morcone een duikschool.

Eten en drinken

Onovertroffen – **Il Chiasso:** Vicolo Nazario Sauro 13, tel. 0565 96 87 09. Pasen-okt., buiten het hoogseizoen di. gesl. Menu vanaf € 39. Intiem eethuisje in een steegje van Capoliveri en al jaren onovertroffen.

Verfrissend – **Summertime:** Via Roma 56, tel. 0565 93 51 80. April-okt. Menu vanaf € 30. De keuken van Elba, maar met wat eigenzinnige Siciliaanse invloeden.

Actief en creatief

Voor duikers – **Mandel Diving Center:** Località Morcone, tel. 0565 96 85 28, www.diving.mandelclub.com.

Informatie

57031 Capoliveri (LI), Via Palestro, www.aptelba.it (alleen in het zomerseizoen).

Porto Azzurro ▶ D 11

Dit schilderachtige vissersdorp (3500 in-woners) is een van de populairste bad-plaatsen van Elba. De toeristen komen er graag eten in een van de restaurants op palen en maken foto's van de kleu-rige vissersbootjes die in de haven dob-beren. Het kleine stadje rond de haven wordt gedomineerd door een stervor-mige vesting, het **Fortezza di Porto-longone** uit 1603, waarin nu een gevan-genis is gevestigd.

In het achterland van Porto Azzurro, op drie kwartier lopen, staat de pel-grimskerk **Madonna di Monserrrato** uit de 17e eeuw. Op 8 september, de ge-boortedag van Maria, komen er veel pel-grims en is het kerkje open. Ook op an-dere dagen is de wandeling erheen de moeite waard.

Piccola Miniera

In Pianetto, duidelijk aangegeven. Apr., mei, sept. dag. 9-13, 14.30-19/20, juni-aug. 9-20 uur. www.lapiccolami niera.it. € 9 (inclusief koffie en iets lekkers)

Met een oud treintje worden de bezoe-kers de mijngang ingereden met als einddoel een verkoopruimte, een mu-seum en een zogeheten laboratorium, waar u kunt zien hoe de mineralen be-werkt worden.

Overnachten

Aan de haven – **Belmare:** Banchina IV Novembre 21, tel. 0565 950 12, www. elba-hotelbelmare.it. Hele jaar, 2 pk met ontbijt € 90-160. Prettig hotel aan de ha-venpromenade met 27 kamers.
Gezellig – **Barbarossa:** Località Barba-rossa, 1,5 km ten oosten van Porto Az-zurro, tel./fax 0565 950 87, www.el balink.it/hotel/barbarossa. Apr.-okt. 2 pk met ontbijt € 80-100. Achttien com-

fortabele kamers van uiteenlopende af-metingen. Goed restaurant voor de ho-telgasten.

Uitgaan

Rondom de haven en in de straatjes daarachter zitten talrijke bars. Later op de avond wordt er op latinmuziek ge-danst in de **Morumbi** in het voorstadje Mola. Omdat de scene snel verandert, kunt u het beste in uw hotel om tips vragen.

Actief en creatief

Bij Porto Azzuro begint een onderwa-terparadijs, reden waarom hier veel **dui-kers** komen. In de haven worden ook veel **boottochten** aangeboden, terwijl u natuurlijk ook zelf een boot kunt huren. Duikschool – **Due Passi nel Blu:** Ban-china IV Novembre 2, tel. 0565 92 00 61. Zeilen en surfen – **Circolo Velico:** Ban-china IV Novembre 25, Spiaggia La Rossa, tel. 0565 95 78 67, www.virtual tourelba.it. Zeil- en surfschool, verhuur van boten en planken.

Rio nell'Elba ▶ D 10

Dit is een van de oudste plaatsjes van Elba (1250 inwoners), het ligt op een hoogte van 165 m en wordt gedomi-neerd door de ruïne van het **Forte Vol-terraio** (11e eeuw), dat over de Etruski-sche acropolis werd gebouwd. Al in de oudheid was Rio nell'Elba het belang-rijkste centrum van ertswinning van het eiland, iets wat vele interessante archeologische vondsten heeft opgele-verd, die nu te zien zijn in het **Museo Archeologico del Distretto Minerario**, dat ondergebracht is in de moderne Sala Barcocaio bij de Via Mazzini (apr.-juni,

De bezoekers van het vasteland komen in de haven van Porto Giglio op Giglio aan

sept.-okt. wo.-ma. 9.30-12.30, 15.30-18.30, juli, aug. 9.30-12.30, 16.30-19.30, 21-23 uur). Maar nog interessanter dan het museum zijn de rondleidingen door de ertsgroeven van het **Parco Minerario dell'Isola d'Elba.**

De ertsmijnen van Rio Marina

Dag. 9.30-12.30, 16.30-18.30 uur. Zelf mineralen zoeken onder begeleiding mei, juni, sept., okt. di., do., za. 10, juli, aug. di., do., za. 18 uur. Reserveren noodzakelijk, tel. 0565 96 20 88, www. parcominelba.it. Museum € 2,50, mineralen zoeken € 5, treintje door de mijn (reserveren), € 12
In het aantrekkelijke havenstadje Rio Marina aan de voet van Rio nell'Elba kunt u in het Palazzo del Burò, Via Magenta 26, nog veel meer over de mijnbouw leren.

Overnachten

Klein, maar leuk – **Mini Hotel Easy Time:** Rio Marina, Via Panoramica del Porticciolo, tel. 0565 96 25 31, fax 0565 92 56 91, www.minihotelelba.com. 2 pk € 60-150. Tien kamers (sommige met kookhoek) op een fraaie locatie.

Eten en drinken

Super – **Da Oreste (La Strega):** Rio Marina, Via Vittorio Emanuele 6, tel. 0565 96 22 11. Di. gesl., behalve juni-sept. Menu vanaf € 30. Goed restaurant met groot overdekt terras waar u de echte eilandkeuken met veel vis en schaal- en schelpdieren kunt proeven.

Giglio ▶ F 13

Dit ruige, fraaie granieteiland met als hoogste punt de **Poggio della Pagana** van 498 m ligt 15 km ten zuidwesten van de Monte Argentario. Giglio kwam in 2012 in het nieuws toen het cruisschip Costa Concordia hier zonk. Giglio telt rond 1500 permanente bewoners, die vooral in juli en augustus gezelschap krijgen van voornamelijk Italiaanse vakantiegangers. ▷ blz. 201

Favoriet

Isola del Giglio

Als het wrak van het cruiseschip eenmaal is afgevoerd, zal de 498 m hoge
granietrots hopelijk weer een paradijs
zijn voor iedereen die zich aan het *dolce
far niente* of aan een watersport wil wij-
den. Giglio telt drie dorpjes, één strand
dat die naam mag hebben, enkele eenzame rotsbaaien, een kristalheldere
zee en aardige horecazaken – niets
meer en ook niets minder!

Voor veel mensen is Giglio het mooiste vakantie-eiland van de de Toscaanse archipel. De granietrots is bedekt met een geurige macchia met in bijna elk jaargetijde veel bloeiende bloemen. Veel te doen valt er niet, de bezoeker moet zichzelf kunnen vermaken, bijvoorbeeld door met een rubberboot rond het eiland te varen en elke dag een andere baai op te zoeken. Het is een lastig eiland voor wie geen Italiaans spreekt, maar als u wat woorden kent, zult u zich er al snel thuis voelen.

Een vakantie op Giglio begint met de aankomst in het aardige havenstadje **Giglio Porto** met zijn kleurige huizen. Bij de haven staat de bus naar de twee andere plaatsjes van het eiland al klaar: **Giglio Castello** (6 km) ligt in het noorden in het binnenland op een hoogte van 407 m, terwijl **Giglio Campese** (8,5 km) een badplaatsje in het noordwesten is en over het enige grotere zandstrand van het eiland, kamers, een camping en een bescheiden hotel beschikt.

Overnachten

Echt strandhotel – **Campese:** Giglio Campese, tel. 0564 80 40 03, fax 0564 80 40 93, www.hotelcampese.com. Pasen-sept., 2 pk met ontbijt € 110-170, halfpension € 75-105 pp. Dit bescheiden hotel ligt direct aan het enige grote zandstrand van het eiland. Goed restaurant gespecialiseerd in vis.

Uitzicht op zee – **Arenella:** Giglio Porto, 2,5 km ten noordwesten van de haven, tel. 0564 80 93 40, www.hotelarenella.com. Apr.-okt., 2 pk met ontbijt € 110-250. Hotel met 26 kamers.

Kasteelvilla – **Castello Monticello:** Giglio Porto, aan de weg naar Arenella, tel. 0564 80 92 52, www.hotelcastellomonticello.com. Mrt.-okt. 2 pk met ontbijt € 90-160. Dit eenvoudige hotel heeft het uiterlijk van een kasteeltje en biedt

29 kamers, een groot terras, uitzicht op zee, een restaurant voor de gasten en een tennisbaan.

Met uitzicht op de haven – **Bahamas:** Giglio Porto, Via Oreglia 22, tel. 0564 80 92 54, fax 0564 80 88 25, www.bahamashotel.it. Hele jaar 2 pk met ontbijt € 70-105. Goed, eenvoudig en huiselijk hotel met terras midden in het havenstadje. Parkeerterrein.

Eten en drinken

Middeleeuwse ambiance – **Da Maria:** Giglio Castello, Via della Casamatta 12, tel. 0564 80 60 62. Mrt.-dec., wo. gesl. Menu vanaf € 41. Voortreffelijk restaurant midden in Castello.

Vis – **La Vecchia Pergola:** Giglio Porto, Via Thaon de Revel 31, tel. 0564 80 90 80. Mrt.-okt., wo. gesl. Menu vanaf € 30. Gezellig restaurant met terras direct aan zee. Uiteraard veel vis op het menu.

Info en festiviteiten

Informatie

Pro Loco: 58013 Giglio Porto (GR), Via Umberto I 44, tel. 0564 80 94 00, fax 0564 80 87 21, www.isoladelgiglio.com

Festiviteiten

Giglio viert de patronaatsfeesten met veel vertoon:
Festa di San Lorenzo: 10 augustus, de drie dorpen van het eiland nemen het in een roeiwedstrijd tegen elkaar op, 's avonds is de haven met fakkels verlicht.
Festa di San Rocco: 14-16 augustus. Giglio Campese viert dit feest met een processie op zee en een afsluitend vuurwerk.
Festa di San Mamilliano: half september wordt de eilandheilige in Castello geëerd met liturgische rituelen, traditionele dansen en kraampjes met eten.

Grosseto en het zuiden

Hoogtepunt! ✳

Sorano: dit plaatsje was ooit een belangrijke Etruskische nederzetting en kreeg in de renaissance een formidabele vesting. Sorano biedt schitterende, weidse uitzichten over de omringende heuvels en bossen. Blz. 219

Op ontdekkingsreis

Etruskisch graf met duiventil: de fantasierijke necropolissen en holle wegen in en rond Sovana zijn ronduit fascinerend. Er worden nog altijd nieuwe graven ontdekt. Blz. 214

In het wildpark van de Monte Amiata: hier kunt u de Apennijnse wolf zien, terwijl de amiata-ezel zich er goed voortplant en de flora van het park een genot is, om nog maar te zwijgen van het landschap in de schaduw van de Monte Amiata. Blz. 220

Massa Maríttima •

Follonica •   • Caldana

Vetulonia •   Monte Amiata   San Casciano
                              dei Bagni

Punta Ala   Roselle •   Celle
                             sul Rigo

Castiglione   • Grosseto   In het wildpark
della Pescaia

                • Sovana   **Sorano**

Etruskisch graf met duiventil

        • Capalbio

Porto Santo Stefano •

Bezienswaardigheden

Grosseto: de provinciehoofdstad is omgeven door vrijwel intact stadsmuren.
Blz. 204

Roselle: een van de belangrijkste Etruskische opgravingen van de Maremma,
prachtig ontsloten. Blz. 205

Vetulonia: een bos vol Etruskische necropolissen. Blz. 206

Sovana: middeleeuws kleinood op een
steile tufsteenrots. Blz. 217

Actief en creatief

Paardrijden en van de natuur genieten
op de uitgestrekte landgoederen Montebelli bij Caldana en Poggio bij Celle
sul Rigo. Blz. 210 en 222

Sfeervol genieten

Castiglione della Pescaia: het mooiste
badplaatsje van de Maremma. Blz. 210

Porto Santo Stefano: sfeervol en levendig vissersplaatsje met jachthaven.
Blz. 211

Gratis kuren: bij San Casciano dei Bagni
kunt u buiten een bad nemen in de bassins met warm, geneeskrachtig water.
Blz. 223

Uitgaan

**De cafés rond het monument voor
Dante:** rond het centrale plein van
Grosseto zitten aardige cafés en bars.
Blz. 204, 208

Uitbundig Follonica: stranddisco's in
alle soorten en maten. Blz. 210

Natuur en Etrusken

De provinciehoofdstad Grosseto wordt net als het kleinere Massa Marittima vaak door de toeristen overgeslagen. Toch zijn ze interessant, net als de talrijke resten en necropolissen van Etruskische nederzettingen die deze grote provincie bezit.

Landinwaarts is de hoogste berg binnen de Toscaanse grenzen te vinden, de Monte Amiata (1738 m), die al van verre te zien is. Het land tussen de berg en de kust is deels begroeid met de vaak dichte macchia van de Maremma. Ooit was dit het land van de Etrusken, nu vindt u er fraaie stadjes als Sorano, Sovana en Pitigliano. Langs zee ligt het Parco dell'Uccellina, het belangrijkste natuurpark van de Maremma. Er is bijna geen enkel ander gebied in Italië te vinden dat zo strikt beschermd is. Toch wordt het park intensief gebruikt voor het fokken van paarden en runderen, die onder toezicht staan van de Toscaanse cowboys, de *butteri* (zie blz. 50).

INFO

Informatie

APT Grosseto: 58100 Grosseto, Viale Monterosa 206, tel. 0564 46 26 11, fax 0564 45 46 06, www.turismoinmarem ma.it.

Internet

www.lamaremma.it: informatieve website voor de provincie Grosseto met de nadruk op de Maremma (met veel agriturismi en vakantiehuizen).
www.parcodeglietruschi.it: site met alle bezienswaardigheden en tips.

Reizen naar en in Grosseto

Het **station** van Grosseto ligt aan het traject Genua-Pisa-Livorno-Rome, met minimaal om de twee uur, maar meestal frequenter, een trein. Voor een bezoek aan de Maremma en de Etruskische steden hebt u een **auto** nodig, want de meeste **bussen** die vanuit Grosseto vertrekken, rijden naar de andere provinciehoofdsteden van Toscane, slechts een klein deel gaat naar de stadjes van de provincie zelf. RAMA is de plaatselijke vervoerder, tel. 0564 47 51 11, 199 84 87 87, www.griforama.it.

Grosseto ▶ G 11

De provinciehoofdstad (82.300 inwoners), tevens hoofdstad van de Maremma, ligt op 13 km van zee in de vlakte van de rivier de Ombrone. Alleen al vanwege de door de Medici gebouwde stadsmuren is Grosseto een bezoek waard. De muren van rode baksteen vormen een onregelmatige zeshoek rond de stad met op elke hoek een vijfhoekig bastion.

Het kleine kasteel aan de Via Aurelia was in de middeleeuwen een bastion van Siena richting Rome. Nadat Roselle in 935 door de Saracenen was verwoest, werd Grosseto de zetel van de lokale bisschop. Pas in de tijd van de Toscaanse groothertogen kreeg de stad enige economische betekenis, al zorgde het voorkomen van malaria in de Maremma voor problemen. Het was daarom van groot belang dat de ontwateringskanalen goed functioneerden. In 1930 werd begonnen met het systematisch droog-leggen van dit 'vervloekte land', zoals de bewoners de Maremma noemden. Het land rondom de stad werd zo een van de vruchtbaarste gebieden van Toscane, waardoor Grosseto tot een belangrijk agrarisch centrum uitgroeide.

In de Tweede Wereldoorlog richtten de bombardementen van de geallieerden grote schade aan, maar de stad werd al snel herbouwd.

De oude stad

Het historische centrum van Grosseto, grotendeels verkeersvrij, is klein en overzichtelijk. Het wordt omsloten door stadsmuren (1574-1593) die zijn voorzien van zes bastions en twee hoofdpoorten, de **Porta Nuova** in het noorden en de **Porta Vecchia** in het zuiden. De muren zijn op drie doorbraken voor het verkeer na volledig behouden gebleven en werden liefdevol gerestaureerd. Net als in Lucca kunt u over de muren rond de stad wandelen.

Piazza Dante

De grote Piazza Dante, gekenmerkt door een monument voor Leopoldo II (1846) en arcaden aan twee kanten, is zowel het sacrale als bestuurlijke centrum van Grosseto: aan de noordzijde staat de **Duomo San Lorenzo** (1294-1302, overdag gewoonlijk geopend, tussen de midag gesl.), die in de 19e eeuw een neogotische façade in Sienese stijl kreeg met een dwerggalerij en een roosvenster.

Ook het **Palazzo Comunale** links van de dom kreeg in de 19e eeuw een nieuw aanzien, net als het **Palazzo della Provincia** rechts van de dom, waarvan de gevel geïnspireerd is op die van het Palazzo Publico in Siena.

Museo Archeologico e d'Arte della Maremma

Nov.-mrt. di.-za. 9-17, zo. 10-13, 16-19, apr.-okt. di.-za. 10-19, zon- en feestdagen 10-13, 17-19 uur. € 5
Dit al in 1860 gestichte, prachtige museum aan de Piazza Baccarini is onlangs volledig opnieuw ingericht en is beslist een bezoek waard. U kunt er vondsten bekijken uit de grote Etruskische nederzettingen van de Maremma, waaronder Roselle, Vulci, Vetulonia, Pitigliano en Populonia. Er zijn ook in de Maremma gevonden voorwerpen van de villanovacultuur te zien. Daarnaast zijn er interessante afdelingen gewijd aan de Maremma, bijvoorbeeld aan Roselle (zie onder).

Cassero Senese

Apr.-14 juli, sept.-okt. 10-13, 15-18, 15 juli-aug. 10.30-13.30, 16-19, nov.-mrt. di.-zo. 11-13, 14.30-16.30 uur. € 3
De Sienezen bouwden deze versterking in 1345 als kazerne voor hun soldaten. Ze legden ook een groot exercitieterrein binnen de muren aan met daaronder een cisterne om de vesting in geval van belegering van voldoende water te kunnen voorzien. Tegenwoordig is de Cassero Senese onderdeel van de jonge universiteit van Grosseto en onderkomen van een virtueel museum. Het is gewijd aan het harde leven van de mensen vroeger in de door malaria geteisterde Maremma. Na het museumbezoek kunt u nog wat door de interessante vesting dwalen. In de zomer zijn er ook voorstellingen en films in de open lucht te zien.

Archeologische uitstapjes

Roselle

Nov.-feb. 9-17.30, mrt.-okt. 9-19.30 uur. € 4
Om Roselle te bereiken rijdt u vanuit Grosseto richting Siena en neemt u na zo'n 8 km de afslag naar Roselle, gelegen op een uitloper van de 371 m hoge Poggio di Moscona. De opgraving is een van de interessantste van Toscane, want het gaat hier om de belangrijke Etruskische stad *Rusellae*, die deel uitmaakte van de Etruskische twaalfstedenbond.

Later kwam de stad onder Romeins bestuur en na de kerstening werd de stad zetel van een bisdom, maar na de plundering van de stad door de Saracenen vertrok de bisschop naar Grosseto. Op het opgravingsterrein zijn de resten van een 3 km lange stadsmuur met zes poorten, delen van een amfitheater, een thermencomplex en de funderingen van enkele woonhuizen te zien. Ook het uitzicht mag tot de hoogtepunten worden gerekend.

Vetulonia

Apr.-sept. 10-19 uur, bijna alles is vrij toegankelijk

In Vetulonia, 22 km ten noordwesten van Grosseto, valt ook heel wat te ontdekken. Zo kunt u in dit bergdorp van 700 inwoners een stuk zien van de ooit 5 km lange cyclopische muren uit de Etruskische tijd (6e eeuw v.Chr.), terwijl er ook nog veel middeleeuwse huizen bewaard zijn gebleven. De uitzichten over de dennenbosen, de diepgroene macchia en de met klimop overwoekerde steeneiken zijn adembenemend.

Vlak voordat u Vetulonia bereikt (3 km), komt u langs gele bordjes die de Etruskische necropolissen aangeven. De **Zona Archeologica** is inmiddels goed toegankelijk. In de graven zijn veel voorwerpen gevonden, want het Etruskische *Vatluna* (lid van de twaalfstedenbond) was vanwege bodemschatten een rijke stad. Deze objecten liggen nu vooral in de archeologische musea van Grosseto en Florence.

Als u bij het dorp het bordje naar de **Tumulo Etrusco della Pietrera** volgt, komt u na een 600 m lange, steile daling bij dit graf uit de 7e eeuw v.Chr. Een lange, deels open gang leidt het koepelgraf met twee nevenruimten in. Nog eens 600 m verder naar beneden komt u bij de **Tomba del Diavolino II**, oftewel **O Pozzo dell'Abate** (7e eeuw v.Chr.), een vierkante grafkamer.

Vlak voor Vetulonia liggen de **Scavi Città** direct aan de weg. In deze opgraving van de Etruskische stad zijn resten uit de 3e-1e eeuw v.Chr. te zien. Het hoger gelegen deel stamt uit de Romeinse tijd en werd door de Romeinen versterkt. De Via Decumanum is nog goed herkenbaar met links de restanten van werkplaatsen met stromend water en toiletten.

Het **Museo Archeologico Antiquarium** (gecompliceerde openingstijden, € 4,50) in het dorp zelf bezit wat voorwerpen die in de omgeving zijn opgegraven.

De Piazza Dante is zowel het sacrale als bestuurlijke hart van Grosseto met onder andere het Palazzo della Provincia

Overnachten

Centraal – **Grand Hotel Bastiani:** Piazza Gioberti 64, tel. 0564 200 47, fax 0564 293 21, www.hotelbastiani.com. 2 pk met ontbijt € 110-155. Smaakvol ingericht hotel in het centrum vlak bij de kathedraal met 48 kamers en drie suites.

Praktisch – **Nuova Grosseto:** Piazza Marconi 26, tel./fax 0564 41 41 05, www. hotelnuovagrosseto.com. 2 pk met ontbijt € 70-100. Goed, onlangs gerenoveerd hotel in een modern gebouw aan het stationsplein met 38 kamers en drie elegante juniorsuites.

Eten en drinken

Onder gewelven – **Ristorante Buca San Lorenzo:** Largo Manetti 1, tel. 0564 251 42. Half jan., juli gesl., zo., ma. gesl. Menu vanaf € 32. Rustiek en tegelijkertijd elegant en veel geprezen restaurant in de stadsmuur.

Prettig – Il Canto del Gallo: Via Mazzini 29, tel. 0564 41 45 89. Alleen diner, zo. gesl. Menu vanaf € 25. Kleine, goede trattoria bij de stadsmuur met lokale gerechten gemaakt van biologische producten.

Redelijke prijzen – Enoteca Canapino: Piazza Dante 3, tel. 0564 245 46. Een week in jan., twee weken in aug. gesl., okt.-juni zo. gesl. Alleen overdag open. Erg goede enoteca met kleine hapjes voor bij de wijn en menu's met specialiteiten van de Maremma.

Gezellig – Caffè Italiano: Piazza Dante 18. In het gezellige café aan het centrale plein kunt u van het dagelijks wisselende lunchbuffet nemen. Vanaf 19 uur happy hour.

Uitgaan

Zuid-Amerikaans – Caffè Latino: Via Garibaldi 17. Van 7 uur tot laat geopend. Lekkere drankjes in een Zuid-Amerikaanse sfeer. Overdag een gewone bar.

Informatie

Informatie

APT Grosseto: Viale Monterosa 206, tel. 0564 46 26 11, fax 0564 45 46 06, www.turismoinmaremma.it

Vervoer

Zie blz. 205.

Massa Marittima ▶ F 9

Massa Marittima ligt wat afgelegen in het noordwesten van de provincie, maar het is een architectonisch pareltje dat u beslist niet aan u voorbij mag laten gaan. De ligging op 560 m hoog boven de Maremma maakt het nog mooier. De 9000 inwoners tellende stad is verdeeld in drie delen (Città Vecchia, Città Nuova en Borgo) en ligt op de Monte Arsenti, een heuvel die deel uitmaakt van de Colline Metallifere. In de middeleeuwen was Massa een mijnbouwcentrum (koper- en zilvermijnen) en dat leidde in 1310 tot de *Codice Minerario Massetano*, waarmee de mijnbouw voor het eerst een wettelijke grondslag kreeg.

Net als in Grosseto decimeerde de malaria in de 18e eeuw de bevolking van Massa Marittima. In de 19e eeuw bloeide de mijnbouw er weer op met industrialisering en welvaart als gevolg. Na de Tweede Wereldoorlog sloten de mijnen en dreigde er een economische crisis, maar het toerisme bracht uitkomst, want de stad profiteerde van de opkomst van de Maremma als vakantiegebied.

Duomo di San Cerbone

Alle belangrijke gebouwen van de **Città Vecchia** staan aan de oplopende **Piazza Garibaldi**, die de huiskamer van de stad is. De **duomo** (waarschijnlijk rond 835 gesticht, herbouwd in de 11e eeuw, de huidige vorm ontstond in 1228-1267) staat samen met de campanile en het bisschoppelijke paleis op een podium met een brede trap ervoor. De kerk heeft een fraaie gevel in Pisaans-romaanse stijl met blinde bogen en veel beeldhouwwerk. De figuren onder de middelste zuiltjes van de bovenste dwerggalerij worden aan de school van Giovanni Pisano toegeschreven. In het interieur zijn diverse fresco's en schilderijen te zien, terwijl de fraaie doopvont in de eerste kapel rond 1270 door Giroldo da Como uit één blok travertijn werd gehouwen.

Museo Archeologico

Nov.-mrt. di.-zo. 10.30-12.30, 15-17, apr.-okt. 10-12.30, 15.30-19 uur. € 3
Rechts van de kathedraal staat het **Palazzo del Podestà** (of **Pretorio**, bouwbegin 1225) van grijs travertijn met in

de gevel de wapenschilden van Siena, Massa Marittima, de *podestà* (burgemeester) en *capitani della giustizia* (rechters). Het gebouw huisvest nu het archeologisch museum.

Città Nuova

De Via Moncini met zijn middeleeuwse huizen loopt van de noordkant van de Piazza Garibaldi steil omhoog naar de imposante **Porta alle Silici** (14e eeuw) in de dubbele muur. Achter de poort begint de Città Nuova, de bovenstad. Een schitterende boog, de **Arco dei Senesi** uit 1377, verbindt de poort met het door de Sienezen gebouwde **Fortezza**, dat in 1355 rond het oudere Castello Monte Regio werd opgetrokken.

Museo di Arte Sacra

Di.-zo., apr.-sept. 10-13, 15-18, okt.-mrt. 11-13, 15-17 uur. € 5

Bij de Piazza Matteotti met het kleine **Museo di Arte e Storia delle Miniere** begint de Corso Diaz, een straat met eenvoudige gebouwen die kenmerkend zijn voor de Città Nuova. De straat leidt naar het voormalige, fraai gerestaureerde **Convento di San Pietro all'Orto**, waar het museum voor sacrale kunst in is ondergebracht. Het museum is een pareltje met vijf zalen vol fraaie religieuze werken uit de kerken en kloosters van Massa Marittima, met als hoogtepunt de *Maestà* van Lorenzetti uit 1335, afkomstig uit de Sant'Ambrogio.

Museo della Miniera

In de oude mijn, Via Corridoni, alleen rondleidingen, di.-zo., apr.-okt. 10-12.45, 15-17.45, nov.-mrt. 10-12, 15-16.30 uur. € 5

De mijnbouw speelde een belangrijke rol in de geschiedenis van de stad, zoals u zult leren bij een bezoek aan een van de mijnbouwmusea. Het Museo della Miniera is door het bezoek aan een oude mijngang het interessantst.

Overnachten

Met uitzicht op zee – **Duca del Mare:** Piazza Dante Alighieri 1/2, tel. 0566 90 22 84, fax 0566 90 19 05, www.ducadelmare.it. Hele jaar, 2 pk met ontbijt € 85-110. Sympathiek hotel met dertig kamers, goed restaurant, een zwembad in de tuin en een fraai uitzicht.

Centraal – **Il Sole:** Via della Libertà 43, tel. 0566 90 19 71, fax 0566 90 19 59, www.ilsolehotel.it. 2 pk met ontbijt € 85-95, 's winters inclusief garage. Hotel met vijftig prettige kamers aan de voetgangerszone.

Eten en drinken

Gezellig – **Osteria Da Tronca:** Vicolo Porte 5, tel. 0566 90 19 91. Mrt.-dec., aug. alleen 's avonds, wo. gesl., behalve in aug. Menu vanaf € 15. Heerlijke gerechten uit de Maremma.

Sfeervol – **Taverna Vecchio Borgo:** Via Parenti 12, tel. 0566 90 39 50. Alleen 's avonds open, ma. gesl. Menu vanaf € 25. Sfeervolle zaak in een historisch pand in het centrum. Goede lokale keuken met een grote keuze aan antipasti.

Informatie

A.MA.TUR: Via Todini 3/5, tel. 0566 90 47 56, fax 0566 94 00 95, voor de hele Maremma en de provincie Grosseto, www.altamaremmaturismo.it.

Castiglione della Pescaia ▶ F 11

Het misschien wel mooiste badplaatsje van de provincie Grosseto ligt aan de voet van de Poggio di Petriccio, die 342 m hoog is. Castiglione della Pescaia zelf wordt gedomineerd door de mid-

Tip

Vakantieoase

Rond 10 km ten noordwesten van Vetulonia is een historische oliemolen verbouwd tot een prettig vakantieverblijf op een uitgestrekt landgoed met olijven en wijngaarden, maar ook met cipressen en eeuwenoude kurkeiken. De kamers en de suites in het Country House tegenover de historische villa zijn ruim en comfortabel en er is een modern wellnessaanbod. Het voortreffelijke restaurant serveert lokale specialiteiten. Montebelli biedt talloze mogelijkheden om te wandelen, paardrijden, fietsen, tennissen en zwemmen. Daarnaast zijn er in de buurt twee golfbanen: Punta Ala en Golf Club Toscana. **Montebelli:** 58023 Gavorrano, Loc. Molinetto di Caldana,tel. 0566 88 71 00, fax 0566 814 39, www.montebelli.com. 2 pk met ontbijt € 160-270.

deleeuwse **Rocca Aragonese** (14e/15e eeuw), die boven de wirwar van straatjes troont. Achter het stadje ligt een lagunelandschap en in de haven aan de riviermonding dobberen de vissersbootjes en jachten op de golven, met in de zomer een komen en gaan van vaartuigen.

Overnachten

Voor sportievelingen – **Riva del Sole:** Viale Kennedy, tel. 0564 92 81 11, fax 0564 93 56 07, www.rivadelsole.it. Apr.-okt. 2 pk met ontbijt € 145-225. Vakantiecomplex met 175 kamers, restaurant-pizzeria, zwembad en veel sportmogelijkheden.
Klassiek – **Piccolo Hotel:** Via Montecristo 7, Castiglione della Pescaia, tel. 0564 93 70 81, fax 0564 93 25 66, www.hotel-castiglione.com. Mei-sept. 2 pk met ontbijt € 120-135. Hotel met 24 moderne kamers dat met strakke hand

wordt geleid. Groente en fruit uit eigen tuin en huisgemaakte *dolci*.
Huiselijk – **Perla:** Via dell'Arenile 3, tel./fax 0564 93 80 23. 2 pk € 60-80. Klein hotel met dertien kamers en restaurant voor de hotelgasten.

Eten en drinken

'In het gat' – **Osteria nel Buco:** Via del Recinto 11, tel. 0564 93 44 60. Juli/aug. ma. gesl., open 18-24 uur. Menu € 24-27. Traditionele osteria bij de stadsmuur. Lokale keuken met visspecialiteiten.
Gunstig geprijsd – **Da Antonietta:** Via Colombo 24, tel. 0564 93 36 61, www.ristoranteantonietta.it. Di. gesl. Dagmenu rond € 20. Leuke trattoria aan het kanaal.

Uitgaan

Het nabij gelegen, weinig opmerkelijke **Follonica** verandert net als Marina di Grosseto in de zomer in een uitgaansparadijs. Al jaren 'hot': **Disco Village** onder de blote hemel, net als **Tartana** in Puntone (sinds 1968!) en **Four Roses** in Marina di Grosseto. De strandtenten van Follonica werken als een magneet op het uitgaanspubliek, bijvoorbeeld de **Congo** bij zonsondergang. Meer informatie op www.wasabimagazine.com.

Actief en creatief

Fraai – Een van de mooiste golfbanen van Toscane met achttien holes: **Punta Ala,** tel. 0564 92 21 21.

Informatie

Pro Loco: Castiglione della Pescaia (GR), Piazza Garibaldi 6, tel. 0564 93 42 28, www.castiglionepescaia.biz

Parco Naturale della Maremma ▶ F/G 12/13

Hele jaar dag. van 9 uur tot 1 uur voor zonsondergang; tickets in het Centro Visite, Albarese, tel. 0564 40 70 98, www.parco-maremma.it

Het belangrijkste natuurpark van Toscane, dat ook het Parco dell'Uccellina wordt genoemd, is gesloten voor verkeer, alleen de busjes van het park mogen naar binnen. Bij Marina di Albarese kunt u bij de monding van de Ombrone gratis het park in, maar hier vindt u niet het mooiste deel. Trek ten minste een dag voor het park uit, want de afstanden die men er te voet moet afleggen, zijn aanzienlijk, maar het is zeker de moeite waard.

Monte Argentario ▶ G 13

Het eiland Monte Argentario (hoogste punt 635 m) werd al door de Romeinen, en misschien zelfs nog eerder door de Etrusken, die in deze zuidwestelijke uithoek van Toscane interessante sporen hebben achtergelaten *(Tagliata Etrusca)*, met het vasteland van Toscane verbonden. Drie dammen door de ondiepe lagune van Orbetello verbinden het eiland met het vasteland, de zuidelijke dam is een beschermd natuurgebied. Monte Argentario lijkt geologisch veel op het nabij gelegen Giglio. Door de goede bereikbaarheid heeft het toerisme zich hier sterk ontwikkeld. Er zijn veel goede hotels en aan de noordzijde van de lagune bezitten veel rijke tot zeer rijke Italianen en Europeanen (onder wie vroeger koningin Juliana) een huis. Het zuidelijke deel van Monte Argentario is een streng beschermd natuurgebied met fraaie dennenbossen.

Aan de noordwestkust van Monte Argentario ligt **Porto Santo Stefano** met zijn kleurige huizen die vanaf de haven tegen de helling omhoog kruipen. In het zuidoosten ligt het vakantieplaatsje **Porto Ercole** met zijn twee natuurlijke havens, gescheiden door een schiereiland, waarin dure jachten en enkele vissersbootjes dobberen. De villa's liggen verscholen in de hoge, dichte macchia of worden omringd door eeuwenoude olijfbomen. Prachtig, maar in de zomer zijn de muggenzwermen uit de lagune minder prettig. De insecten teisteren ook het stadje **Orbetello** midden in de lagune, dat een aantal fraaie oude huizen en een uitnodigende voetgangerszone bezit.

Overnachten

Met uitzicht – **Vittoria:** Porto Santo Stefano, Via del Sole 65, tel. 0564 81 85 80, fax 0564 81 80 55, www.hvittoria.com. Juni-sept. 2 pk met ontbijt € 115-135. Hotel met 28 kamers, zwembad, tennisbaan en uitzicht over zee.

Landelijk – **La Locanda di Ansedonia:** Via Aurelia Sud, bij km 140,5, tel. 0564 88 13 17, fax 0564 88 17 27, www.lalocandadiansedonia.it. 2 pk € 90-130. Fraaie oude boerderij vlak bij de afslag naar Monte Argentario met twaalf kamers, een veranda aan de grote tuin en een goed maar duur restaurant.

Eten en drinken

In Porto Santo Stefano en vooral in Porto Ercole moet u diep in de buidel tasten om een eenvoudige visschotel op tafel te krijgen, bijvoorbeeld bij **Armando** of **Gambero Rosso.** De restaurants van Orbetello bieden daarentegen betaalbare kwaliteit. Aanraders zijn **Osteria del Lupacante,** Corso Italia 103 (tel. 0564 86 76 18), en **Il Cavallino Bianco,** Corso Italia 190 (tel. 0564 86 74 69). Menu's vanaf € 25.

Actief en creatief

Watersporten kunt u bij Monte Argentario uiteraard te kust en te keur beoefenen. Voor informatie over duiken kunt u in Porto Santo Stefano terecht bij de duikscholen **Diving Center Monteargentario** (tel. 335 597 20 25, www.argentariodiving.it) en **Centro Immersioni Costa d'Argento** (tel. 339 115 42 92, www.centroimmersioni.com). **Vega Navigazione** biedt **boottochten** naar de eilanden in de buurt aan (vlak bij de veerbootpier, tel. 0564 81 80 22, www.veganavi.it). Monte Argentario is ook een mooi gebied om te **wandelen**, bijvoorbeeld onder de oeroude parasoldennen van de Tombolo di Feniglia, de brede, zuidelijke dam.

Informatie

Informatie

Ufficio Turistico: 58019 Porto Santo Stefano (GR), Corso Umberto 55/a, tel. 0564 81 42 08, fax 0564 81 40 52, www.monteargentario.it. Ook informatie over Porto Ercole en Orbetello.

Vervoer

Boot: in het hoogseizoen veerboten vanuit Porto Santo Stefano naar Giglio, MareGiglio vaart minstens twaalf keer per dag heen en weer, tel. 0564 80 93 09, www.maregiglio.it. Ook draagvleugelboten.

De Etruskische steden van Zuid-Toscane

Deze liggen gewoonlijk op ruggen van tufsteen, waarbij de Etrusken de necropolissen beneden in de rotswanden en in de omgeving uithakten. Door hun ligging behoren ze ook landschappelijk tot de interessantste steden van Toscane.

Saturnia ▶ H 11

Dit stadje van Etruskische oorsprong met rond 300 inwoners is in de afgelopen jaren helemaal ontwaakt. Bars, restaurants, een klein hotel en enkele pension hebben in de hoop op een groeiende stroom toeristen de deuren geopend. Er zullen er waarschijnlijk meer volgen, hopelijk zonder de historische gebouwen te bederven.

Saturnia was tot 280 v.Chr. onderdeel van de Etruskische stadstaat *Vulci*. De lokale familie van grootgrondbezitters Ciacci verzamelde vondsten uit de buurt en het deel van de verzameling dat niet naar andere collecties is verdwenen, is nu te zien in een voormalig schoolge-

bouw aan de Via Italia (Museo Archeologico, twee weken voor Pasen-2 nov., kerstvakantie di.-zo. 10-13, 16-19uur. € 2,50).

In het slaperige dorpje kunt u op de piazza onder de oude kastanjebomen wat zitten mijmeren of u kunt naar de **Cascate del Mulino** met hun witte terrassen gaan, waar u in het warme water onder de vrije hemel kunt poedelen. Als u liever op zoek gaat naar sporen van de Etrusken, trek dan stevige wandelschoenen aan, vul een picknickmand en volg de borden naar de **Pian di Palma**, waar u in de **Necropoli del Puntone** bij het riviertje de Albegna ten noorden van Saturnia een heerlijke dagje kunt doorbrengen.

Overnachten

Aan het plein – **L'Antica Locanda:** Piazza Vitorio Veneto 31, tel. 0564 60 12 71. 2 pk € 50-55. Sympathiek hotelletje met vier eenvoudige kamers met grote badkamer in een oud huis aan de centrale piazza.

Informatie

Pro Loco: 58050 Saturnia (GR), Piazza Benvenuto di Giovanni, tel. 0564 60 12 37, www.saturniaonline.it. Op deze website vindt u tal van goede tips voor accommodaties, restaurants, uitstapjes en meer.   ▷ blz. 217

Geneeskrachtig badderen in de Cascate del Mulino

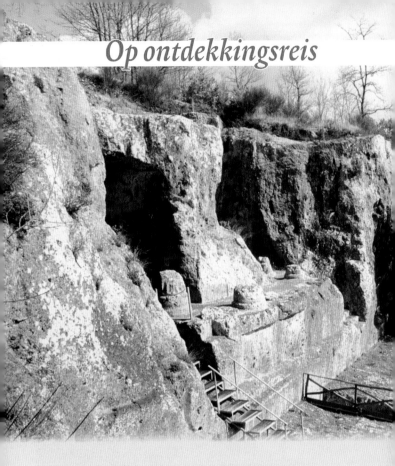

Etruskisch graf met duiventil

Sovana, Sorano en Pitigliano zijn de drie magische tufsteensteden van Toscane. Het betoverende Sovana wordt omringd door prachtige graven en holle wegen die de Etrusken in het tufsteen hebben uitgehakt.

Duur: minstens een halve dag.

Planning: in het hoogseizoen dag. 10-19 (aug. tot 20), in het laagseizoen alleen vr.-zo. 10 uur tot zonsondergang. € 5, combinatiekaartje met Sorano (ook Fortezza) en San Quirico/Vitozza € 7. Kijk voor meer informatie op www.leviecave.it.

Tip: trek stevige wandelschoenen aan en neem in de zomer een hoofdbedekking en water mee, ook al loopt u de meeste tijd in een dicht, schaduwrijk bos van steeneiken.

Tomba Ildebranda en een nieuwe ontdekking

Vanuit het centrum van Sovana is het maar een kort stukje (ca. 1,5 km) naar het parkeerterrein van de necropolis. Een trap leidt naar de kassa, waar u een kaartje koopt. Vervolgens volgt u de borden naar de Tomba Ildebranda, het mooiste Etruskische graf van de streek. Het tempelachtige grafmonument uit de 3e eeuw v.Chr. rustte oorspronkelijk aan de voorzijde op zes zuilen met cannelures, terwijl er aan beide zijkanten nog drie zuilen waren. Er is slechts één zuil bewaard gebleven, van een tweede zuil hangt nog een stuk aan het cassetteplafond. Onder de 'tempel' ligt achter de gang (*dromos*) de eigenlijke en verbazingwekkend kleine grafkamer. Rechts leidt een tweede dromos naar een wat grotere grafkamer, die vermoedelijk al uit de 4e eeuw v.Chr. stamt en die voor een belangrijke dode bestemd zal zijn geweest.

In 2006 werd links van de zogeheten Tomba Ildebranda een tweede tempelgraf ontdekt, dat vanwege het fraai bewaard gebleven beeldhouwwerk de naam **Tomba dei Demoni Alati** (tombe van de gevleugelde demonen) kreeg.

Tomba del Tifone en Il Cavone

Volg vanaf de hoofdweg bij de kassa de borden Tomba del Tifone/Via Cava, waarbij u na ongeveer 10 m rechts een diepgroen steeneikenbos betreedt. Links van het pad zult u talrijke eenvoudige graven ontdekken. Enkele minuten later komt u bij een *tomba a camera*, een in de tufsteen uitgehakt kamergraf van het soort dat hier veel voorkomt, met erboven een grafmonument dat op een dobbelsteen lijkt en rechts en links twee altaarvormige begraafplekken.

De **Tomba del Tifone**, een tempelgraf uit de 4e eeuw v.Chr., bestaat uit twee pijlers die een timpaan dragen met eronder een cassetteplafond. De kop van het zeewezen waarnaar het graf genoemd is, is helaas zo verweerd dat het nauwelijks herkenbaar is.

Rechts leidt een trap naar beneden verder door het bos, langs grote rotsblokken en rotswanden met natuurlijke grotten erin. Het lagere grindweggetje gaat naar de **Via Cava**, een in de tufsteen uitgehakte holle weg. Dit type wegen komt wel vaker voor in de streek van de Città del Tufo. Sommige van deze wegen worden nog steeds benut als verbindingsweg tussen boerderijen. Enkele boeren die in de buurt een huis of land bezitten, hebben nog het recht om met hun trekkers over deze wegen te rijden. Deze holle weg, die **Il Cavone** wordt genoemd, is in de loop der millennia deels door natuurlijke erosie steeds dieper uitgesleten, zodat de wanden steeds hoger zijn geworden (links tot 20 m). In de tufsteenwanden is van alles gekrast, inclusief ornamenten. Ook voor plantenliefhebbers is deze wandeling de moeite waard, want het is hier een paradijs voor planten die van vocht en koelte houden, zoals allerlei varens en diverse soorten klimop.

Tomba della Sirena

Schuin tegenover de kassa, aan de andere kant van de stille provinciale weg, ligt de toegang tot een nog ruiger deel van de necropolissen van Sovana. Als u het pad naar de Tomba della Sirena neemt, komt u al snel bij een beekje, de Calesina, met een brede waterval links en de enorme bladeren van het groot hoefblad langs de oevers. In de lente is de bosbodem bedekt met cyclaampjes en overal ruikt het naar wilde kruiden. Het bezoekerscentrum (met boekwinkel en drankjes) zit in het kerkje van San Sebastiano. De picknickplaats ernaast is na terugkeer een goede plek voor een pauze.

Door het bos van steeneiken, waar ook beuken en kastanjes in groeien, is

Boeren hebben de Tomba dei Colombai als duiventil in gebruik genomen

een pad met goed begaanbare treden uitgehakt. Rechts begint de imposante, 25-30 m hoge Via Cava di San Sebastiano. Langs de randen hoog boven u kunt u zien hoe de wortels van de bomen zich in de tufsteen klauwen. De weg naar links leidt naar de Tomba della Sirena. Voor u bij dit graf komt, ziet u al allerlei andere graftypes uit de 3e-2e eeuw v.Chr., waarbij kamergraven het meeste voorkomen. Aan het einde van de weg ziet u links in de rotswand de Tomba della Sirena, gedecoreerd met een dubbelstaartige Scilla, zoals het fabelwezen wordt genoemd, met rechts en links resten van demonen of wachters.

Het Duiventilgraf

Keer nu terug naar Sovana, waar bij de kasteelruïne een rode klinkerweg omlaag naar de provinciale weg leidt, die u min of meer rechtdoor inslaat. Na zo'n 20 m stijgen neemt u het pad links, aangegeven met een bord (met de rug naar u toe) dat naar de Monte Rosello met de Colombai uit de 3e-2e eeuw v.Chr. en de Tomba del Sileno verwijst. De route is deels overwoekerd omdat hij nauwelijks onderhouden wordt, maar juist daarom is dit een van de mooiste wandelingen in de buurt van Sovana. Hier voelt de wandelaar zich nog een beetje een ontdekkingsreiziger. Overal in het dichte bos zijn in de bodem uitgehakte graven te vinden, terwijl de tufsteenwanden vol zitten met kleine openingen waar smalle gangen naar toe lopen. Bij de grote graven staan informatieborden.

In dit deel van het bos kan men makkelijk verdwalen, maar als u af en toe omhoog kijkt, kunt u zich op de burcht van Sovana oriënteren. Als u de bordjes naar de **Tomba dei Colombai** volgt, komt u door het dichte bos bij de mooiste tombe uit de 4e/3e eeuw v.Chr. Het bevindt zich aan het einde van de tufsteenwand en wordt gekenmerkt door een fraai vierdelig cassetteplafond en ontelbare nissen in de wand, waar vroeger waarschijnlijk urnen in stonden en die later door de boeren werden gebruikt om duiven in te houden – vandaar de naam 'Duiventilgraf'.

Sovana ▶ J 11

Dit fraaie dorp met 200 inwoners ligt op een hoogte van 291 m boven een zij-rivier van de Fiore. Het tufsteenplateau waarop Sovana is gebouwd, steekt boven de bosrijke omgeving uit. Al in de 6e eeuw v.Chr. was Sovana een belangrijke Etruskische nederzetting, zoals blijkt uit de vele necropolissen aan de voet van het dorp. Het huidige dorpsbeeld is vooral middeleeuws. Aan de langgerekte **Piazza del Pretorio** vindt u het **Palazzo Pretorio** (13e eeuw), de **Santa Maria** (12e eeuw) met een uniek vroegromaans baldakijn en het **Palazzino dell'Archivio** met zijn klokkentorentje (14e eeuw).

Aan de andere kant van het plaatsje, aan het einde van de Via del Duomo, staat boven de rotswand de **duomo** uit de 8e eeuw met een rijk versierd portaal samengesteld uit ouder beeldhouwwerk met geometrische en figuratieve motieven (febr.-dec. dag. 10-18 uur, jan. za., zo.).

Overnachten

Intiem en huiselijk – **Scilla:** Via del Duomo 5, tel. 0564 61 65 31, www.al bergoscilla.com. 2 pk met ontbijt € 75-140. Acht lichte, gezellige kamers en nog eens zeven aan de overkant boven de Taverna Etrusca. Het vriendelijke restaurant Dei Merli ernaast dient als huiskamer van het hotel.

Eten en drinken

Sfeervol – **Ristorante dei Merli:** Via Rodolfo Siviero, www.ristorantedeimerli. com, tel. 0564 61 65 31. Jan.-feb. gesl., di. gesl. Menu vanaf € 23. Restaurant midden in Sovana met terras en traditionele gerechten op de kaart.

Prima pizza – **Il Sibeno:** Via Duomo s/n, tel. 0564 61 63 07. Uitgezonderd aug. op wo. gesl. Pizza vanaf € 6. Eenvoudige pizzeria met joviale eigenaar; in de winter brandt de haard, in de zomer kunt u buiten zitten.

Informatie

Città del Tufo: Palazzo Pretorio, www. leviecave.it
Cooperativa La Fortezza: bij de duomo, www.sovanaguide.it (organiseert ook excursies en geeft interessante boeken en brochures uit over dit deel van het Etruskische gebied).

Pitigliano ▶ J 12

Dit is een van de grootste plaatsen (4000 inwoners) van Etruskische oorsprong in Zuid-Toscane. Het ligt op een hoogte van 313 m op een tufsteenrug, waar de Etrusken talloze grotten in hebben uitgehakt. De wijnboeren van de omgeving gebruiken de grotten graag om hun droge witte wijn, de bianco di pitigliano, in de koelte op te slaan.

Tip

Gewoon betoverend

Klein (slechts achttien kamers), fraai ingericht hotel gevestigd in een eeuwenoud dorpshuis, maar voorzien van het modernste comfort. Fraaie verblijfsruimten, grote tuin en overal de moderne marmeren beelden van Federico Caruso, de zoon van de eigenaar. Verder met kleine beautyfarm en zwembad. **Sovana Hotel & Resort:** Piazza Duomo 66, tel. 0564 61 70 30, fax 0564 61 71 26, www.sovanahotel.it. 2 pk met ontbijt € 120-250.

De Romeinen waren zich even goed als hun Etruskische voorgangers bewust van de goede verdedigbaarheid van de stad. In de middeleeuwen was Pitigliano bezit van de machtige familie Orsini. Onder hun heerschappij bloeide de stad op en werden er fraaie paleizen en kerken binnen de trotse muren gebouwd. De Orsini werden opgevolgd door de Strozzi uit Florence, maar in 1604 kwam Pitigliano bij het groothertogdom Toscane.

Het fraaie beeld van een stad die uit de tufsteenrots lijkt te groeien, wordt vervolmaakt door het **aquaduct** met vijftien bogen van enorme hoogte. Wie eenmaal de stadspoort is gepasseerd en het centrum met zijn smalle straatje betreedt, komt al snel langs het met kantelen bekroonde **Palazzo Orsini** (14e-16e eeuw), nu een museum. De middeleeuwse **duomo Santi Pietro e Paolo** aan de Piazza Gregorio VII werd in de 18e eeuw in barokstijl gerenoveerd, maar de beer op het plein herinnert nog aan de Orsini.

Museo Civico Archeologico

's Winters di.-zo. 10-13, 15-18, 's zomers 10-13, 16-19 uur. € 3

Giuliano da Sangallo was de architect van de imposante vesting, die tot het fraaie Palazzo Orsini werd uitgebreid. Nu is het palazzo het onderkomen van een archeologisch museum (en van het Museo Diocesano e Arte Sacra). Het museum heeft een aardige verzameling Etruskische vondsten uit de necropolis van Poggio Buco en uit het nabije Vulci, maar het hoogtepunt zijn de onderaardse gangen die de Etrusken hebben uitgehakt en waar de bezoeker door kan lopen.

Het joodse getto

Zo.-vr. 10-12.30, 16-19, 's winters 10-12.30, 15-17.30 uur. € 2,50

Het getto rond de Vicolo Manin getuigt samen met de synagoge van het bestaan van een bloeiende joodse gemeenschap in Pitigliano in de 15e eeuw. Belangrijke zaken voor het joodse leven zoals een oven voor matzes, een koosjere slagerij en een ritueel bad zijn bewaard gebleven. Enkele buurtbewoners hebben samen een coöperatie opgericht om dit eeuwenoude erfgoed te behouden en laten het de geïnteresseerde bezoeker graag zien. De joodse gemeenschap van het stadje is al lang geleden verdwenen, maar in de restaurants van Pitigliano vindt u nog herinneringen aan de joodse keuken – ook al kookt men er niet echt koosjer …

Overnachten

Oudgediende – **Guastini:** Piazza Petruccioli 16, tel. 0564 61 60 65, fax 0564 61 66 52, www.albergoguastini.it. 2 pk met ontbijt € 62-115. Dit hotel met 27 kamers en uitzicht over het dal bestaat al sinds 1905. Goed restaurant met terras op de piazza.

Romantisch – **Il Tufo Rosa:** Piazza Petruccioli 97, tel./fax 0564 61 70 19, www.iltuforosa.com. 2 pk € 55-65. Vijf comfortabele kamers in het Fortezza Orsini. Voor romantici.

Eten en drinken

Lekker – **Guastini:** zie blz. 218 Overnachten, Hotel Guastini. Huisgemaakte pasta en joodse specialiteiten, menu vanaf € 22.

Informatie

Informatie

Pro Loco: 58017 Pitigliano (GR),Via Roma 6, tel./fax 0564 61 44 33. Op www.tuttopitigliano.com en www.parcode

glietruschi.it vindt u veel informatie over de Maremma Grossetana.

Vervoer

Goede **busverbindingen** met Grosseto (RAMA, tel. 0564 47 51 11, 199 84 87 87, www.griforama.it).

Sorano ✸ ▶ J 11

Ook Sorano (3700 inwoners, hoogte 374 m) biedt een fraai panorama en net als Pitigliano bezit het een goed bewaard gebleven middeleeuwse kern. Aan de noordkant van de stad staat de **Masso Leopoldino**, een middeleeuws fort dat in de 19e eeuw gerestaureerd werd in opdracht van groothertog Leopold. Het terras met een klokkentorentje biedt een weids uitzicht over de omgeving. Aan de zuidkant van Sorano staat het machtige **Fortezza Orsini** (1552, di.-zo. 10-13, 15-18 uur. € 7), dat de stad domineert. Dit fort is een interessante variant op de vestingarchitectuur van de renaissance met twee bastions en een centrale toren, waar nu een multimedia-centrum in is gevestigd. In het fort kunt u ook de **Camminamenti sotteranei** betreden, de onderaardse gangen uit de renaissance die volgens de toenmalige modernste ideeën zijn aangelegd.

De **Collegiata di San Nicolà di Bari** (12e eeuw) met een doopvont uit travertijn uit 1563 herbergt ook een prachtige crucifix uit de 17e eeuw en enkele schilderijen uit de 16e eeuw van lokale kunstenaars (de kerk is overdag doorlopend geopend).

Ook het kleine **joodse getto** van Sorano, waar tegenwoordig weer enkele joodse families wonen, is interessant.

▷ blz. 222

Sorano troont op een hoge tufsteenrots met uitzicht over Zuid-Toscane

In het wildpark – wolven en wilde ezels

Aan de voet van de Monte Amiata wordt een stuk natuur van 80 ha streng beschermd. Dit wildpark biedt ruimte aan talrijke diersoorten die vroeger algemeen in de Apennijnen voorkwamen. Een van die diersoorten is de wolf, die met uitsterven bedreigd wordt.

Duur: een halve tot een hele dag

Planning: di.-zo. 7.15 uur tot zonsondergang. € 3,50. Bel voor rondleidingen tel. 0564 96 68 67, www.parcode glietruschi.it.

Route: vanuit Arcidosso en Santa Fiora is de weg goed aangegeven.

Het **Parco Faunistico del Monte Amiata** is op het gebied van inrichting en onderhoud een nieuw fenomeen onder de Toscaanse en zelfs Italiaanse parken. In het park ligt de nadruk op het behoud van de optimale omstandigheden voor zowel de flora als de fauna die hier te zien is. De bescherming van de Apennijnse wolf is daarbij een soort extraatje. Het is vooral de bedoeling om de bezoekers, waaronder veel schoolklasen en gezinnen met kinderen, te laten zien hoe een intacte natuur er uitziet en uit te leggen dat het de moeite waard is om die te beschermen. Ook wordt verteld hoe dat gedaan kan worden.

De uitzichten vanuit het park over de omringende Maremma zijn gewoon grandioos met aan de ene kant de Monte Amiata en aan de andere de Monte Labbro, die als oriëntatiepunten dienen.

Dieren van de Apennijnen

Al meteen bij het betreden van het park zal de bezoeker de eerste vrijlopende wilde dieren zien, die het beste geobserveerd kunnen worden vanuit de uitkijktoren of vanaf het pad. Links van het pad grazen herten en reeën, rechts een nieuwsgierige kudde moeflons of een grote groep wilde schapen. Volg op uw wandeling de houten bordjes, die de weg naar de verblijven van de dieren wijzen.

De meeste dieren in het park horen thuis in de Apennijnen, maar zijn daar in grote delen verdwenen en daardoor spelen ze geen belangrijke rol meer in het handhaven van het natuurlijke evenwicht in de bergen. Tot deze diersoorten horen edelherten, damherten, reeën, gemzen en moeflons met hun dikke horens. Maar ook de schuwe Apennijnse wolf, die in een enorm omheind stuk bos rondloopt en die met wat geluk gespot kan worden vanuit de uitkijktoren of vanaf het palissadepad.

Een ander dier waar men in het park trots op is en dat leuk is om te zien, is de eveneens van het uitsterven geredde amiata-ezel, die in het Italiaans officieel de *Asino Sorcino Crociato* wordt genoemd. In het park leven er momenteel een zestal, terwijl er bij de Monte Labbro nog eens tien zijn, die in het voorjaar gewoonlijk vergezeld worden door hun schattige veulens – allemaal met een hippe zwarte streep over de hals, terwijl ze verder helemaal lichtgrijs zijn.

Beekjes en poelen

Een didactisch pad, waarvoor u ongeveer twee uur moet uittrekken, leidt langs enkele bronnen, die met hun koele water het ruisende beekje de Onazio voeden, dat in het oosten van het park in het riviertje de Zangona uitmondt. Het is een pittige wandeling door het dichte bos en langs de steile oevers, maar houten bruggen en paden vergemakkelijken de tocht, terwijl het heldere water van het beekje voor verkoeling zorgt.

Wie geen zin heeft om lange wandelingen te maken, kan in de buurt van de parkgebouwen (met uitnodigende trattoria) blijven en een kijkje nemen bij de stallen, waar paarden en ezels staan, die na de sluitingstijd van het park vrij rond mogen lopen. Richting uitgang is er ook een kleine vijver, bewoond door kikkers die een oorverdovend lawaai maken, ten minste, zo lang u uit de buurt blijft, want bij nadering zwijgen ze als het graf.

Omhoog

De zware wandeling omhoog naar de 1192 m hoge top van de alles dominerende Monte Labbro neemt al gauw drie uur in beslag. Hier woonde de 'Profeet' van de Monte Amiata, David Lazzaretti, die er in de 19e eeuw enkele gebouwen neerzette. Maar wat de wandeling uiteindelijk de moeite waard maakt, is het schitterende panorama vanaf de top.

Overnachten

Bijna vorstelijk – **Hotel della Fortezza:** Piazza Cairoli, tel. 0564 63 20 10, fax 0564 63 32 09, www.fortezzahotel.it. 2 pk met ontbijt € 90-160. Klein hotel in het deels gerestaureerde complex van het Fortezza Orsini met zestien sterk verschillende kamers, waarvan sommige een schitterend uitzicht hebben.

Informatie

Informazioni Turistiche: 58010 Sorano (GR), Piazza Busatti 8, tel. 0564 63 30 09, www.leviecave.it (informatie over alle Città del Tufo, de tufsteensteden, ook voor de graven van Sovana en Vitozza). In het fortezza zit het informatiebureau voor de Maremma, hier kunt u ook rondleidingen door de onderaardse gangen boeken.

Monte Amiata ▶ J 10

Met zijn 1738 m is deze berg van vulkanische oorsprong de hoogste top in Toscane (in het noorden staan op de grens met Emilia-Romagna hogere bergen). De Monte Amiata is onmiddellijk herkenbaar aan zijn vulkaanvorm met een kleine bult. In de winter kunt u er hier geskied worden, want er zijn enkele skiliften. In de herfst is de top vaak in mist gehuld. Van de lente tot in de herfst is de Monte Amiata een schitterend **wandelgebied** met prachtige kastanje-, eiken- en beukenbossen en u kunt er het interessante wildpark **Parco Faunistico del Monte Amiata** (zie blz. 220) bezoeken.

Radicofani ▶ K 10

Ten oosten van de Monte Amiata ligt een heel wat lagere, maar bijna even markante berg met op een hoogte van 718 m het middeleeuwse stadje Radicofani, gedomineerd door een met kantelen bekroonde toren. Het is een aardig, maar wat somber ogend plaatsje dat binnen zijn oude muren tegen de helling ligt gevleid. In de loop der eeuwen hebben de diverse heersers er hun sporen nagelaten. In zijn geschiedenis was het dorp bezit van afwisselend pausen, keizers en de Medici. Daardoor is Radicofani een leuke plaats om in de zomer de koelte op te zoeken.

Overnachten

Landelijke luxe – **Il Poggio:** 53040 Celle sul Rigo (SI) vlak bij San Casciano de Bagni, tel. 0578 537 48, fax 0578 535 87, www.ilpoggio.net. 2 pk met ontbijt € 180-220, verblijf van een week inclusief paardrijden vanaf € 880 per persoon. Prachtige gelegen agriturismo met uitzicht op de Monte Amiata. Het bedrijf produceert voortreffelijke biologische wijnen en olijfolie, beschikt over een professionele manege en heeft een fokkerij van *Cinta senese*, een oeroud varkensras.

Eten en drinken

Mooi & goed – **Il Poggio:** zie boven. Di. gesl. (behalve juli en aug.), menu vanaf € 25. Uitstekend restaurant met biologische producten van het eigen agrarische bedrijf. Huisgemaakte pasta en heerlijke desserts.

Levendig – **La Stalla:** Radicofani, Porta Da Piedi. Kleine bar en enoteca voor de stadspoort met reusachtige keuze aan wijnen en lekkere hapjes.

Favoriet

De hete baden van San Casciano dei Bagni

Helemaal in het zuidoosten van Toscane tussen Celle sul Rigo en het kuuroord San Casciano dei Bagni ligt in een ruig landschap een gratis toegankelijk bassin met water uit geneeskrachtige warme bronnen.

Siena en het zuidoosten

Hoogtepunten! ✳

Siena: deze stad vol gotische paleizen van rode baksteen geldt als een van de hoogtepunten van Toscane en alleen al de enorme, schelpvormige Campo rechtvaardigt die reputatie. Omdat de stad op drie heuvelruggen is gebouwd, stijgen en dalen de straten en moet de bezoeker dus goed ter been zijn. Blz. 226

Crete: geen enkel ander Toscaans landschap zal zo vaak geschilderd, getekend en gefotografeerd zijn als de leemheuvels van de Crete ten zuidoosten van Siena, die in het voorjaar heerlijk groen zijn. Blz. 241

Op ontdekkingsreis

Bronnentocht door Siena: zonder water zou Siena nooit een belegering hebben kunnen doorstaan en daarom legden de bewoners in de van nature waterloze stad een geraffineerd systeem van kanalen en bronnen aan, dat een van de minder bekende attracties van de stad vormt. Blz. 234

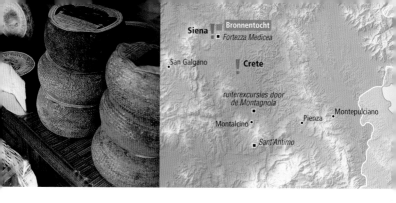

Bezienswaardigheden

De palazzi van Siena: een gotisch parelsnoer ... Blz. 227

Museo della Scala: het indrukwekkendste museum van Siena met onderaardse gangen, zalen en kapellen vol fresco's. Blz. 237

San Galgano: de fraaiste ruïne van Toscane was vroeger een van de belangrijkste kloosters van de streek. Blz. 239

Sant'Antimo: schitterend gelegen romaanse kerk ten zuiden van Montalcino, het beroemdste wijnstadje van de provincie. Blz. 257

Actief en creatief

Ruiterexcursies: door de nog vrijwel onbekende Montagnola, een streek van dichte bossen en pittoreske dorpjes. Blz. 41

Sfeervol genieten

Pienza: dit op de tekentafel ontworpen renaissancepareltje is tegenwoordig ook een pelgrimsoord voor lekkerbekken. Blz. 250

De wijnstadjes Montalcino en Montepulciano: deze plaatsjes zijn niet alleen mooi, maar ook een ideale bestemming voor wijnkenners en -liefhebbers. Montalcino is beroemd om zijn brunello en Montepulciano om zijn vino nobile. Blz. 244 en 257

Uitgaan

Enoteca Italiana: het fraaie Fortezza Medicea in Siena is een uitstekend adres om de beste wijnen van Italië te proeven en kopen. Blz. 238

Fraai cultuurlandschap voor genieters

Siena ✱ ▶ H 7/8

Het baksteenrode Siena is voor velen de mooiste stad van Toscane, met als hoogtepunt de Campo, het plein der pleinen en toneel van de opwindende paardenrace Palio, die twee keer per jaar gehouden wordt. Maar Siena bezit ook een rijk gedecoreerde kathedraal en fraaie musea. Bovendien is het dankzij de universiteit en diverse hogescholen een levendige stad.

INFO

Informatie

Terre di Siena: officiële website van de APT van Siena en omgeving met goede informatie over kunst, sport, musea, tentoonstellingen, accommodatie en restaurants: www.terresiena.it.

Reizen naar en in Siena

Het **station** van Siena ligt aan de spoorlijn tussen Florence (waar u kunt overstappen op de trein naar de luchthaven van Pisa) en Grosseto in het zuiden. Het **busnetwerk** binnen de provincie is goed, alleen kleine dorpen kunnen lastig te bereiken zijn. Er rijden ook veel bussen naar de andere provinciehoofdsteden van Toscane. De bussen vertrekken vanaf de Piazza Gramsci vlak bij de San Domenico. De oude straatjes van het centrum zijn gesloten voor autoverkeer en het aantal bussen (voornamelijk van en naar het station) is er beperkt. De bezoeker moet redelijk goed ter been zijn omdat de stegen tussen de wijken behoorlijk steil kunnen zijn, wel heeft de stad inmiddels een aantal roltrappen laten aanleggen.

Van welke kant u ook komt, of dat nu van Castellina in Chianti of Monteriggioni is of over een van de ontelbare slingerwegen rondom de stad, al vanaf ruim 20 km is Siena (322 m, 54.500 inwoners) te zien als een langgerekt silhouet met torens en koepels.

Siena, de stad van de gotiek, ligt binnen zijn middeleeuwse muren verspreid over drie heuvelruggen, de **Terzo di Camollia, Terzo di San Martino** en **Terzo di Città**. Op de plek waar de drie heuvelruggen samenkomen, ligt de Campo met de door masa's duiven en toeristen omringde Fonte Gaia.

De paleizen, kerken, bronnen en stadsmuren van Siena zijn buitengewoon goed bewaard gebleven. Al vroeg is men hier begonnen met het opknappen van het oude centrum, dat als eerste van Italië verkeersvrij werd.

De oorsprong van Siena is in nevelen gehuld, maar waarschijnlijk begon de stad als een Etruskische of Romeinse nederzetting. Siena voert net als Rome de wolvin in het wapenschild, een gebruik dat op de middeleeuwse legende van Senius en Aschius teruggaat, die samen met de Romeinse wolvin op de vlucht sloegen voor hun oom Romulus en hier het Castello Senio bouwden. De kleuren van de vlag van Siena zijn gebaseerd op het zwart van het zadeldek van Aschius en het wit van dat van Senius.

In 313 kreeg Siena een bisschop. Vanaf 1114 laaien er voortdurend conflicten op tussen het Welfische Florence en het Ghibellijnse Siena. Daarbij draaide het vooral om de veiligheid van de handelsroutes en om het heffen van tol. Frederik Barbarossa beloonde de trouw van de Ghibelijnse stad met muntrecht, eigen rechtspraak en het recht om zelf consuls te kiezen. Vanaf 1236 was Siena een vrije *comune* met een Raad van 24.

In 1240 werd de universiteit gesticht. In 1260 behaalde Siena een grote overwinning op Florence, een feit dat nog steeds gevierd wordt. In 1555 kwam Siena uiteindelijk toch definitief onder Florentijnse heerschappij en werd onderdeel van het groothertogdom Toscane.

Van de San Domenico naar de Campo

San Domenico **1**

's Zomers dag. 7-18.30, 's winters 9-18 uur. Bovenkerk gratis, benedenkerk alleen bij evenementen open

De grote, imposante San Domenico uit 1225-1254 is een zaalkerk, een bouwvorm die karakteristiek voor de bedelorden is. De kerk bevat de enige authentieke afbeelding van de heilige Catharina van Siena (een fresco uit 1380). In de kleine Cappella di Santa Caterina uit 1488 (rechterwand) zijn fraaie fresco's uit 1526 met taferelen uit haar leven en haar schedel te zien. De benedenkerk uit de 14e eeuw is gewoonlijk alleen toegankelijk als er tentoonstellingen worden gehouden. De hoge baksteengewelven die de last van de zware bovenkerk dragen, rusten op dikke bundelpijlers.

Piazza Salimbeni **2**

Van de Piazza San Domenico kunt u over de brede Viale Curtatone (verkeer) of de smallere Via del Paradiso (alleen voetgangers) naar de grote Piazza Matteotti lopen, waar u schuin naar rechts de korte Via Piangiani naar de Piazza Salimbeni neemt. Aan dit pleintje staan drie paleizen: het **Palazzo Tantucci** uit de renaissance (gewijzigd in de 19e eeuw), het gotische **Palazzo Salimbeni** in het midden en rechts daarvan het 15e-eeuwse **Palazzo Spanocchi**, waar nu loketten zijn te vinden. Het paleizencomplex is namelijk hoofdzetel van de oudste bank van Toscane, Monte dei Paschi

di Siena (opgericht in 1472). Er worden af en toe rondleidingen door de historische bankgebouwen gegeven. Naast de architectuur zijn ook de schilderijenverzameling en de kasboeken, die tot eeuwen teruggaan, interessant.

Banchi di Sopra en Banchi di Sotto

Bij de Piazza Salimbeni begint de Banchi di Sopra, die op dezelfde hoogte ligt als de Piazza San Domenico. De voetgangersstraat loopt langs de kleine Piazza Tolomei met een hoge zuil waarop de Sienese wolvin Senius en Aschius zoogt. Het pleintje is de locatie van het oudste stadspaleis van Siena, het vestingachtige **Palazzo Tolomei 3**, nu zetel van de Cassa di Risparmio di Firenze. Het werd in 1205 gebouwd maar later van een extra verdieping voorzien en meermalen verbouwd.

Even verderop komt de straat uit bij de Banchi di Sotto, die hier in de Via di Città overgaat. Op dat punt ziet u naast de Loggia de **Vicolo di San Pietro**, die direct naar de Piazza del Campo leidt.

De Campo en door

Piazza del Campo

Het plaveisel van de schelpvormige, in segmenten verdeelde **Campo** bestaat uit rode klinkers die in een visgraatmotief zijn gelegd. Witte stroken van travertijn waaieren vanuit het laagste punt uit en trekken de blik naar het Palazzo Pubblico, dat naast het stadhuis het Museo Civico herbergt.

Palazzo Pubblico **4**

1 nov.-15 mrt. 10-18, 16 mrt.-31 okt. 10-19 uur. € 7,50, Torre del Mangia 10-16/19 uur, € 7, de twee samen € 13

In 1297, twee jaar voor de Florentijnen aan hun Palazzo Vecchio begonnen, werd hier de eerste steen voor het Sienese stadhuis gelegd. Aan de voorgevel valt af te lezen dat het palazzo oorspronkelijk alleen uit het drie verdiepingen tellende middendeel bestond. In 1305 werd dit deel met een verdieping verhoogd en in 1307 volgden de zijvleugels. De definitieve vorm kreeg het gebouw in 1680 toen de zijvleugels een verdieping opgehoogd werden in de oorspronkelijke gotische stijl.

Het **Museo Civico** is vooral vanwege het interieur van het palazzo zelf verplichte kost. Tot de belangrijkste zalen behoren de **Sala del Mappamondo** met fresco's van Simone Martini (en dan vooral de *Maestà* uit 1315) en de **Sala della Pace** met fresco's van Ambrogio Lorenzetti: *Het goede bestuur* en *Het slechte bestuur* (1337-1339). Op de bovenverdieping bevindt zich aan de achterzijde van het palazzo een grote loggia die een schitterend uitzicht over stad en land biedt.

De **Torre del Mangia**, het symbool van de stad en gebouwd in 1325-1344, priemt 102 m hemelwaarts. Hoewel de toren op het laagste punt van de Campo tussen de drie stadsdelen staat, steekt hij boven alle andere torens van de stad uit, ook boven die van de kathedraal, wat uiteraard als een symbool van de seculiere macht was bedoeld.

Fonte Gaia [5]

De fraaie fontein die Jacopo della Quercia in 1409-1419 voor de Campo maakte, is in de 19e eeuw vervangen door een kopie. Het inmiddels gerestaureerde origineel staat in losse onderdelen in het Museo della Scala tegenover de kathedraal. Aan de populariteit van de fontein op de piazza doet dit feit overigens geen afbreuk ... (zie ontdekkingsreis blz. 234).

Palazzo Sansedoni [6]

Op zijn laatst in 1309 (de precieze datum is onbekend) gaf de stad voorschriften uit voor de vormgeving van de Campo. In 1359 richtte Siena zelfs een schoonheidscommissie op, die erop moest toezien dat alle gevels aan het plein naar voorbeeld van het stadhuis werden vormgegeven en dat de gebouwen geen verspringingen of te ver uitstekende dakranden kregen. Het Palazzo Sansedoni in de noordelijke bocht van het plein kreeg in 1339 in de geest van deze voorschriften een nieuwe gevel waarmee diverse oudere huizen werden samengevoegd. Het palazzo is nu eigendom van de bank Monte dei Paschi di Siena en kan niet van binnen bezichtigd worden.

Palazzo Piccolomini 7

Ma.-za. toegang om 9.30, 10.30 en 11.30 uur, gratis

Het in 1864 gerestaureerde palazzo (in 1460-1465 in de stijl van de vroege Florentijnse renaissance gebouwd) staat in de Banchi di Sotto 52 en herbergt het staatsarchief, **Archivio dello Stato.** U kunt er kostbare handschriften, door Sienese kunstenaars tussen 1258 en 1682 beschilderde boekkaften en historische kaarten bekijken.

Via di Città

Smalle steegjes verbinden de Campo met de Via di Città. Dit is een van de belangrijkste winkelstraten van het centrum met een reeks middeleeuwse woonpaleizen, waarvan meestal alleen de voorgevel nog in oorspronkelijke staat is. U vindt er talrijke delicatessenwinkels, maar ook boetieks en souvenirwinkels. De hoge poorten aan de Via di Città zijn gewoonlijk potdicht, want in de gebouwen hebben of banken hun kantoren of ze zijn gesplitst in woningen. De poort van het **Palazzo Chigi Saracini** 8 staat overdag wel open en geeft toegang tot een binnenhof met een fraaie put en beschilderde gewelven. Het palazzo is sinds 1932 de zetel van de **Accademia Musicale Chigiana** en her-

Vanaf de Torre del Mangia hebt u fraai zicht op de schelpvormige Piazza del Campo

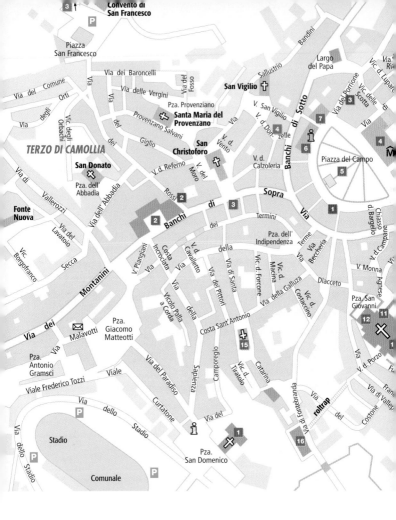

bergt een fraaie verzameling instrumenten en schilderijen, die op vrijdag en zaterdag (11, 12, 15, 16 uur, € 7) en bij bijzondere gelegenheden te bekijken is.

Piazza del Duomo

De Via del Castoro loopt langs de Questura en leidt naar de **Piazza Jacopo della Quercia**, het plein tussen de onvoltooide façade van wat de nieuwe dom had moeten worden en het transept van de bestaande kathedraal. Tegenover de duomo staat het complex van het vroegere hospitaal **Santa Maria della Scala** (zie onder), dat nu een van de belangrijkste musea van Toscane herbergt.

Links van de kathedraal staat het **Palazzo Vescovile**, het aartsbisschoppe-

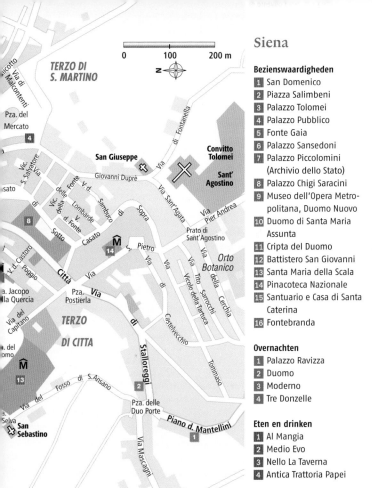

Siena

Bezienswaardigheden

1 San Domenico
2 Piazza Salimbeni
3 Palazzo Tolomei
4 Palazzo Pubblico
5 Fonte Gaia
6 Palazzo Sansedoni
7 Palazzo Piccolomini (Archivio dello Stato)
8 Palazzo Chigi Saracini
9 Museo dell'Opera Metropolitana, Duomo Nuovo
10 Duomo di Santa Maria Assunta
11 Cripta del Duomo
12 Battistero San Giovanni
13 Santa Maria della Scala
14 Pinacoteca Nazionale
15 Santuario e Casa di Santa Caterina
16 Fontebranda

Overnachten

1 Palazzo Ravizza
2 Duomo
3 Moderno
4 Tre Donzelle

Eten en drinken

1 Al Mangia
2 Medio Evo
3 Nello La Taverna
4 Antica Trattoria Papei

lijke paleis, dat in 1718-1723 in een historiserende gotische stijl werd gebouwd. Omdat het gebouw nog steeds zijn oorspronkelijke functie heeft, kan het gewoonlijk niet bezichtigd worden.

Museo dell'Opera Metropolitana en Duomo Nuovo 9

Dag. nov.-feb. 10-17, mrt.-mei, sept., okt. 9.30-19, juni-aug. 9.30-20 uur. € 6.

Er zijn diverse combinatiekaartjes mogelijk, informeer ter plekke.
In 1339 begon Siena aan een ambitieuze nieuwe kathedraal, maar de bouw daarvan kwam stil te liggen vanwege problemen met de constructie en bij gebrek aan geld werd het project nooit hervat. Van de nieuwe kerk werden alleen een zijschip en de gevel met zijn hoge boog, **Il Facciatone**, gebouwd.

Het zorgvuldig en niet overladen ingerichte kathedraalmuseum in het 'voltooide' deel van de nieuwe kathedraal is een van de hoogtepunten van Siena. Het bezit belangrijke kunstwerken als de beelden van de kathedraalgevel van Giovanni Pisano (1284-1297), een reliëf van Jacopo della Quercia en de *Maestà* van Duccio di Buoninsegna uit 1311, die tot 1506 op het hoofdaltaar van de dom pronkte.

Duomo di Santa Maria Assunta 10

Ma.-za. nov.-feb. 10.30-18, mrt.-mei en sept./okt. tot 19.30, zon- en feestdagen alleen 13.30-17.30, juni-aug. ma.-za. 10.30-20, zon- en feestdagen 13.30-18.30 uur (geen toegang tijdens missen). Incl. Libreria Piccolomini € 3, indien de vloer niet afgedekt is € 6

In 1210 werd op het hoogste punt van de stad de eerste steen van de kathedraal gelegd. In 1297 begon Giovanni Pisano aan de beelden voor de gevel en in 1316 werd het koor vergroot. In 1369 werd het schip verhoogd. De kerk bezit een kleurige marmeren gevel en een rijk gedecoreerd interieur.

In het interieur van de drieschepige basiliek dragen hoge pijlers grote bogen. De pijlers en wanden van marmer zijn zwart-wit gestreept (de kleuren van Siena, maar ook het kenmerk van de Pisaans-romaanse stijl). In de kroonlijst boven de bogen zijn busten van pausen te zien, gemaakt in de 15e en 16e eeuw. De preekstoel uit 1265-1268 is van de hand van Nicola Pisano, die hulp van medewerkers en zijn zoon Giovanni kreeg. Dit is een van de vier beroemde preekstoelen die de familie schiep, twee andere staan in Pisa (dom en baptisterium), de vierde in de Sant'Andrea in Pistoia. Het ronde raam boven het koor (1287/1288) is waarschijnlijk naar een tekening van Duccio vervaardigd en toont Dood, Hemelvaart en Kroning van Ma-

ria. De **koorbanken** (1363-1397), alleen met een rondleiding te zien, zijn prachtig met illusionistische afbeeldingen ingelegd.

Heel bijzonder is de **marmeren vloer**, die tussen 1372 en 1562 is gemaakt met decoraties en taferelen in ingelegd marmer. Sommige taferelen (onder andere die van Domenico Beccafumi, 1485/1486-1551, die ook de meeste kaarsdragende bronzen engelen in het koor vervaardigde) zijn gemaakt door in het marmer te krassen en de groeven met teer te vullen. Andere bestaan uit stukjes marmer die als een mozaïek zijn gelegd.

In het linkerzijschip is de toegang tot de **Libreria Piccolomini** die in 1495 gebouwd werd in opdracht van Francesco Todeschini Piccolomini, de latere paus Pius III, als onderkomen voor de kostbare verzameling handschriften van zijn oom, paus Pius II, de bouwer van Pienza in het zuidoosten van Toscane. De muren van de bibliotheek zijn bedekt met kleurige fresco's met taferelen uit het leven van paus Pius II. Ze werden in twee fasen, in 1502-1503 en 1505-1507, door Pinturicchio geschilderd. De maansikkel uit het wapenschild van de Piccolomini, die in Siena heel wat nagelaten hebben, is ook in de bibliotheek veelvuldig te zien.

Cripta del Duomo 11

Mrt.-mei, sept., okt. 9.30-19, juni-aug. tot 20, nov.-feb. 10-17 uur. € 6 (incl. audioguide)

De crypte van de kathedraal bevindt zich tussen het koor en het baptisterium. Tijdens restauratiewerkzaamheden kwam er een schitterende frescocyclus (rond 1280) te voorschijn die u beslist niet mag missen.

▷ blz. 237

Gotische praal: Duomo di Santa Maria Assunta

Langs de bronnen - watervoorziening en kunst

Siena is een stad waar het water oorspronkelijk niet rijkelijk vloeide. Om tijdens belegeringen niet door watergebrek snel op de knieën te worden gedwongen, hebben de inwoners zelf bronnen gecreëerd, die deels het karakter van een vesting kregen.

Duur: ten minste een halve dag

Planning: houd met de planning rekening met de openingstijden van het **Museo della Scala** (dag. 10.30-18.30 uur), waar zich de originele beelden van de Fonte Gaia bevinden.

Startpunt: de parkeerplaats ten westen van de muren vlak bij de Fontebranda of bij de Fontebranda zelf.

Fontebranda

Aan de voet van de rots waar de San Domenico op is gebouwd, staat de kasteelachtige Fontebranda in de stadswijk Contrada dell'Oca. Met dit door vier leeuwenkoppen 'bewaakte' reservoir toonde Siena hoe belangrijk water was voor een stad zonder natuurlijke waterbronnen. De vestingachtige bron is het eindpunt van de in totaal 25 km aan gangen, de *bottini* (afgeleid van *volte a botte,* het Italiaans voor de tongewelven waarmee ze zijn overdekt). De bottini stijgen over elke kilometer een meter en vangen het water op dat door de bodem sijpelt. Het water stroom vervolgens naar de bron. Met dit indrukwekkende staaltje ingenieurskunst werd heel Siena eeuwenlang van water voorzien. De 1,75 m hoge en 90 cm brede gangen worden af en toe onderbroken door bassins waar het kalk in het water zich afzette zodat het verwijderd kon worden. In de goed onderhouden tunnels, die met een gids soms bezocht kunnen worden, kwamen geen ratten voor. Het water wordt nu alleen nog voor fonteinen gebruikt, want de stad voert zijn drinkwater tegenwoordig door grote leidingen aan.

Doopbekkens voor de contrada

Al in de 14e eeuw werd er streng opgetreden tegen moedwillige en onopzettelijke vervuiling van het water. Er golden ook strenge wetten voor het gebruik van de bron, of dat nu voor privédoeleinden of openbare toepassingen was. Het water wordt tegenwoordig gebruikt om baby's te dopen, niet religieus, maar om ze als inwoner van de *contrada* (stadswijk) te verwelkomen. De leider van de wijk voert de doop uit. Elke contrada heeft zijn eigen, soms heel moderne fontein voor doopplechtigheden.

Als u van de Fontebranda richting stadspoort loopt, kunt u vlak voor de poort naar links gaan en de roltrap omhoog naar de stad nemen. U kunt in plaats daarvan ook tegenover de Fontebranda de historische *costone* inslaan en in tien minuten omhoog lopen naar het gelijknamige theater. Sla boven aangekomen rechts af en ga bij de splitsing links omhoog naar de Piazzetta della Selva. In een hoek van het pleintje ziet u **de fontein van de Contrada della Selva** met de neushoorn die het symbool van de wijk is. Het pleintje wordt gedomineerd door de enorme bakstenen massa van het al in 1050 gestichte hospitaal van Siena, het Ospedale Santa Maria della Scala, dat inmiddels is verbouwd tot een van de mooiste musea van Toscane.

Fonte Gaia 5

Vanaf de Piazzetta della Selva kunt u via de Vicolo di San Girolamo, deels steeg, deels trap, door (!) het ospedale Santa Maria della Scala (zie blz. 237) naar de Piazza del Duomo. Hier vindt u (aan de zijkant) de ingang van het museumcomplex, waar de originele beelden van de Fonte Gaia op de Campo zijn te zien. Helaas zijn de beelden na langdurige restauratie om onduidelijke redenen niet weer tot een geheel samengevoegd, maar zijn ze los van elkaar te bekijken. *La Libertà* en *La Carità* zijn misschien wel de mooiste beelden. Het archeologische museum in het complex bezit talrijke fraaie Etruskische en Romeinse vondsten, terwijl het hospitaal als 'stad in de stad' zo zijn eigen bekoring heeft. De bezoeker kan hier uren dwalen, waarbij u de onderste verdiepingen vaak vrijwel helemaal voor uzelf hebt.

Als u de bordjes naar de *uscita*, de uitgang, volgt, komt u via een lange trap bij de de grote ziekenzaal bedekt met prachtige fresco's die het verzorgen van zieken als onderwerp hebben. Na het verlaten van het museum staat u weer op de Piazza del Duomo en is het niet ver lopen naar de Campo, waar de door duiven en toeristen omringde kopie van de Fonte Gaia staat – maar zonder de twee vrijstaande beelden, die alleen als origineel in het museum zijn te zien.

Fonte del Casato

Door heel de oude stad van Siena zijn bronnen, putten en fonteinen te vinden. Een van de mooiste renaissance-putten staat op de binnenplaats van het indrukwekkende **Palazzo Chigi-Saracini** 8 (zie blz. 230). De poort van het paleis, waar nu een muziekacademie in zit, staat overdag open en iedereen is vrij om binnen te lopen om de fraaie put te bewonderen.

Aan dezelfde kant van de straat waar het palazzo staat, leidt een steil steegje naar beneden naar de Via del Casato di Sopra, waar u via een trap bij de onder het straatniveau verborgen Fonte del Casato, ook wel de Fonte Serena genoemd, komt. Deze bron is de doopvont

van de Contrada dell'Aquila en bestaat uit twee bassins onder een grote boog.

De fontein van de Contrada della Torre

Loop nu verder naar beneden en sla aan het einde de Via Giovanni Duprè links in. Neem vervolgens een van de steeg-jes naar rechts naar de **Mercato Vecchio**, waar de ovalen markthal met het ver uit-kragende dak, dat voor een aangename schaduw zorgt, weer in gebruik is. Vanaf het plein hebt u een fraai uitzicht op het kloostercomplex van Santa Maria dei Servi. Steek het plein over en loop via de brug (rechts beneden ziet u een grote wasplaats, gevoed door het regen-water van de Campo) naar de Contrada della Torre. Als u rechts de Via Salicotto inslaat, komt u al snel bij een moderne fontein met een olifant met een toren op zijn rug, het symbool van de contrada.

De bronnen van Siena waren bedoeld als drinkwatervoorraad in tijden van belegering

Battistero San Giovanni 12

1 mrt.-2 nov. 10.30-19, 3 nov.-28 feb. 10.30-17.30. € 3

Het baptisterium aan de Piazza San Giovanni ligt 14 m lager dan de ingang van de dom en is bereikbaar via een lange trap die tussen het museum en het koor van de kathedraal langs de ingang van de crypte loopt. De ruimte ontstond toen men in 1316 een ondersteunde structuur bouwde voor de uitbreiding van het koor van de dom. Men besloot er de doopkapel in onder te brengen (voltooid in 1325). Het resultaat heeft een indrukwekkende ruimtelijkheid met grote gewelven die op zware pijlers rusten. De doopvont is versierd met reliëfs die taferelen uit het leven van Johannes de Doper tonen. Ze werden vanaf 1417 door de beeldhouwers Donatello, Ghiberti, Giovanni Turino en Jacopo della Quercia vervaardigd.

Santa Maria della Scala 13

Openingsijden veranderen regelmatig, voorlopig dag. 11-18 uur. www.santamariadellascala.com. € 6

Tegenover de façade van de dom staat het voormalige Ospedale di Santa Maria della Scala uit de 13e-14e eeuw, dat tot 1990 als ziekenhuis in gebruik was. Nu is het complex onder andere het onderkomen van het **Museo Archeologico** met vondsten uit Siena en omgeving en uit Chiusi. De labyrinthische benedenverdiepingen zijn erg indrukwekkend, waar u de aangegeven routes zeker moet volgen (zie blz. 234).

De naam van het hospitaal zou verwijzen naar de imposante trap (*scala* in het Italiaans) van de dom. Een van de hoogtepunten in het uitgestrekte complex, dat tot het grootste cultuurcentrum van de stad is verbouwd, is de **Sala del Pellegrino** met een indrukwekkende frescocyclus van Domenico di Bartolo (1440-1443). Verder omvat het complex nog een fraaie eenschepige **kerk** (1252, verbouwd in 1466), die ook zonder het museum te bezoeken bezichtigd kan worden.

Andere bezienswaardigheden

Pinacoteca Nazionale 14

Ma. 9-13, di.-za. 8.15-19.15, zon- en feestdagen 9-13 uur. € 4

In dit schilderijenmuseum, dat sinds 1932 in het **Palazzo Buonsignori** aan de Via San Pietro 29 is gevestigd (met fraaie renaissanceput op de binnenplaats), is een grote verzameling werken uit de Sienese school te zien. De nadruk ligt daarbij op vroege Sienese meesters uit de 13e en 14e eeuw als Duccio, Simone Martini en de gebroeders Pietro en Ambrogio Lorenzetti, die allemaal met topwerken zijn vertegenwoordigd.

Santuario e Casa di Santa Caterina 15

Dag. 9.30-12.30, 15-18 uur, gratis. Het Casa is doorlopend open

In het santuario en het woonhuis van Santa Caterina, de stadspatrones van Siena, heerst meestal drukte. Niet alleen toeristen en pelgrims komen hier naar toe, maar ook de Sienezen zelf gaan en graag even langs. De pelgrimskerk van de heilige Catharina aan de voet van de San Domenico staat onder bescherming van de machtige Contrada dell'Oca, net als de **Fontebranda** 16 (zie blz. 235), die wat lager ligt en bedoeld was om in tijden van belegering de stad van water te voorzien. Het huidige indrukwekkende brongebouw met zijn kantelen en spitsbogen dateert van 1246.

Overnachten

Voor romantici – **Palazzo Ravizza** 1: Pian dei Mantellini 34, tel. 0577 28 04

62, fax 0577 22 15 97, www.palazzora vizza.it. 2 pk met ontbijt € 130-230. Hotel met goede ligging en fraaie verblijfsruimten in een paleis uit de 17e eeuw. Het beschikt over 33 kamers en suites, een restaurant met terras in de tuin en parkeerruimte.

Comfortabel – Duomo 2: Via Stalloreggi 38, tel. 05 77 28 90 88, fax 0577 430 43, www.hotelduomo.it. 2 pk met ontbijt € 105-150. Eenvoudig hotel met 23 kamers niet ver van de kathedraal.

Vriendelijk – Hotel Moderno 3: Via Baldassarre Peruzzi 19, tel. 0577 28 84 53, fax 0577 27 05 96, www.hotelmoderno siena.it. 2 pk met ontbijt € 75-120. Gemoedelijk bestierd hotel met lichte kamers en een tuin onder de Porta Ovile (roltrap!). 55 kleine, maar vriendelijke kamers, restaurant, parkeerplaats.

Eenvoudig maar centraal – Tre Donzelle 4: Vicolo delle Donzelle 5, tel./fax 0577 28 03 58, www.tredonzelle.com. 2 pk met ontbijt € 60-75. Aardig pension in een palazzo vlak bij de Campo.

Eten en drinken

Aan de Campo – **Al Mangia** 1 nr. 42-46, tel. 0577 28 11 21, 's zomers dag. geopend, menu rond € 50. Aangenaam restaurant met fraai uitzicht op het Palazzo Pubblico (maar toeristisch).

Gotische ruimte – **Medio Evo** 2: Via dei Rossi 40, tel. 0577 28 03 15. Half juli gesl., do. gesl. Menu rond € 30. Dit vriendelijke restaurant bevindt zich in een steegje vlak bij de Piazza Salimbeni. Het kan er flink druk zijn, maar de keuken biedt goede Toscaanse gerechten.

Wildspecialiteiten – **Nello La Taverna** 3: Via del Porrione 28, tel. 0577 28 90 43. Jan. gesl., zo. gesl. Menu vanaf € 23. Een aanrader, dit kleine, gezellige eethuisje met huisgemaakte verse pasta en in de herfst veel wild- en paddenstoelengerechten op het menu.

Eerlijk – **Antica Trattoria Papei** 4: Piazza del Mercato 6, tel. 0577 28 08 94. In juli tien dagen gesl., ma. gesl. Menu vanaf € 22. Eenvoudige, vriendelijke en zeer goede trattoria aan het oude marktplein achter de Campo, waar goede Toscaanse gerechten zonder opsmuk op tafel komen.

Winkelen

Rond de Campo (bijvoorbeeld bij **Dolci Senesi**) en in talrijke andere winkels in de toeristische straten, maar ook in de Banchi di Sopra, Banchi di Sotto (bijvoorbeeld **Morbidi**) en de Via di Città vindt u typische Sienese en Toscaanse culinaire specialiteiten, met in de eerste plaats allerlei soorten panforte, *de* zoete specialiteit van Siena bij uitstek. Het gaat om een soort lang houdbaar kerstbrood met gekonfijte vruchten en noten, dat het hele jaar geproduceerd en verkocht wordt. De vader van de beroemde popster Gianna Nannini heeft de panforte wereldwijd bekend gemaakt. Als u een kleinigheid wilt eten, kunt u in vrijwel elke bar of delicatessenwinkel een *panino* klaar laten maken, bijvoorbeeld bij de Antica **Pizzicheria de Miccoli** in de Via di Città 94/95.

Uitgaan

Enoteca Italiana: in het Fortezza Medicea, tel. 0577 24 71 21, www.enoteca-italiana.it, ma.-za. 12-1 uur. In de fraaie ruimten van de 16e-eeuwse vesting kunt u (tegen betaling) Italiaanse wijnen met een beschermde herkomstaanduiding, dus DOC-wijnen, proeven, bij een kleine maaltijd drinken en/of kopen.

De Campo is een geliefde plek voor een *aperitivo* of later op de avond een drankje in een van de dure café-restaurants rondom.

Info en festiviteiten

Informatie

Ufficio Informazioni: Piazza del Campo 56, tel. 0577 28 05 51, fax 0577 28 10 41

APT Siena: geen kantoor, tel. 0577 422 09, fax 0577 28 10 41, www.terresiena.it

Festiviteiten

Eind april-juni: onder de naam **Musicasiena** worden er in de Santa Maria della Scala concerten gegeven, gewoonlijk za. rond 20.30 en zo. rond 11 uur. In een van de mooiste zalen van het hospitaal, de Sala San Pio, spelen jong talenten. Bel voor informatie tel. 0577 22 48 11 of kijk op www.santamariadellascala.com.

2 juli en **16 aug.:** Palio delle Contrade, belangrijke historische paardenrennen ter ere van de Madonna di Provenanzo (2 juli) en de Madonna dell'Assunta (16 augustus). Zie ook blz. 72.

Vervoer

Trein: regelmatige spoorverbinding met Florence via Poggibonsi, Castelfiorentino en Empoli (van daaruit ook treinen naar Pisa en Livorno), naar Grosseto in het zuidwesten en naar Chiusi in het zuidoosten. Inlichtingen op het station, Piazzale Carlo Rosseli, dag. 7.30-20 uur, tel. 0577 20 71 11.

Bus: informatie en kaartjes op de Piazza La Lizza, tel. 0577 20 42 45 of 20 42 46. De bussen vertrekken vanaf de Piazza La Lizza (kijk op de borden) en de naburige Piazza Gramsci.

De bussen van SITA rijden naar Florence, er is zowel een snelle bus die over de Superstrada gaat als een langzamere die de provinciale weg neemt en onderweg diverse haltes aandoet. LFI rijdt op Arezzo (laatste vertrek 17.30 uur, gewoonlijk vier bussen per dag), terwijl TRAIN op bestemmingen in de provincie rijdt: minmaal elk half uur naar Colle Val d'Elsa; in de spits nog vaker naar Castellina, met de laatste bus om 19.15 uur. De verbinding met San Gimignano is voortreffelijk: elke 15-55 min. De verbinding met Volterra (via Colle Val d'Elsa) is minder goed, de laatste bus vertrekt om 17.40 uur.

Taxi: radiotaxi (7-21 uur) tel. 0577 492 22. Er zijn onder andere taxistandplaatsen op de Piazza Matteotti en bij het station.

Uitstapje naar San Galgano ▶ G 8

San Galgano ligt op 33 km van Siena. Vanuit de stad gaat u vanaf de Porta Fontebranda naar het zuidwesten en volgt de borden naar Massa Marittima, waarbij u over de westelijke rondweg *(Tangenziale)* heen komt. De weg slingert zich door een fraai landschap naar beneden en wordt dan rechter in het dal, waarbij u al snel bij het plaatsje **Rosia** komt, dat door de vestiging van een farmaceutisch bedrijf in de afgelopen jaren enorm is gegroeid. Rond 1 km verder komt u bij de afslag naar **Torri** (253 m), waar zich een klein klooster bevindt, gesticht door de Piccolomini, met een prachtige kloostergang (alleen maandag- en vrijdagochtend open). De kloostergang bestaat uit drie lagen arcaden, waarbij de onderste arcade romaans is, de tweede uit de 13e eeuw stamt en de bovenste in renaissancestijl is.

Door het dicht beboste heuvelgebied van de Montagnola, waar het prachtig wandelen is, gaat de rit vervolgens weer in talrijke bochten omhoog naar 436 m, met weidse uitzichten over de Colline Metallifere in het zuidwesten. Uitgestrekte graanvelden wisselen af met dichte macchia.

Bij de **Bivio del Madonnino** gekomen ziet u in het zuiden op een heuvel de **Eremo di Montesiepi** liggen. Maar deze ronde kerk, een populaire plek om

Een plaatje van een landschap: de Crete

te trouwen, is gewoonlijk niet de reden om hier te komen, de meeste bezoekers komen voor de kloosterruïne van **San Galgano** in de vlakte aan de voet van de heuvel. De San Galgano is een van de fraaiste sacrale ruïnes van Toscane en historisch van groot belang. De cistercienzers begonnen in 1224 aan de voet van de heremitage Montesiepi aan de bouw van het klooster, dat tachtig jaar later voltooid was. De bouw werd deels gefinancierd door de rijke adel van Siena, terwijl de monniken uit het Franse Clairvaux hun stempel op de architectuur drukten.

Al in de 15e eeuw was San Galgano (dag. vanaf 9 uur) tot ruïne vervallen. In 1789 werd het klooster ontwijd en decennia lang werden de gebouwen als steengroeve benut. Alleen de muren van

de kerk en verder de sacristie, kapittelzaal en het scriptorium bleven staan. Intussen hebben enkele olivetanen er een kleine werkplaats opgezet en er worden tentoonstellingen en concerten georganiseerd.

Rijd na het bezoek weer een stukje terug en ga bij de SS6 naar rechts, richting **Monticiano.** Daar slaat u links af richting San Lorenzo a Merse. De bochtige weg gaat door de bossen van de Montagnola en eindigt na 14 km bij de SS223 (Siena-Grosseto), waar u weer richting Siena gaat. Na rond 11 km verlaat u de hoofdweg en gaat rechtdoor over de kleinere weg naar **San Rocco a Pilli** en verder richting Siena, een rit door zachtgolvende heuvels die bij de hoofdweg eindigt, waarna u weer terugrijdt naar de Porta Fontebranda.

63 30, fax 0577 23 63 30, www.mytours.
it. Ook kookcursussen, transfers enzovoort horen tot de mogelijkheden.

Crete ✳ ▶ H/J 8

Deze 100 km lange rondrit leidt door
het zachtgolvende heuvellandschap van
de Crete tot aan **Buonconvento:** vanaf
de Porta Pispini gaat u over de SS73 richting Arezzo, maar bij Taverna d'Arbia
gaat u rechtsaf de SS438 op, richting Asciano, waarbij u door het mooiste deel
van de Crete komt. Dit landschap is een
van de geologische bijzonderheden van
de regio, ook al is het de afgelopen jaren
veranderd, is het groener, bosrijker en
daardoor soortenrijker geworden.

Op de heuvels ziet u steeds weer boerderijen, bereikbaar via cipressenlanen.
De hellingen zijn afhankelijk van het
seizoen naakt en omgeploegd, goudgeel
van de tarwevelden of roestbruin van de
rijpe gierst. Hier en daar liggen in de dalen vijvers met groenblauw water.

Overnachten

Een oase van rust – **Borgo di Stigliano:**
Sovicille, Loc. Stigliano (SI) (10 km ten
zuidwesten van Siena), tel. 0577 34 22 74,
www.hotelmodernosiena.it. 2 pk met
ontbijt € 80-130. Prachtig gelegen, gerestaureerde boerderij met tien kamers
en fraai uitzicht op Stigliano en de beboste Montagnola.

Actief en creatief

Voor ruiters – **My Tours:** de bossen en
weiden van de Montagnola zijn ideaal
voor **rijtochten** (en wandelingen, die u
op eigen houtje kunt ondernemen). Op
verzoek wordt u direct bij uw accommodatie opgehaald. Informatie: tel. 0577 23

Asciano

Dit landschap zet zich voort tot aan **Asciano,** dat naast een fraai centrum met
veel renaissancegebouwen een nieuw
museumcomplex bezit in het **Palazzo
Corboli,** dat aan de hoofdstraat Corso
Matteotti staat.

Museo Archeologico e d'Arte
Sacra

Mei-okt. di.-zo. 10.30-13, 15-18.30, nov.-
feb. do.-zo. 10.30-13, 15-17.30 uur, www.
museale.it/crete. € 4,50
In dit fraaie en goed gerestaureerde palazzo zijn onder andere vondsten uit de
Etruskische necropolissen van Poggio-
pinci en Sienese schilderstukken uit de
14e en 15e eeuw te zien. Alleen het palazzo zelf is al de moeite ▷ blz. 243

Favoriet

Abbazia di Monte Oliveto Maggiore

Dit olivetanenklooster ligt niet alleen schitterend in een dicht bos, maar bezit ook een prachtige kloostergang met fraaie fresco's van Luca Signorelli en Sodoma met taferelen die het leven en de werken van de heilige Benedictus verbeelden, de stichter van de orde waartoe de olivetanen behoren.

waard. U kunt uw bezoek aan het museum met een audiovisuele show beginnen of eindigen.

Monte Oliveto Maggiore

Dag. 9-12, 15-18 uur, 's winters 9.15-12, 15.15-17 uur, www.monteolivetomaggiore.it, gratis

Volg vanaf Asciano de borden naar de Abbazia di Monte Oliveto Maggiore. Ongeveer 1 km voor het prachtige klooster ziet u rechts een sterk geërodeerd stuk van de Crete. De bezoeker betreedt de groots opgezette abbazia op een hoogte van 273 m via een kasteelachtige poort, die toegang geeft tot een prachtig, half in natuurlijke staat gelaten park met eiken, dennen en cipressen. De kloostergebouwen zijn tussen de middag dicht, maar in die periode kunt u in de aardige trattoria of bijbehorende tuin iets eten of drinken.

In de abdij op de olijfgaardberg, zoals de naam in vertaling luidt, stichtten benedictijnen in 1313 de orde van de olivetanen. U kunt er de kerk, de kloostergang met 36 fresco's van Luca Signorelli (1497/1498) en Sodoma (1505-1508), die het leven van de heilige Benedictus illustreren, een museumpje en de bibliotheek bezichtigen. Veel boeken zult u niet zien in de bibliotheek, want die staan sinds diverse diefstallen alleen nog maar ter beschikking aan de monniken en de medewerkers van de in 1954 gestichte werkplaats voor boekrestauratie.

In de **kloosterapotheek** kunt u souvenirs aanschaffen, in de **enoteca** onder historische gewelven is het mogelijk de kloosterwijnen te proeven en kopen.

Overnachten

In het klooster – **Foresteria:** het gastenverblijf van het klooster, tel. 0577 70 76 52, foresteria@monteolivetomaggiore.

it. Overnachting € 25. Rond 65 bedden voor pelgrims en gewone gasten.

Met uitzicht – **Agriturismo di Monte Oliveto Maggiore:** 53041 – Chiusure di Asciano (SI), Via delle Piazze 14, tel. 0577 70 72 69, azienda.agricola@monteolivetomaggiore.it. 2 pk met ontbijt € 60-70. Zes kamers met eigen badkamer, een zitkamer met haard en een keuken in een oude boerderij bij de stadsmuur. Uitzicht tot aan Siena en over de Casentino.

Eten en drinken

Eenvoudige maaltijden in de poort – **Trattoria La Torre:** Abbazia di Monte Oliveto Maggiore, tel. 0577 70 70 22. Di gesl., bar vanaf 8 uur doorlopend geopend. Menu vanaf € 20. Trattoria in het poortgebouw van het klooster met een heerlijk terras en goede Toscaanse boerengerechten.

Informatie

Ufficio Turistico delle Crete Senesi: bij de souvenirwinkel, www.cretesenesi.com.

Buonconvento ▶ H 9

Vanaf het klooster is het rond 9 km naar de Via Cassia (SP34), waar u meteen bij het ommuurde stadje Buonconvento bent. In de 13e eeuw was dit een bolwerk van Siena tegen vijandelijke steden langs de pelgrimsroute Via Francigena. De Duitse keizer Hendrik VII stierf hier op 24 augustus 1313 op weg naar Pisa, kort na zijn kroning in Rome.

Binnen de deels bewaard gebleven middeleeuwse stadsmuren van Buonconvento lijkt het leven kalm zijn gangetje te gaan. Het is een aardig plaatsje, dat zich door enkele nieuwe trattoria's tot culinaire bestemming begint te ontwikkelen. Maar er zijn ook interessante musea te vinden.

Museo della Mezzadria Senese en Museo d'Arte Sacra

Apr.-okt. di.-zo. 10-13, 14-18, nov.-mrt. di.-vr. 10-13.30, za./zo. ook 14-18 uur. Combinatiekaartje € 4

Buonconvento bezit een museum gewijd aan de *mezzadria*, de halfpacht, die tot in de jaren zestig van de 20e eeuw het leven van de boeren beheerste. Aan de hand van reconstructies en foto's krijgt de bezoeker inzicht in het zware leven dat de halfpachters leidden.

U kunt het bezoek combineren met een bezichtiging van het bescheiden **Museo d'Arte Sacra** in het elegante artnouveaugebouw Palazzo Ricci Soccini aan de hoofdstraat (www.museoartesacra.it). Aan dezelfde straat staat vlak bij nog een fraai art-nouveauhuis, uit 1907.

Montepulciano ▶ K 9

Omringd door muren ligt Montepulciano trots boven het zachtgolvende, open landschap van het zuidoosten van Toscane tussen de Val d'Orcia en de Val di Chiana. Het bezit een van gaafste en meest harmonieuze stadsbeelden van de regio. Omdat de adellijke families die in de vroege middeleeuwen de macht verwierven tot ver in de 18e eeuw de lakens bleven uitdelen en de burgerij de toegang tot het bestuur ontzegden, is het historische centrum van Montepulciano met zijn talrijke renaissancepaleizen vrijwel onveranderd gebleven. Het is een architectonisch pareltje dat door diverse burgerinitiatieven liefdevol onderhouden wordt. Montepulciano is inmiddels een levendig handels-, winkel- en dienstverleningscentrum met zo'n 14.600 inwoners. De ligging

van de stad op een heuvel doet aan die van Siena denken en ook hier moet u rekening houden met steile straatjes. De huizen en palazzi zijn door het patina van de eeuwen grijs geworden, wat ze een wat sombere, maar ook waardige uitstraling geeft.

Rondwandeling

Wie vanuit het noorden komt, betreedt de stad door de **Porta al Prato** – met Toscaanse wapenschilden en de leeuw van Florence. De poort was onderdeel van de vestingwerken die Antonio da Sangallo in de 16e eeuw bouwde. Eenmaal door de poort komt u op de lange **Corso**, die van noord naar zuid licht slingerend door de stad loopt en onderweg meermaals van naam verandert. Aan de zuidoostkant staat de **Porta delle Farine** ook wel **di Cagnano** genoemd, die onderdeel is van de middeleeuwse stadsmuur (14e eeuw).

Rechts en links aan de Corso

Hier volgt het ene palazzo op het andere: **Palazzo Avignonesi** (nr. 91, 16e eeuw), **Palazzo Tarugi** (nr. 80, 16e eeuw), **Palazzo Bucelli** (nr. 73, 17e eeuw), **Palazzo Cocconi** (nr. 26, 1518-1534, toegeschreven aan Sangallo). Op de **Piazza Manin** slaat een beeld van Pulcinella, een figuur uit de Commedia dell'Arte, op de klok van de **Torre di Pulcinella**. Even verderop, richting de kerk van Santa Lucia, staat de **Loggia del Mercato** (16e eeuw).

Piazza Grande

In het zuidelijke deel van het centrum ligt de L-vormige Piazza Grande, die geplaveid is met natuursteen en klinkers. Hier staan enkele van de belangrijkste gebouwen van de stad, waaronder de kathedraal. Het **Palazzo Contucci** werd in 1519 door Sangallo gebouwd voor kardinaal Giovanni Maria del Monte, de latere paus Julius III. Ertegenover staat het **Palazzo Comunale,** het stadhuis, dat in 1440-1465 naar een ontwerp van Michelozzo werd opgetrokken en veel op het Palazzo Vecchio in Florence lijkt. De binnenplaats stamt nog van een eerder gebouw uit de 14e eeuw. De beklimming van de toren wordt beloond met een fraai uitzicht rondom (apr.-nov. ma.-za. 10-18 uur, € 1).

Ten noorden van de Piazza Grande staat aan de Via Ricci het **Palazzo Ricci** (16e eeuw), een fraai voorbeeld van de architectuur van de hoge renaissance, gebouwd door Sangallo, die ook de architect was van het **Palazzi Nobili Tarugi** aan de Piazza Grande. Naast dit palazzo staat een put uit 1520 bekroond met twee leeuwen die het wapenschild van de Medici vasthouden. Waar de Via Ricci in de Piazza Grande uitmondt, staat het

Palazzo del Capitano del Popolo (14e eeuw), nu in gebruik bij justitie.

Duomo

Dag. 8.30-13, 15.30-19 uur, gratis

Het grootste gebouw aan het centrale plein is de kathedraal, waarvan de bouw in 1594 begon. De voorgevel bleef onvoltooid. Het is de moeite waard om binnen een kijkje te nemen, al was het maar voor de prachtige triptiek van de *Hemelvaart van Maria* (15e eeuw) van Taddeo di Bartolo.

Palazzo Neri-Orselli

Apr.-aug. di.-zo. 10-13, 15-19, sept.-mrt. 10-13, 15-18, € 4,20

Aan de Via Ricci vindt u niet ver van de Piazza Grande het Palazzo Neri-Orselli, nu onderkomen van het **Museo Civico** met de **Pinacoteca Crociani**. Het is een fraai bakstenen palazzo met accenten in

Montepulciano, een van de sfeervolste stadjes van het zuiden van Toscane

Tip

Madonna di San Biagio

Even buiten Montepulciano in de richting van Pienza staat op een natuurlijk terras de pelgrimskerk Madonna di San Biagio in de vorm van een Grieks kruis. Antonio da Sangallo de Oude, aan wie Montepulciano een groot deel van zijn renaissancegezicht heeft te danken, bouwde de kerk in 1518-1540. De waterput en de **Canonica** met zijn loggia tegenover de kerk zijn ook van zijn hand ('s zomers dag. 8.30-18.30, 's winters 9-13, 14-20 uur, gratis).

---

travertijn en spitsbogen in Sienese stijl boven ramen en deuren. In het museum vindt u bijna alle belangrijke kunstwerken van Montepulciano fraai tentoongesteld.

Overnachten

Voor romantici – **Il Marzocco:** Piazza Savonarola 18, tel. 0578 75 72 62, fax 0578 75 75 30, www.albergoilmarzocco. it. 2 pk met ontbijt € 90. Klein hotel met zestien kamers verspreid over enkele met elkaar verbonden huizen binnen de stadsmuren. Sympathieke sfeer.

Gemoedelijk – **Villa Ambra:** Località Sant'Albino, SS146 nr. 8, tel. 0578 79 80 55, fax 0578 79 99 17, www.villaambra. com. 2 pk met ontbijt € 55-85. Vriendelijke accommodatie met twintig kamers, zwembad en goed restaurant voor de hotelgasten. Deze prachtig gelegen agriturismo produceert wijn en olijfolie en heeft vier kamers, terwijl eigenaresse Catia kookcursussen geeft.

Als bij mamma – **Il Cittino:** Via di Voltaia nel Corso 27/kruising Via Nuova 2, tel. 0578 75 73 35. 2 pk met ontbijt € 50. Drie eenvoudige kamers met badkamer

op de gang. De eigenaresse zorgt liefdevol voor haar gasten en bestiert in hetzelfde gebouw een kleine trattoria, waar het goed eten is.

Eten en drinken

Stijlvol en goed – **La Grotta:** Località San Biagio, tel. 0578 75 74 79. Jan./feb. gesl., wo. gesl. Menu dégustation € 44. Stijlvol ingericht, traditioneel restaurant tegenover de Madonna di San Biagio. De zaak heeft een kleine tuin waar u op zwoele zomeravonden kunt eten. Verzorgde Toscaanse keuken.

Levendig – **Osteria Acquacheta:** Via del Teatro 22, tel. 0578 71 70 86. Di. gesl. www.acquacheta.eu. Menu vanaf € 18. Kleine zaak met tafeltjes van donker hout, stevige Toscaanse gerechten en huisgemaakte *dolci.*

Lekker en goedkoop – **Il Cittino:** zie boven. Kleine, gezellige trattoria met goede Toscaanse gerechten, zoals groente- en speltsoep, konijn en gegrild vlees. Menu vanaf € 18.

Winkelen

Rondneuzen – **antiekmarkt:** half mei-half dec. elke tweede za./zo. van de maand op de Piazza Grande, een van de leukste makten in zijn soort. Informatie op www.stradavinonobile.it.

Een genot – **wijn en olie:** Montepulciano is beroemd om zijn **vino nobile,** die meestal direct na de brunello di montalcino wordt genoemd. Uiteraard kunt in in de *cantine* van het stadje de wijnen proeven en kopen, u hoeft er niet ver voor te lopen, want langs de Corso vindt u er al meerdere, waaronder de drie bekendste wijnhuizen: **Avignonesi, Redi** en **Poliziano.** In de vele wijnwinkels van de stad kunt u ook voortreffelijke biologische **olijfolie** vinden.

Info en festiviteiten

Informatie

Pro Loco: 53045 Montepulciano (SI), Piazza Don Minzoni 1 (bij de Porta al Prato), tel./fax 0578 75 73 41, www.prolocomontepulciano.it

Festiviteiten

Cantiere Internazionale d'Arte: dit evenement met muziek- en kunstworkshops, dat meestal in de laatste tien dagen van juli plaatsvindt, vormt de belangrijkste culturele gebeurtenis van de stad. De Duitse componist Hans Werner Henze zette het evenement in 1976 op. Voor informatie, kaartjes en aanmelding voor de workshops kunt u terecht op www.fondazionecantiere.it.
Bruscello: vier dagen rond 15 augustus, een kleurig feest van ambachtslieden en boeren (www.bruscello.it).
Bravio delle botti: meestal op de laatste zondag van augustus. Uitbundig gevierde wedstrijd waarbij zware wijnvaten in de steile stegen omhoog moeten worden gerold.

Vervoer

Trein: Montepulciano Stazione (9 km ten noordoosten van de oude stad) ligt aan het traject Florence-Chiusi, vanaf het station rijden bussen naar Montepulciano.
Bus: vanuit Siena rijden vrij veel bussen naar Montepulciano.

In de Val di Chiana en de Val d'Orcia ▶ K 9

Chianciano Terme

Zo'n 10 km ten zuidoosten van Montepulciano ligt het kuuroord **Chianciano Terme**, dat een interessant archeologisch museum bezit. Niet ver van het kuuroord ligt het oudere, slaperige Chi-

anciano zelf op een hoogte van 550 m. De twee plaatsjes samen tellen rond de 7500 inwoners. Vanwege de vele hotels in alle categorieën is Chianciano Terme erg geschikt als uitvalsbasis – niet alleen voor mensen die willen kuren, maar ook voor wie voor cultuur en natuur komt.

Museo Civico Archeologico

Pasen-4 nov. di.-zo. 10-13, 16-19 uur, rest van het jaar alleen za., zon- en feestdagen € 5

Het archeologisch museum, een van de jongste van Toscane, ligt aan de rand van de stad en is een bezoek waard. Het is een initiatief van lokale amateurarcheologen, die blijven graven en zoeken in de omgeving. Om die reden mocht het museum als een van de eerste van Toscane de belangrijkste vondsten zelf houden. Er zijn vooral Etruskische voorwerpen te zien die in de directe omgeving werden gevonden. Het pronkstuk is een compleet graf van een vorst. Het is zo goed 'bewaard' gebleven omdat het graf instortte en alle grafgiften geconserveerd werden. De keldergewelven van de villa waarin het museum is gevestigd, zijn onlangs fraai gerestaureerd en de ruimten zijn inmiddels gevuld met Etruskische voorwerpen.

Overnachten

Chic – **Grand Hotel Excelsior:** Via Sant'Agnese 6, tel. 0578 643 51, fax 0578 632 14, www.grandhotelexcelsior.it. 2 pk met ontbijt € 130-160. Voortreffelijk kuurhotel (uit 1927, in 2002 volledig gerenoveerd) met verwarmd zwembad en 72 ruime, met antiek ingerichte kamers. Met fraaie salons, restaurant en parkeerterrein.
Gemoderniseerd – **Moderno:** Viale G. Baccelli 10, tel. 0578 637 54, fax 0578 606 56, www.hotelmodernochianciano.com. 2 pk met ontbijt € 95-145. Fraai

gerenoveerd kuurhotel met 70 kamers, verwarmd zwembad in de tuin en een tennisbaan.

Uitnodigend – **Bellaria:** Via Verdi 57, tel. 0578 646 91, fax 0578 639 79, www. hotelbellariachianciano.com. 2 pk met ontbijt vanaf € 59. Verzorgd, maar eenvoudig hotel met 54 kamers en een restaurant.

Eten en drinken

Chianciano Terme heeft geen overweldigend aanbod aan restaurants omdat de meeste hotels een eigen, meestal redelijk goed restaurant hebben.

Gemoedelijk – **Hostaria il Buco:** Via della Pace 39, tel. 0578 302 30. Wo. gesl. Menu vanaf € 23. Gezellig restaurantje in het oude Chianciano. Toscaanse keuken met voortreffelijke huisgemaakte pasta's en in de herfst paddenstoelen- en truffelgerechten (dan zijn de menu's duurder).

Informatie

APT: 53041 Chianciano Terme (SI), Piazza Italia 67, tel. 0578 67 11 22, fax 0578 632 77, www.chiancianotermeinfo.it. Algemene informatie over de Val di Chiana op www.terredisiena.it.

Chiusi ▶ K 9

Op rond 14 km ten oosten van Chianciano ligt aan de andere kant van de snelweg A1 en vrijwel op de grens met Umbrië het stadje Chiusi (375 m, 8800 inwoners). Onder de naam Camars was het een van de belangrijkste Etruskische steden. Er komen maar weinig toeristen, want alleen liefhebbers van Etruskische kunst weten Chiusi te vinden. Zij komen voor het Museo Archeologico, de

necropolissen aan de rand van de stad en een labyrint. Maar ook het Museo della Cattedrale is de moeite waard.

Museo Archeologico

Dag. 9-20, zon- en feestdagen 9-14 uur. € 6. Voor bezoek aan de necropolissen moet u zich enkele dagen van tevoren aanmelden (tel. 057 82 01 77)

Dit is een van de oudste archeologische musea van Toscane. Het is onlangs heringericht en toont overzichtelijk talrijke vondsten, die lopen van de bronstijd rond 1000 v.Chr. tot de Romeinse tijd, maar de nadruk ligt op de Etrus-

Deze rijk versierde sarcofaag is in het Museo Archeologico van Chiusi te vinden

kische periode. De vondsten tonen de culturele invloeden die de Etrusken ondergingen door handelscontacten met andere volken. Dat is bijvoorbeeld te zien aan de geïmporteerde waren uit Corinthe in Griekenland, die de Etrusken later gingen namaken. Onder de Romeinse stukken op de benedenverdiepingen vindt u een van de bekendste portretten van keizer Augustus als jonge man.

Voor een bezoek aan de necropolissen, waar u onder andere de beroemde **Tomba della Scimmia** (tombe van de aap), de **Tomba del Leone** (tombe van de leeuw) en de **Tomba della Pellegrina** (tombe van de pelgrim) kunt zien, moet u zich bij het museum melden. Het bezoek is bij de prijs inbegrepen. De graven zijn weliswaar met fresco's versierd, maar wat verder naar het zuiden kunt u bij Tarquinia in Lazio interessantere graven vinden met fresco's die beter bewaard zijn gebleven.

Museo Civico Città Sotteranea

Mei-okt. di.-zo. 10.15, 11.30, 12.45, 15.15, 16.30, 17.45, nov.-apr. do., vr. 10.10, 11.10, 12.10, za., zo. ook 15.10, 16.10 en 17.10 uur. € 3

Na het Museo Archeologico is het leuk om mee te gaan met een rondleiding door het **Palazzo delle Logge** en het **Palazzo Bonci-Casuccini**. De epigrafische afdeling van het museum bestaat uit gangen vol Etruskische urnen, waarna u bij een reconstructie komt van een winkel in de middeleeuwse wijnkelder onder het palazzo. Interessant zijn de talrijke inscripties die op rond 200 dakpannen zijn aangetroffen en die als deksel voor asurnen werden gebruikt. Alleen in Chiusi zijn zo veel inscripties gevonden, een aanwijzing dat de toenmalige bevolking goed opgeleid was en kon lezen en schrijven.

Museo della Cattedrale

Juni-15 okt. dag. 9.45-12.45, 16-18.30, 16 okt.-6 jan., apr.-mei 9.45-12.45, 7 jan.-31 mrt. di., do., za. 9.45-12.45 uur. € 2, incl. Labirinto € 4
Het kathedraalmuseum zit rechts naast de kerk. U kunt er een belangrijke verzameling gezangboeken uit de 15e eeuw met schitterende miniaturen zien, maar ook liturgische voorwerpen, schilderijen (15e-17e eeuw) en enkele prehistorische vondsten uit de gangen van het onderaardse **Labirinto di Porsenna**. Deze interessante Etruskische 'onderwereld' kan vanuit het kathedraalmuseum met een gids bezocht worden. U komt daarbij langs een cisterne die de Romeinen aanlegden door de Etruskische constructies te verbouwen tot opslag voor regenwater. Daarnaast kunt u de campanile beklimmen en twee christelijke catacomben bekijken, de enige van Toscane.

Eten en drinken

Met kelder – **Zaira**: Via Arunte 12, tel. 0578 202 60, www.zaira.it. Okt.-mei ma. gesl. Menu vanaf € 24. Dit traditionele restaurant heeft een beroemde wijnkelder in Etruskische gangen, die de gast op verzoek kan bekijken. De keuken van het restaurant heeft een goede naam.

Informatie

Ufficio Turismo: 53043 Chiusi (SI), Piazza Duomo 1, tel./fax 0578 22 76 67, www.comune.chiusi.si.it, www.terre siena.it.

Pienza ▶ J 9

De kleinste stad van Zuid-Toscane ligt op een hoogte van 491 m in de heuvels en telt rond de 2200 inwoners. In 1405 werd hier in het iets lager gelegen Corsignano Enea Silvio Piccolomini geboren, een dichter en humanist die als paus Pius II zijn geboorteplaats door de toen beste en duurste architecten, Bernardo Rossellino en Leon Battista Alberti, tot een architectonisch pareltje liet uitbreiden.

Omdat er op de heuvel weinig ruimte om te bouwen was, paste de architect bij het ontwerpen van de **Piazza Pio II**, het middelpunt van het stadje, een perspectivische truc toe om het plein groter te laten lijken. Vanuit het van travertijn gebouwde Palazzo Pubblico met een machtige toren gezien lopen de gebouwen aan de zijkanten (rechts het Palazzo Piccolomini en links het bisschoppelijke paleis) niet parallel aan elkaar, maar komen richting dom steeds verder uit elkaar, waardoor er extra diepte wordt gesuggereerd.

Duomo Santa Maria Assunta

Dag. 8-13, 14.30-19 uur, gratis
De heldere vlakverdeling van de façade van de duomo wijst op de renaissance, maar de drieschepige hallenkerk daarchter (1460-1464) is geïnspireerd op de Duitse laatgotische stijl, waar de op-

drachtgever, paus Pius II, erg veel van hield. Een bijzonder detail zijn de grote ramen met maaswerk waarin het symbool van de Piccolomini, de maansikkel, is te zien.

Palazzo Piccolomini

15 mrt.-15 okt. di.-zo. 10-18.30, 16 okt.-14 mrt. 10-16.30 uur. € 7
Een bezoek aan het paleis van de paus is alleen al de moeite waard vanwege het schitterende uitzicht over de Val d'Orcia, dat op verzoek van de paus als een soort 'schilderij' in het paleis geïntegreerd werd.

Museo Diocesano

15 mrt.-5 nov. wo.-ma. 10-13, 15-18 uur, rest van het jaar alleen za., zon- en feestdagen, tot 17 uur. € 4,10
Een van de jongste musea van de stad en tevens een van de mooiste van de streek met een fraaie binnenplaats, waar u tevens het toeristenbureau kunt vinden. Het museum bezit sacrale voorwerpen uit de kerken en kloosters van Pienza en omgeving.

Overnachten

In het klooster – ll Chiostro di Pienza: Corso Rossellino 26, tel. 0578 74 84 00, fax 0578 74 84 00, www.relaisilchiostro dipienza.com. 2 pk met ontbijt € 70-200. Goed hotel met 37 kleine kamers in een voormalig klooster. Groot terras met restaurant en uitzicht over de Val d'Orcia.
Met uitzicht – Piccolo Hotel La Valle: Via Circonvallazione 7, tel. 0578 74 94 02, fax 0578 74 98 63, www.piccolohotella valle.it. 2 pk met ontbijt € 90-130. Comfortabel hotelletje met vijftien kamers vlak bij het oude centrum.
Pure renaissance – Il Rossellino: Corso Rossellino 97, tel. 0578 74 83 22, www. soggiornoapienza.it. 2 pk met ontbijt

€ 60-90. Liefdevol ingericht appartement in een renaissancepaleis.

Winkelen

Langs de **Corso Rossellino** en eigenlijk door heel Pienza vindt u **delicatessenwinkels,** die een verleidelijk aanbod hebben uitgestald. De meeste verkopen min of meer hetzelfde assortiment van kwaliteitsproducten, die grotendeels in de directe omgeving van Pienza worden geproduceerd, met op de eerste plaats **pecorino** in allerlei variaties en mate van rijping. Daarnaast vindt u er wijn, olijfolie, worsten, hammen en grappa.

Info en festiviteiten

Informatie

Ufficio Turistico: 53026 Pienza (SI), Corso Rosselino 30 (in het palazzo van het Museo Diocesano), tel./fax 0578 74 99 05, www.comunedipienza.it. Onder andere links naar de kleurige feesten van Pienza.

Vervoer

Bus: er rijden regelmatig bussen tussen de Val di Chiana en Val d'Orcia (San Quirico d'Orcia en Chiusi). Auto en fiets zijn de beste vervoermiddelen om het omringende heuvellandschap te verkennen.

Monticchiello ▶ J 9

Dit piepkleine stadje met 300 inwoners op een hoogte van 546 m is een middeleeuws pareltje met prachtig uitzicht op Pienza. De afgelopen jaren kwam het plaatsje in Italië in het nieuws omdat een projectontwikkelaar een nieuwbouwwijk voor de poorten van het plaatsje is begonnen te bouwen.

Legambiente, een Italiaanse organisatie die zich inzet voor de bescherming van natuur en cultuurlandschappen, heeft het project scherp veroordeeld.

Maar het historische centrum van Monticchiello is binnen zijn middeleeuwse muren zoals het altijd al was en de inwoners, die de naam hebben dwars te zijn, nemen geen blad voor de mond (zie onder, Teatro povero).

Direct na de hoofdpoort stuit u op het door de inwoners gestichte **Museo del Teatro Povero,** waarin interactief de geschiedenis van het dorp en zijn theater wordt verteld.

Festiviteiten

Juli/aug.: Teatro Povero. Vroeger vonden de voorstellingen tijdens de zomermaanden door het hele dorp, voor de kerk, op de pleintjes enzovoort plaats, inmiddels zijn er ook in de rest van het

Tip

Tafelen in de poort

Rond lunchtijd hebt u wat geluk nodig om een van de piepkleine tafeltjes binnen, op het terras en 's zomers op de stadsmuur te bemachtigen, want arbeiders uit de omgeving en vertegenwoordigers die onderweg zijn, komen er graag voor een bord soep of een bord goede pasta. Bij La Porta kunt u de hele dag een kleinigheid krijgen en iets drinken, terwijl u ook delicatessen kunt kopen om mee te nemen. Tot de huisspecialiteiten horen parelhoen, lamsvlees, Toscaanse varkenslever en in de herfst natuurlijk wild.

La Porta: Via del Piano 1, tel. 0578 75 51 63. Do. gesl., verder de hele dag open. www.osterialaporta.it. Menu rond € 30. In de buurt zit La Cantina.

jaar stukken in het theater en op de licht oplopende **Piazza Nuova** vlak bij het museum. Informatie op www.teatro povero.it.

San Quirico d'Orcia ▶ J 9

Over kronkelende wegen met fraaie uitzichten gaat het verder naar het ommuurde stadje San Quirico d'Orcia (563 m), dat aan de Via Cassia (SR2) ligt en inmiddels volledig gerestaureerd is. Het is daarom een genot om door de met natuursteen geplaveide straatjes te slenteren en iets in een van de aardige cafés te eten en drinken.

Het plaatsje van Etruskische oorsprong was al in het jaar 550 een twistappel tussen de bisschoppen van Siena en Arezzo. Pas in 1220 stopte het gerucht toen paus Honorius III San Quirico aan het bisdom Arezzo toewees. Maar in 1462 droeg paus Pius II het plaatsje aan Pienza over, terwijl paus Clemens XIV 1772 het stadje bij de bisschop van Montalcino onderbracht.

De strategische ligging van San Quirico aan de toen belangrijkste verkeersader van Toscane maakte het stadje ook vanuit wereldlijk oogpunt belangrijk: Barbarossa sloeg hier in 1154 zijn kamp op, wat jaarlijks in juni gevierd wordt met het vrolijke Festa del Barbarossa. Na een wisselvallige geschiedenis schonk Cosimo de' Medici de stad in 1677 aan kardinaal Flavio Chigi. De familie Chigi bezit nog steeds landerijen en een kleine vesting in de omgeving. De gemeente beslaat tegenwoordig nog maar 42,17 km^2 en telt 2800 inwoners.

De Collegiata, het Palazzo Chigi (met gemeentehuis) en het Palazzo Pretorio staan aan de Via Dante, die door het hele stadje loopt en richting Bagno Vignoni gaat. Richting Chianciano komt u bij de markante Porta Cappuccini (12e-15e eeuw).

Een heerlijke souvenir: pecorino uit Pienza

Collegiata di Osenna

Deze kerk uit de 12e-13e eeuw behoort tot de belangrijkste bezienswaardigheden van San Quirico. Buiten vallen het fraaie romaans-lombardische hoofdportaal (met geknoopte zuilen op leeuwen, 12e eeuw) en de romaans-gotische zijportalen (13e eeuw) op. Het portaal met beeldhouwwerk bij het rechterzijschip wordt aan Giovanni Pisano toegeschreven. Binnen is een triptiek van Sano di Pietro (15e eeuw) het hoogtepunt.

Palazzo Chigi

Na een langdurige restauratie is het imposante palazzo eindelijk weer voor het publiek toegankelijk. Het werd in 1679 voor kardinaal Chigi gebouwd. Het huisvest een cultureel centrum met tentoonstellingsruimten en het gemeentehuis. U kunt er overdag gewoon naar binnen lopen, zeker als er een tentoonstelling is. De oorspronkelijke decoratie van het paleis is deels bewaard gebleven.

Horti Leonini

Dag. 8-20 uur, 's winters korter, gratis
Deze tuin, die al in de 16e werd aangelegd, is een oase van rust in de waarste zin van het woord. Hij bestaat uit twee delen: boven is een tuin in Engelse stijl, dus natuurlijk aandoend, terwijl het onderste deel in Italiaanse stijl is aangelegd, geordend dus, met geometrische vormen. Elk jaar vindt hier in de herfst een beeldententoonstelling plaats met werk van jonge kunstenaars, zodat het prettige park in een openluchtmuseum verandert.

Overnachten

Gezellig – Relais Palazzo del Capitano: Via Poliziano 18, tel. 0577 89 90 28, fax 0577 89 94 21, www.palazzodelcapitano. com. 2 pk met ontbijt € 140-170, suites € 170-280. Charmant hotel in een fraai gerestaureerd historisch palazzo (15e eeuw). Het beschikt over slechts acht kamers en vijftien suites, waarvan sommige een romantisch hemelbed hebben. Met klein restaurant, mooie wijnkelder en een 'hangende tuin'.

Ontspannend – **Casa Camaldoli**: Via Camaldoli 56. 2 pk € 120-130, zo.-do. speciale tarieven vanaf € 60. Bijgebouw van hotel Palazzo del Capitano, vijf schitterende kamers en suites in een historisch palazzo op ca. 70 m van het hotel.

Verleidelijk – **Il giardino segreto**: Via Dante Alighieri 62, tel. 0577 89 76 65, fax 0577 89 80 24, www.giardinosegreto. info. 2 pk met ontbijt € 70-85. De architecte Cristina Cioli heeft in dit smalle huis haar droom verwezenlijkt, terwijl ze haar architectenbureau in het buurpand heeft (met een geheime doorgang tussen de twee panden, zodat ze elk moment haar gasten kan bijstaan). Zes zeer smaakvolle, romantische kamers, een leuke woonkeuken voor het ontbijt en een kleine zitkamer.

Eten en drinken

Gezellig – **Trattoria al Vecchio Forno**: Via Piazzola 8, tel. 0577 89 73 80. Jan. gesl., wo, gesl. Menu vanaf € 30. Nieuw restaurant in een oude bakkerij, ingericht als een traditionele trattoria. De prijs-kwaliteitverhouding ligt erg gunstig. In de zomer kunt u er ook buiten in het smalle straatje eten.

Er komen de laatste jaren steeds meer nieuwe zaakjes voor de kleine en grote trek, vaak onder de benaming osteria of enoteca. Ze bieden op hun kaart een vergelijkbaar aanbod aan.

Info en festiviteiten

Informatie

Pro Loco: 53027 San Quirico d'Orcia (SI), Via Dante Alighieri 33 (tegenover het ge-meentehuis), tel. 0577 89 97 11, www.co munesanquirico.it.

Festiviteiten

2e-3e weekeinde van juni: Festa del Barbarossa, een feest ter ere van keizer Barbarossa, eigenlijk Frederik I van Hohenstaufen, die hier in 1155 een ontmoeting had met pauselijke afgezanten om de problemen tussen de kerkelijke staat en het keizerrijk op de grens tussen de twee te bespreken. Het feest bestaat uit valkeniersdemonstraties, vendelzwaaien, middeleeuwse tableaus, het naspelen van de historische ontmoeting, boogschieten in de Horti Leonini (zie blz. 253), middeleeuwse optochten en prijsuitreikingen aan de winnaars van de wedstrijden. Overal in de vier stadswijken vindt u kraampjes met 'middeleeuwse' lekkernijen.

2e weekeinde van december: Festa dell'Olio met gastronomische standjes, muziek en spektakel.

Bagno Vignoni ▶ J 9

Net als San Quirico d'Orcia was ook het 'voorstadje' Bagno Vignoni, rond 5,5 km ten zuiden van San Quirico, bezit van de adellijke familie Chigi. Het is een plaatje van een dorp met in het midden een groot bassin waar warm, geneeskrachtig water instroomt. Rond het bassin liet de Piccolomini-paus Pius II het kuuroord bouwen, waaronder zijn eigen paleis, dat tegenwoordig onderdak biedt aan het aardige Hotel Le Terme. Nog rond 1900 kwamen er mensen in het bassin baden, maar dat is inmiddels uit hygiënische overwegingen verboden.

Vooral in de winter is Bagno Vignoni een magisch oord, als de damp van het warme water in het bassin afslaat en het dorp in een nevelsluier hult. Het is dan ook niet verbazing- ▷ blz. 256

Favoriet

Bagno Vignoni

Het fraaie dorpje rond het grote, historische thermale bassin is een heerlijke bestemming voor romantici die niet alleen hun voeten bij de gerestaureerde molen in het warme water willen laten hangen, maar vooral op zoek zijn naar een plek met een magische sfeer waar ze zich helemaal in kunnen onderdompelen. Bagno Vignoni biedt bovendien goed onderdak en voortreffelijk eten, terwijl de omgeving zich voor leuke uitstapjes leent.

wekkend dat de grote Russische regisseur Andrej Tarkovski de plaats uitkoos als de belangrijkste locatie voor zijn film *Nostalghia*. Intussen zijn met een mede door de EU gefinancierd project vier **historische watermolens** opgeknapt, ze liggen aan de rand van het plaatsje. U kunt er zien hoe het warme, zwavelhoudende water door buizen en kanalen wordt geleid voordat het naar de rivier beneden in het dal verdwijnt. Vooral in het weekeinde zitten hier hele families met hun voeten in het weldadig warme water dat door de smalle kanaaltjes stroomt.

Overnachten

Romantisch – **Locanda del Loggiato:** Piazza del Moretto 30, tel. 0577 88 89 25, www.loggiato.it. 2 pk met ontbijt € 90-140. Acht liefdevol, deels met antiek ingerichte kamers. Er is een woonkamer met haard, waar op tafel altijd iets voor de gasten klaar staat. Het ontbijt wordt in Il Loggiato schuin aan de overkant aan het plein met het bassin geserveerd (zie onder).

Historisch – **Le Terme:** Piazza delle Sorgenti, het plein met het bassin, tel. 0577 871 50, fax 0577 88 74 97, www.albergo leterme.it. 2 pk met ontbijt € 140-230. Fraai gerestaureerd kuurhotel met 29 kamers in het historische Palazzo Piccolomini aan het thermale bassin. Met eigen kuurafdeling en erg goed restaurant.

Eten en drinken

Aangenaam – **Osteria del Leone:** Piazza Moretto 40, tel. 0577 88 73 00, www.ille one.com. Ma. gesl. Menu vanaf € 34. Osteria met drie kleine eetzaaltjes en een terras in het centrum. De zaak is toeristisch, maar de keuken desondanks erg

goed met veel lokale specialiteiten op de kaart en in het herfstseizoen wilden paddenstoelengerechten.

Gewoon klasse – **Il Loggiato:** Via delle Sorgenti 36, tel. 0577 88 89 73. Do. gesl. Specialiteitenschotel rond € 15. Enoteca op de benedenverdieping van een eenvoudig dorpshuis aan de Piazza delle Sorgenti, het plein met het bassin dus, waar u kazen, worsten en hammen uit de Val d'Orcia kunt proeven. De zaak bestaat uit twee eenvoudige ruimtes met natuurstenen wanden, die sfeervol met kaarsen zijn verlicht. U kunt er een *tagliere*, een plank met lokale specialiteiten, vooral vleeswaren en kaas, ingelegde groenten en diverse wijnen bestellen.

Winkelen

Heerlijk – **La Bottega del Cacio:** Piazza del Moretto. Di. gesl., 's winters 10-20 uur, 's zomers 11-22 uur. Kaaswinkeltje (cacio is een andere naam voor kaas, het gaat hier om de lokale pecorino) waar u ook andere plaatselijke specialiteiten als vleeswaren en ingemaakte groenten (meer dan vijftien soorten) kunt kopen. U kunt ze ook ter plekke aan een van de twee tafeltjes en 's zomers buiten met een glas wijn eten.

Uitgaan

Bagno Vignoni is over het algemeen een kalm plaatsje, maar de jeugd uit de wijde omgeving komt tegenwoordig massaal naar **Barrino**, de modernste bar van de Val d'Orcia. Deze bar zit in Hotel Posta Marcucci aan de rand van het dorp in het lokaal van het vroegere dorpsschooltje. 's Zomers organiseert de bar jazz- en bluesavonden. De rest van het jaar zijn er regelmatig culinaire evenementen (www.ilbarrino.it).

Informatie

Ufficio Informazioni Turistiche: 53027 Bagno Vigoni (SI), Parco dei Mulini, tel. 0577 88 89 75, www.prolocobagnovig noni.it

Sant'Antimo ▶ J 9

De rit van rond 20 km van San Quirico naar Sant'Antimo voert door een fraai landschap. De tocht gaat eerst omhoog richting Castiglione d'Orcia (540 m), waarna het weer naar beneden gaat naar het dorpje Monte Amiata (332 m, niet te verwarren met de gelijknamige berg verder naar het zuiden) en vervolgens naar Sant'Antimo, met de abdij op een hoogte van 348 m en het plaatsje Castelnuovo dell'Abate op 385 m.

De kerk geldt als een van de best bewaard gebleven voorbeelden van romaanse kloosterbouw in Italië. Het benedictijnenklooster zou in 813 door Karel de Grote zijn gesticht, maar in de 12e eeuw werd het complex in cisterciënzerstijl herbouwd. De kerk staat eenzaam in het dal aan de voet van de heuvel van Castelnuovo dell'Abate, een plaatsje met enkele goed geconserveerde renaissancehuizen aan smalle straatjes.

Abdijkerk

Ma.-za. 10.15-12.30, 15-18.30, zon- en feestdagen 9.15-10.45, 15-18 uur, gratis
Van het benedictijnenklooster is bijna niets bewaard gebleven, de kerk is het voornaamste restant en die behoort nu juist tot de best bewaard gebleven romaanse kloosterkerken van Italië. De kerk is echt een plaatje: hij staat in een fraaie groene weide en is omringd door olijfbomen. Het travertijn van het gebouw gloeit in het minste zonnestraaltje warm op. Leeuwen en fabelwezens bevolken de romaanse portalen, terwijl het drieschepige interieur door zuilen

met kapitelen van albast wordt gedragen. Een van de hoogtepunten van het interieur is de **Madonna di Sant'Antimo**, een beschilderd houten beeld uit de 13e eeuw van Maria met het kindje Jezus op haar schoot, vervaardigd door een onbekende kunstenaar uit de Umbrische school.

Eten en drinken

In de buurt van het klooster zitten twee goedkope, maar voortreffelijke restaurantjes waar u lokale gerechten kunt bestellen: **Antica Osteria del Bassomondo**, Località Castelnuovo dell'Abate, tel. 0577 83 56 19 (ma. gesl., menu vanaf € 18), en **Il Pozzo**, Località Sant'Angelo in Colle, tel. 0577 84 40 15 (di. gesl., menu vanaf € 20).

Montalcino ▶ H 9

Montalcino — bij het horen van deze naam loopt de wijnkenners het water in de mond, ook al is er een vlekje op de reputatie gekomen door de onappetijtelijke affaire rond brunello die niet van 100% sangiovese was geproduceerd, een schandaal dat aan het licht kwam tijdens Vinitaly 2008, de belangrijkste wijnbeurs van Italië, die in Verona wordt gehouden. Hopelijk is de zaak inmiddels geschiedenis.

Het plaatsje op een hoogte van 564 m met 5300 inwoners dankt zijn roem hoe dan ook aan de brunello. Daarnaast is het gewoon een mooi stadje met smalle straatje die stijgen en dalen tussen hoge, historische palazzi, die in de afgelopen decennia zorgvuldig zijn gerestaureerd.

Daardoor is Montalcino nu binnen zijn vrijwel intacte middeleeuwse muren een waar architectonisch juweeltje dat niet onderdoet voor de andere fraaie stadjes van Toscane.

Ook de uitzichten vanuit Montalcino zijn prachtig, u kijkt er uit over de met wijngaarden (op hun mooist laat in de herfst als de bladeren roestrood zijn verkleurd) bedekte heuvels van Zuid-Toscane, waar het heerlijk wandelen en fietsen is.

Fortezza

Apr.-okt. 9-20, nov.-mrt. 9-18 uur. Beklimmen muren € 4, combinatie-kaartje met museum (zie onder) € 6

Wijnliefhebbers zullen bij een bezoek natuurlijk even binnen lopen bij een van de vele wijnwinkels die in de stad en de omgeving zijn te vinden om de wijnen te proeven en kopen. Wie het machtige fortezza wil bekijken, kan meteen de daar gevestigde **enoteca** bezoeken, die zich uiteraard vooral in lokale wijnen heeft gespecialiseerd, met op de eerste plaats de dure brunello di montalcino. De entree die gevraagd wordt voor het rondlopen over de muren van het fort, is wel aan de hoge kant voor het gebodene.

Musei di Montalcino

Di.-zo. 10-13, 14-17.40 uur, € 4,50

Montalcino wordt gedomineerd door de bijna overdreven hoog lijkende toren van het **Palazzo Comunale** (13e eeuw). De **loggia** ernaast heeft twee natuurstenen bogen uit de 14e eeuw en vier bogen van baksteen uit de 15e eeuw. Kunstliefhebbers moeten zeker een bezoek brengen aan het Museo Civico e Diocesano, dat een rijke verzameling laatgotische altaarstukken bezit van Sienese meesters als Simone Martini, Giovanni di Paolo en Bartolo di Fredi. Daarnaast zijn er houten beelden uit de 12e tot en met de 17e eeuw te zien.

Overnachten

Gezellig – **Il Giglio**: Via Soccorso Saloni 5, tel./fax 0577 84 81 67, www.giglioho

tel.com. 7-31 jan. gesl. 2 pk met ontbijt € 130-145, in de dependance € 95; overnachting in het appartement voor 2-4 pers. € 100-133. Hotelletje met twaalf kamers en een restaurant (alleen diner) in een palazzo uit de 15e eeuw en daarnaast enkele kamers in een dependance uit de 16e eeuw vlakbij.

Rustiek – **Bellaria**: Via Osticcio 19 (1,5 km ten zuiden van de stad), tel. 0577 84 93 26, fax 0577 84 86 68. 2 pk € 62-82. Modern hotel met 25 kamers even buiten Montalcino met een aardige enoteca, een zwembad en uitzicht over de Val d'Orcia.

Eten en drinken

In Montalcino is de **Enoteca La Fortezza** (zie boven) de aangewezen plek om wijnen te proeven, terwijl het historische **Caffè Fiaschetteria Italiana** met zijn fraaie pluchen interieur met spiegels aan het centrale plein de leukste plek is om koffie te drinken (buiten de zomer do. gesl.). Dineren kunt u bijvoorbeeld in de **Taverna dei Barbi** 5 km buiten de stad in Podernovi, tel. 0577 84 71 17 (jan. gesl., wo. gesl, reserveren noodzakelijk).

Winkelen

Wijn, vooral de **brunello di montalcino,** kunt u natuurlijk het beste ter plekke kopen, bijvoorbeeld in de Enoteca della Fortezza, in een van de vele andere enoteca's of direct bij de producenten in de omgeving, zoals de Fattoria dei Barbi (zie boven).

Uitgaan

Caffè Fiaschetteria Italiana is tot middernacht en soms nog later open en staat bekend als hét ontmoetingspunt van Montalcino. In de zomer kunt u er ook op het terras zitten op de sfeervolle Piazza del Popolo aan de voet van de hoge, slanke toren van het middeleeuwse gemeentehuis.

Info en festiviteiten

Informatie

Ufficio Turistico Comunale: 53024 Montalcino (SI), Costa del Municipio 1, tel./fax 0577 84 93 31, www.prolocomontalcino.it

Festiviteiten

Juli: Jazz & Wine, met optredens van bekende Italiaanse en buitenlandse jazzmusici. De concerten vinden in het fortezza plaats. Bel voor informatie en kaartjes tel. 0577 84 93 31.

Juli/aug.: het Festival Val d'Orcia (opvolger van het in 1980 begonnen Festival Internazionale dell'Attore) geniet een groeiende reputatie. De voorstellingen van dit openluchtfestival met theater, muziek en ballet vinden niet alleen in Montalcino plaats, maar ook in San Quirico d'Orcia, Castiglione d'Orcia, Pienza en Radicofani.

Overal in Montalcino hebt u fraaie doorkijkjes

IN EEN OOGOPSLAG

Arezzo en de Casentino

Hoogtepunt! ✳

Arezzo: het tegen een helling gelegen, prachtige oude centrum van de stad is grotendeels verkeersvrij en kan alleen te voet worden verkend. Het absolute hoogtepunt van Arezzo zijn de fresco's in het koor van de San Francesco, die het meesterwerk zijn van Piero della Francesca en die het hele jaar door kunstliefhebbers aantrekken. Blz. 262

Op ontdekkingsreis

Levend verleden – EcoMuseo del Casentino: het interessante EcoMuseo bestaat uit diverse vestigingen verspreid over de Casentino. Blz. 270

Bezienswaardigheden

Piazza Grande van Arezzo: een van de mooiste pleinen van Toscane met de prachtige Loggia Vasari. Blz. 264

Poppi: een schitterend gelegen kasteel met een fantastische trap op de binnenplaats en prachtige fresco's. Blz. 268

Actief en creatief

Camaldoli: wie het klooster en de hermitage op de plek waar de orde van de camaldulenzen werd gesticht wil bezoeken, moet ook maar een stel wandelschoenen meenemen, want rond het kloostercomplex strekken zich dichte bossen met oeroude, hoge bomen uit. Blz. 269

Sfeervol genieten

Santuario della Verna: rust zoeken op de plek waar de heilige Franciscus de stigmata ontving. Blz. 275

Caprese Michelangelo: in het geboortedorp van Michelangelo kunt u op zoek naar sporen van het genie. Blz. 275

Uitgaan

Filmdecor: in Caffè dei Costanti in Arezzo nam Roberto Benigni enkele scènes op van zijn internationaal succesvolle film *La Vita è Bella*. Blz. 267

Deze stad met zijn fraaie Piazza Grande is beroemd om de fresco's van Piero della Francesca, maar ook om zijn antiekmarkt. Daarnaast kennen veel mensen de stad uit de film *La Vita è Bella* van Roberto Benigni, die in de provincie Arezzo werd geboren en de stad als decor voor diverse scènes in de film gebruikte.

Arezzo is een goede uitvalsbasis voor een reis in de voetsporen van Piero della Francesca, voor een verkenning van het Etruskenland tussen de Tiber en de Val di Chiana en voor tochten naar de Casentino met zijn dichte bossen en het mythische oord La Verna, waar Franciscus van Assisi volgens de overlevering zijn stigmata ontving.

Arezzo is een provinciehoofdstad met ruim 100.000 inwoners op de grens tussen het relatief vlakke Val di Chiana en de bergachtige, beboste Casentino in het noordoosten van Toscane. Vele jaren trokken de antiekwinkels in de historische panden meer bezoekers naar de stad dan de schilderingen die Piero della Francesca in de kerk van de franciscanen aanbracht, maar intussen is dat omgedraaid. De wereldberoemde fresco's in het koor van de San Francesco, waaraan Piero zijn bijnaam Della Francesca te danken heeft, zijn inmiddels gerestaureerd en er is een einde gemaakt aan de schadelijke infiltratie van vocht. De bezoekers kunnen nu in kleine groepjes dit hoogtepunt van de frescokunst bewonderen.

Tip

Informatie

APT: 52100 Arezzo, Via Guido Monaco 17, tel. 0575 39 97 94, fax 0575 280 42, www.turismo.provincia.arezzo.it

Internet

www.apt.arezzo.it
www.arezzoweb.it

Reizen naar en in Arezzo

Arezzo is per trein en met de auto goed bereikbaar via aftakkingen van de hoofdvervoerslijnen. Het oude spoortraject van Florence naar Rome loopt via Arezzo en de treinen op dit spoor stoppen op het station van de stad. Het nieuwe snelle spoor gaat op zo'n 4 km langs de stad. De snelweg A1 loopt op 10 km van Arezzo, waarbij de snelle SS679 de afrit met de stad verbindt, terwijl de vierbaansweg SS73 van Arezzo naar het oosten naar de SS3bis loopt. Daardoor is de stad ook vanuit het oosten vanuit Emilia-Romagna makkelijk bereikbaar. Met een auto bent u voor de verkenning van de Casentino en de omgeving van Arezzo flexibeler dan als u met de bus wilt, want de bussen rijden vooral tijdens de spits en op tijden dat kinderen naar school of naar huis gaan.

Geschiedenis

Rond de 7e eeuw v.Chr. stichtten de Etrusken een nederzetting op de heuvel van Arezzo, die tot een van de belangrijkste leden van de Etruskische twaalfstedenbond zou uitgroeien. In 294 v.Chr. sloot Arretium een verdrag met Rome. In de 4e eeuw was Arezzo beroemd om zijn productie van koraalrode reliëfvazen en ander keramiek. Rond die tijd kreeg de stad een bisschop. Al snel namen de Longobarden de stad in en na hun val was er een korte vrije periode. Vanaf 1052 heerste een bisschop over Arezzo. In 1287/1288 vielen afwisselend Florence en Siena de stad aan en in juni 1289 werd Arezzo door de Florentijnen verslagen.

Onder bisschop Guido Tarlati (1312-1228) beleefde Arezzo een bloeiperiode en werd het welvarend. De stad kon daardoor in 1317 nieuwe vestingwerken bouwen en zich zo tegen het vijandelijke Florence verdedigen. Maar Arezzo werd wel afhankelijk van huurlegers en in 1384 kwam de stad toch in Florentijnse handen. In 1538-1560 liet Cosimo I de' Medici Francesco da Sangallo de vierde stadsmuur met sterke bastions bouwen, die tot op de dag van vandaag het historische centrum omgeeft, maar die een kleiner gebied omsluit dan de muren van 1317.

Bij geallieerde bombardementen in de Tweede Wereldoorlog raakte 87% van de stad beschadigd, maar bij de wederopbouw is goed werk geleverd en het historische centrum heeft redelijk stijlvast zijn oude gezicht teruggekregen.

De oude stad

Arezzo ligt binnen de door de Medici gebouwde stadsmuren fraai tegen een helling van de uitlopers van de Casentino. Dat betekent dat u bij een stadsbezichtiging op het nodige stijgen en dalen moet rekenen, zeker ook omdat het historische centrum grotendeels verkeersvrij is.

San Francesco ■

Dag. 8.30-12, 14-18.30 uur. Reserveren kaartjes voor de koorkapel: www.pierodellafrancesca-ticketoffice.it, tel. 0575 35 27 27. € 6, inclusief reserveren € 8, combinatiekaartje € 10, resp. € 12

De beroemdste bezienswaardigheid van Arezzo, de fresco's van de *Legende van het heilige kruis* in de koorkapel, geldt als het meesterwerk van Piero della Francesca. Linksboven herkennen we in het geïdealiseerde Jeruzalem het middeleeuwse

Piero della Francesca's Droom van Constantijn in de San Francesco

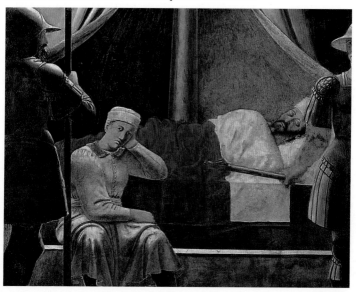

Arezzo met zijn monumenten: de kathedraal op het hoogste punt, daaronder de campanile van de Pieve, de gotische patriciërshuizen en de stadsmuren met torens en poorten. De fresco's uit 1452-1465 vallen niet alleen op door het bijzonder spel met perspectief, maar ook door de fraaie kleuren, de opbouw van de scènes en de mooie portretten. Zo zien we de in het werk van Piero vaak terugkerende wat boerse gezichten, die niettemin iets plechtigs en zelfs edels hebben.

Duomo San Donato 2

Dag. 7-12.30, 15-18.30, 's winters tot 17.30 uur, gratis

Even voorbij het **Palazzo Comunale** uit 1330, later diverse malen vergroot en verbouwd, stuit u op de kathedraal, met in de buurt het bisschoppelijk paleis, het **Fortezza Medicea** 3 (16e eeuw) en een park met het hoogste punt van Arezzo (305 m). Aan de noordkant loopt de heuvel steil naar beneden, dit deel is onbebouwd gebleven. Beneden is een parkeerplaats met een roltrap omhoog naar de stad. De aan San Pietro en San Donato gewijde kathedraal uit 1277 werd pas in 1510 voltooid, terwijl de campanile van 1857-1869 dateert en de façade van 1900-1914. Via een brede trappartij bereikt u de kerk, waarvan het interieur in zijn ruimtelijke werking een karakteristiek voorbeeld is van de architectuur van de bedelorden. De inrichting is echter verrassend rijk. Een van de hoogtepunten van het interieur is het **fresco van Maria Magdalena** van Piero della Francesca, bijna verstopt rechts van het gedenkteken voor de in 1327 gestorven bisschop Guido Tarlati in het linkerzijschip. Erg mooi zijn ook de kleurige **gebrandschilderde ramen van Guillaume de Pierre de Marcillat** (1518-1524), die ook verantwoordelijk was voor de **fresco's** op de eerste drie gewelven van het middenschip.

Casa Petrarca 4

Apr.-okt. 10.30-16.30, nov.-mrt. do.-di. ma., di., do., vr. 11.30-15.30 za., zon- en feestdagen 10.30-16.30 uur. € 4

Langs de flank van de kathedraal daalt de Via dei Pileati naar het Palazzo Pretorio. Als u voor het palazzo rechts de Via dell'Orto inslaat, komt u op nr. 28 bij het Casa Petrarca. Het is waarschijnlijk niet het echte geboortehuis van de dichter en humanist Francesco Petrarca (1304-1374), want het is alleen bekend dat hij ergens in de Via dell'Orto werd geboren. Het **Palazzo Pretorio** (bouwbegin 1290), dat ook ooit als gevangenis diende, huisvest nu een bibliotheek met een verzameling handschriften.

Piazza Grande

Schuin tegenover het Palazzo Pretorio kunt u over de hele lengte door de **Loggia Vasari** 5 kijken, die de volledige noordkant van de Piazza Grande beslaat. De Piazza Grande begon zijn bestaan als marktplaats en was tot aan de Tweede Wereldoorlog het middelpunt van Arezzo. Tegenwoordig is het minder druk op het plein, er wordt geen markt meer gehouden en ook de avondlijke *passeggiata* vindt vooral op de lange, rechte Corso Italia plaats.

Het plein wordt wel eens een 'architectonisch boeket' genoemd, want belangrijke stijlen als romaans, gotiek, renaissance en barok zijn er allemaal vertegenwoordigd, terwijl het plein toch een harmonisch geheel vormt. Het licht aflopende plein met de Pieve met zijn halfronde koor, het justitiepaleis en de sierlijke gevel van het Palazzo della Fraternità dei Laici aan de westkant, de Loggia Vasari aan de noordzijde en de smalle huizen met hun vele vensters aan de zuid- en oostkant geven het plein een gezellige uitstraling. De antiekwinkels die hier vroeger zaten, zijn inmiddels grotendeels verdrongen door restaurants en cafés. ▷ blz. 266

Arezzo

Bezienswaardigheden

1 San Francesco
2 Duomo San Donato
3 Fortezza Medicea
4 Casa Petrarca
5 Loggia Vasari
6 Santa Maria della Pieve

7 Casa Vasari
8 Museo Statale d'Arte
  Medievale e Moderna
9 Museo Archeologico

Overnachten

1 Minerva

2 Continentale
3 Casa Volpi

Eten en drinken

1 Antica Osteria l'Agania
2 Il Grottino

Santa Maria della Pieve [6]

Dag. 8-12, 15-19 uur, gratis

Aan de zuidwestzijde van de Piazza Grande ziet u de halfronde apsis van de Santa Maria della Pieve, gewoonlijk de **Pieve** genoemd. Het is de favoriete kerk van de Aretini, die hier in het midden van de stad eind 12e eeuw hun eigen godshuis lieten bouwen als een soort tegenkerk van de kathedraal, die toen nog buiten de stad op de Colle del Pionta stond. De kerk met een hoge, massieve klokkentoren met 40 tweelingvensters uit 1330 ('De toren met honderd gaten' genoemd) is het symbool van de stad. De gevel met zijn naar boven toe steeds elegantere dwerggalerijen is vanaf de smalle Corso Italia niet heel goed te overzien. De romaanse vormentaal is duidelijk aan de kerken van Lucca en Pisa ontleend.

De grootste bezienswaardigheid van het interieur is het fraai gerestaureerde **veelluik van Pietro Lorenzetti** (1320-1324) met een gouden ondergrond.

Aan de **Corso Italia** staan verder talrijke aantrekkelijke palazzi. Dit is de flaneerstraat bij uitstek van Arezzo, hij loopt van het Palazzo Comunale kaarsrecht naar de stadsmuur.

Casa Vasari [7]

Di.-za. 9-19, zon- en feestdagen 9-13 uur. € 4, Combinatiekaartje voor de belangrijkste bezienswaardigheden € 10, inclusief reserveren € 12

In de Via XX Settembre staat het van buiten sober lijkende, maar van binnen rijk gedecoreerde huis van Giorgio Vasari (1511-1574), de 'vader van de kunstgeschiedenis', schilder en architect (Uffizi in Florence, Loggia en dit huis). De in de buurt geboren kunstenaar die snel rijk werd, beschilderde het huis geheel naar eigen smaak.

Zo decoreerde hij de slaapkamer met de muzen. Voor Erato, de muze van het minnedicht, nam Vasari zijn jonge vrouw Niccolosa Bacci als model. De familie Bacci was door de stoffenhandel rijk geworden en doneerde geld voor het schilderen van de fresco's in de San Francesco (daarom wordt de kapel ook wel Cappella Bacci genoemd). Tegenover Erato zien we Diana, waarschijnlijk door Vasari zelf geschilderd. Als men een bijna onzichtbare greep naar rechts verschuift, komt er een spiegel te voorschijn waarin het gezicht van de muze wordt weerspiegeld – waarschijnlijk een hommage aan de mooie echtgenote van de kunstenaar.

Museo Statale d'Arte Medievale e Moderna [8]

Di.-zo. 8.30-19.30 uur, gratis

De musea van Arezzo zijn over het algemeen smaakvol ingericht. Zo ook dit museum voor middeleeuwse en moderne kunst, afkomstig uit Arezzo, de rest van Italië en het buitenland. Het museum bezit een van de grootste majolicaverzamelingen van het land.

Museo Archeologico [9]

Ma.-za. 8.30-19.30, zon- en feestdagen 8.30-14 uur uur. € 6, voor combinatiekaartje zie Casa Vasari

Het museum zit in een klooster dat over het **Romeinse amfitheater** werd gebouwd. U kunt er antieke munten en de beroemde koraalvazen van Arezzo zien.

Overnachten

Strak en licht – **Minerva** [1]: Via Fiorentina 6, tel. 0575 37 03 90, fax 0575 30 24 15, www.hotel-minerva.it. 2 pk met ontbijt € 80-200. Groot hotel ten westen van de stadsmuren met 130 kamers, een restaurant met goedkope menu's en een fitnesscentrum.

Centraal – **Continentale** [2]: Piazza Guido Monaco 7, tel. 0575 202 51, fax 0575 35 04 85, www.hotelcontinentale.

com. 2 pk met ontbijt € 99-138. Aangenaam, onlangs gerenoveerd hotel met 73 kamers en drie suites van uiteenlopende afmetingen.

Parkvilla – **Casa Volpi** **3**: Località Le Pietre 2, tel. 0575 35 43 64, fax 0575 35 99 71, www.casavolpi.it. 2 pk € 75-95, suite € 110-130; uitgebreid ontbijtbuffet (€ 9 pp). Klein hotel met twaalf kamers en drie suites in een villa uit de 19e eeuw in het groen, op 2 km van de stadsrand. Vriendelijk en professioneel geleid en met restaurant.

Eten en drinken

Traditioneel – **Antica Osteria l'Agania** **1**: Via Mazzini 10, tel. 0575 29 53 81. Ma. gesl. Menu vanaf € 18. Piepkleine, betaalbare trattoria met Toscaanse en lokale specialiteiten als pens, speltsoep, varkenslever en stovkis.

Eenvoudig, maar goed – **Il Grottino** **2**: Via del Prato 1, tel. 0575 30 25 37. Wo. gesl. Menu inclusief drinken vanaf € 15. Eenvoudig eethuisje met smakelijke gerechten uit Toscane, maar ook uit andere streken van Italië.

Winkelen

De **Corso Italia** is de belangrijkste winkelstraat van Arezzo. In ieder eerste weekend van de maand is er een **antiekmarkt** in het centrum. De grootste is die van september.

Uitgaan

De film *La vita è bella* maakte het **Caffè dei Costanti** wereldberoemd. Het bevindt zich tegenover de kerk van San Francesco (ontbijt 8.30-11.30, lunchbuffet 12-14.30 en aperitief 19-21.30 uur, ma. en di. gesl.).

Authentiek filmdecor

Arezzo kreeg wereldwijd bekendheid door film *La vita è bella* van Roberto Benigni, die Oscars won voor beste niet-Engelstalige film, beste mannelijke hoofdrol en beste filmmuziek. De locaties waar de regisseur en hoofdrolspeler zijn film over de Holocaust als tragikomedie opnam, liggen verspreid over Arezzo en zijn tijdens een wandeling makkelijk te vinden: Piazza della Libertà, Piazza Grande, Piazza San Martino, Piazza San Francesco, Teatro Petrarca, Piazza della Badia, de school aan de Via Porta Buia en de Via Garibaldi.

De gezellige **Antica Vineria dell'Agania** zit in een oud pand naast Osteria L'Agania (zie boven).

Info en festiviteiten

Informatie

APT-informatiekantoor: zie het kader op blz. 262, in het gemeentehuis zit een verkeersbureau en op het station is een touchscreen met informatie te vinden, www.apt.arezzo.it

Festiviteiten

1e zo. van sept.: de kleurige **Giostra del Saracino**.

Vervoer

Trein: elk uur treinen over het oude spoor tussen Florence en Rome.
Bus: vanuit het busstation bij het treinstation en vanaf de Piazza Guido Monaco rijden talrijke bussen naar allerlei plaatsen in de provincie. De bussen van CAT en LFI rijden niet alleen naar bestemmingen in de provincie, maar ook naar steden daarbuiten.

Casentino

Tussen de regio Emilia-Romagna in het noorden en Arezzo in het zuiden ligt de bosrijke Casentino rond de bovenloop van de Arno. De landschappelijk fraaie streek met veel natuur, enkele interessante stadjes en oeroude kastelen is deels beschermd door het Parco Nazionale delle Foreste Casentinesi, Monte Falterona, Campigna.

Poppi ▶ K 5

Castello di Poppi

Dag. 10-18/19, 2 nov.-16 mrt. do.-zo. 10-17 uur. € 5, www.castellodipoppi.it
Dit kasteel in het middeleeuwse Poppi is een fraai staaltje vestingbouw. Het werd in de 13e eeuw door de conti Guidi gebouwd. In het kasteel is een belangrijke verzameling handschriften ondergebracht, die aan de gemeente Poppi is nagelaten en hier zorgvuldig onderhouden wordt: er zijn rond zeshonderd incunabelen, dat wil zeggen boeken die voor 1500 zijn gedrukt, achthonderd manuscripten en 10.000 boeken uit de 10e-15e eeuw.

Het kasteel zelf is ook een bezienswaardigheid, waarbij alleen al de trap op de binnenplaats (zie foto) de entreeprijs waard is.

Overnachten

Gezellig – **Casentino:** Piazza della Repubblica 6, Poppi (AR), tel. 0575 52 90 90, fax 0575 52 90 67, www.albergoca sentino.it. 2 pk met ontbijt € 70. Wat verouderd en slechts deels gerenoveerd, maar toch een charmant hotelletje met veel geprezen restaurant tegenover het castello. Dertig meestal kleine, maar aardige kamers.

Eten en drinken

Lekker – **Casentino:** zie boven. Buiten de zomer wo. gesl. Menu vanaf € 18. Dit restaurant zit in de voormalige stallen van het Castello di Poppi en beschikt over gezellige eetzaaltjes en een prachtige tuin met schaduwrijke bomen waar het op zwoele zomeravonden heerlijk zitten is. Op de menukaart staan lokale gerechten zonder opsmuk, die buitengewoon goed smaken, met als specialiteiten gegrild vlees (rund, varkens, konijn, lam enzovoort) en huisgemaakte pasta.

Informatie

Pro Loco: PLZ 52014 Poppi (AR), Via Cesare Battisti 13, tel. 0575 50 72 27, www.prolococentrostoricopoppi.it

Camaldoli ▶ K 5

Veel bezoekers van de Casentino komen voor de religieuze sporen die hier te vinden zijn, en dan vooral voor het klooster en de hermitage van Camaldoli en voor la Verna.

Monastero di Camaldoli

Dag. 9-13, 14-19.30 uur, www.monasterodicamaldoli.it, gratis

De plek waar de orde van de camaldulenzen werd gesticht, ligt in een schitterend bos, dat alleen al de reis waard is en de mogelijkheid tot **eindeloze wandelingen** biedt. Maar het klooster op een hoogte van 825 m gelegen is ook kunsthistorisch interessant met twee kloostergangen, een uit de 15e eeuw en een uit 1543, en een rijke bibliotheek. Een ander pareltje is de *farmacia* waar de monniken likeuren en andere kloosterproducten aanbieden. In de kloosterkerk zijn vijf altaarstukken te vinden van de uit Arezzo afkomstige kunstenaar Giorgio Vasari, waaronder een *Kruisafneming* die in een maniëristische stijl is geschilderd en de helderheid van ▷ blz. 275 de hoge renaissance mist.

Theatrale architectuur: de binnenplaats van het Castello di Poppi

Levend verleden – het EcoMuseo del Casentino

In het noordoosten van Toscane is bij gebrek aan grote historische bezienswaardigheden een ecologisch museum opgezet, dat over diverse locaties is verdeeld.

Startpunt: Piazza Tanuzzi in Stia (maar u kunt ook beginnen in een van de andere plaatsjes waar het museum een vestiging heeft).

Planning: nuttige informatie voor het plannen van uw bezoek vindt u op de website www.casentino.toscana.it/ecomuseo (op de pagina kunt u op de diverse vestigingen van het museum klikken).

Tijdsduur: afhankelijk van uw belangstelling en hoeveel tijd u hebt van enkele uren tot meerdere dagen.

Stia en zijn musea

Dit buitengewoon fraaie plaatsje met zijn langgerekte, oplopende plein omgeven door lage, ondiepe arcaden is het ideale startpunt voor deze excursie. Stia bezit twee interessante winkels waar de al eeuwen in deze streek geproduceerde **panno casentino**, een soort vilt, te koop ligt. De leuke winkels aan het altijd levendige centrale plein zijn outlets van de twee plaatselijke fabrieken. De ene fabriek is Tessilnova in de Ex-Lanificio di Stia (met eigen museum, zie onder) direct aan de rivier de Staggia, die hier in de Arno uitmondt. De andere is een coöperatie (TACS), die goedkoper is. De buitengewoon warme en toch ademende stof werd al in de middeleeuwen ontwikkeld in opdracht van de Florentijnse Arte della Lana. Oorspronkelijk werd de robuuste stof alleen in donkere kleuren geleverd.

Wie meer over deze traditionele bedrijfstak van het plaatsje te weten wil komen, kan een bezoek brengen aan het **Museo dell'Arte della Lana** van de particuliere **Fondazione Luigi e Simonetta Lombard** in de Via Sertori (juni-sept. zo.-vr. 10-13, do. en zo. ook 16-19, za. alleen 16-19, okt.-apr. zo.-vr. 10-13, do. en zo. ook 15-18, za. alleen 15-18, aug. dag. 10-13, 16-19 uur, anders op aanvraag, tel. 0575 58 22 16 of in de verkoopruimte van de wolfabriek).

Stia bezit nog twee andere musea. Het ene is gewijd aan de ski. Het **Museo dello Sci** bevindt zich in de smalle Vicolo de'Berignoli. Het is een particulier museum, maar men werkt nauw samen met het tot het EcoMuseo horende **Museo del Bosco e della Montagna**, het bos- en bergmuseum. Dit museum heeft een prachtige verzameling die door de plaatselijke bevolking bij elkaar is gebracht: alles wat hun voorouders voor het zware werk in de bossen op de ruige bergen nodig hadden. Het gaat om gereedschap als bijlen en speciale hamers

en alle andere zaken die de ijzersmeden op maat voor de arbeiders vervaardigden, maar ook om dingen als wijnflessen die uit bijzonder licht glas werden gemaakt en in een dunne gevlochten mand werden gedaan, allemaal om gewicht te besparen. Opvallend is het paar schoenen met merkwaardig gevormde, dikke houten zolen – met dit soort schoenen aan klom men in een vat om geroosterde kastanjes te pletten, zodat ze uit de schil konden worden gehaald om vervolgens in een molen tot meel te worden gemalen. De aandachtige bezoeker kan daarnaast nog veel meer curiositeiten in het museum ontdekken. (Tel. voor beide musea, indien gesloten: 0575 58 13 23 en 0575 58 39 65)

Het ontstaan van de kastelen en dorpen

Castello di San Nicolò (ook Strada in Casentino genoemd) bezit een fraai kasteel uit de 12e eeuw, dat deels ruïne is. Maar de reden voor een bezoek is het deel van het EcoMuseo dat gewijd is aan de **Civiltà Castellana**, dat wil zeggen het ontstaan van dorpen uit een kasteel. Het dorp is een karakteristiek voorbeeld van dit fenomeen uit de Casentino. Het kasteel zelf (in particulier bezit) staat op het hoogste punt, met daaronder de *borgo*, en daar weer onder, aan de overkant van de rivier, het marktplaatsje dat er later omheen groeide.

Er loopt weliswaar een weg naar het kasteel, maar het is leuker om vanaf het centrale plein met de fraaie open markthal omhoog te lopen. Als u vanaf het plein de Via dell'Arco inslaat, komt u bij een trap uit, die naar de smalle stenen brug leidt. Eenmaal de rivier over, komt u bij de *borgo*, waar u doorheen loopt. Dan neemt u het pad omhoog naar het kasteel – het pad leidt naar de kasteeltoren met de stadsklok (het oude mechaniek is in het kasteel te zien). De wandeling omhoog duurt een kwartier en u loopt als het ware in omgekeerde richting door de ontstaansgeschiedenis van het dorp.

De kastelen van de streek, vaak gebouwd door de in de middeleeuwen machtige familie Guidi, vormden en vormen eigenlijk tot op de dag van vandaag samen met de parochiekerken (*pievi*) en kloosters het gezicht van de bergachtige Casentino. Uit en bij de kastelen ontstonden de dorpen, *borghi* (bij de kasteelmuren gebouwde burchtdorpen) en marktpleinen. Rond die laatste groeiden vaak wat grotere stadjes, want hier werden dagelijks levensmiddelen en andere handelswaren verkocht en hield men week-, maand- en jaarmarkten. Al snel verschenen rond de marktpleinen werkplaatsen, herbergen (*alberghi*) en kroegen (*osterie*) om reizende kooplieden en handelaren van waren, voedsel en onderdak te voorzien. Ook ambachtslieden en plaatselijke boeren, die het land van de feodale heren bewerkten, gingen hier wonen, want bij gevaar konden ze hun toevlucht in het kasteel zoeken. De huizen langs de wegen naar buiten hadden tuinen, waar voedsel werd verbouwd en dieren werden gehouden, zodat men de producten die het dorp en de burchtheer nodig hadden, zelf kon produceren (voor informatie en het maken van een afspraak voor een bezoek aan het Castello di San Niccolò moet u bij de wat eigenzinnige, maar sympathieke eigenaar zijn, Maestro Giovanni Biondi, tel. 0575 572 96 51 of 0575 57 02 55).

Kolenbranders ...

EcoMuseo del Carbonaio in Cetica, 6 km van Strada in Casentino. Bel voor informatie de Pro Loco, tel. 0575 57 02 55, www.cetica.it, of ga naar Bar La Porta, tel. 0575 55 51 24. Juni-sept. di. 15-18, za., zo. 10-12, 15-18, okt.-mei za., zo. 15-17 uur.

Dit kleine museum met werktuigen die de kolenbranders voor hun beroep gebruikten, is in de oude dorpsschool gevestigd. Maar eigenlijk loopt het museum door in de omringende bossen, want hier kunt u de voormalige hutten en meilers (houtskoolovens) vinden, die een idee geven hoe de kolenbranders tot halverwege de 20e eeuw leefden en werkten. In het museum vindt u ook nog het **Casa dei Sapori**, waar u allerlei producten die in de Casentino gedijen, kunt aanraken, ruiken en proeven.

Niet ver van Cetica ligt **Bagno di Cetica**, bereikbaar via een kronkelweg die omhoog leidt tegen de Pratomagna. Het gaat om een piepklein kuuroord midden in de bossen met enkele kleine bassins met geneeskrachtig water (www.bagnodicetica.it).

Voor gewone auto's eindigt hier de weg, maar wie een terreinwagen bezit, kan net als wandelaars verder naar de pas en zo de hier 1600 m hoge Pratomagno oversteken naar **Raggiolo**, een plaatsje op de oosthelling van de bergrug (over de gewone weg is het vanuit Bibbiena 11 km naar dit plaatsje, waar het kastanjemuseum is gevestigd, vanuit Stia is het rond 27 km).

... en kastanjeboeren

Het **EcoMuseo della Castagna** staat in Raggiolo aan de Via del Mulino en zit eveneens in een oude dorpsschool (juni, juli, sept., okt. za., zo., aug. di., do., za., zo. 16-19 uur, andere maanden op aanvraag bij de gemeente Ortignano-Raggiolo, tel. 0575 53 92 14.

De smalle dorpsstraten liggen tegen de dichtbeboste hellingen van de Pratomagno en lopen in het bos door. Het dorp ligt aan het einde van de bewoonde wereld midden tussen kastanjebossen met prachtige oude bomen. Raggiolo is een van de mooiste, compactste en best gerestaureerde dorpen van de Casentino. Er wonen nog altijd enkele kastanjeboeren en herders, die hier een lange traditie hebben. De bevolking is flink vergrijsd, want voor de jongeren is er weinig te doen en velen zijn weggetrokken. De huizen hebben ze echter aangehouden en in het weekend en in de vakanties komen vele vroegere inwoners terug om van de rust en de omgeving te genieten. Enkele huizen zijn tot vrij luxueuze vakantiewoningen verbouwd en worden onder de naam *Borgo dei Corsi* beheerd en verhuurd (www.borgodeicorsi.it). Tot de faciliteiten horen een zwembad en een restaurant, terwijl de kleine bar met levensmiddelenwinkel het ontmoetingspunt van het dorp is.

Het bijzondere van Raggiolo is dat de traditionele drooghuizen voor kastanjes er bewaard zijn gebleven. De kastanjes werden er op de zolders te drogen gelegd, terwijl de bewoners zich beneden bij het open vuur konden opwarmen en in de haard kastanjes roosterden, die met rode wijn erbij gegeten werden. Tegenwoordig vinden er in het dorp ook af en toe poëzievoordrachten plaats.

Een van de historische kastanjemolens diep in het bos is sinds 2009 weer in werking, aangedreven door een beekje dat door een dantesk woest landschap stroomt en zich langs enorme rotsblokken van basalt wringt. De molens zijn belangrijk voor het dorp, want vers gemalen kastanjemeel is tegenwoordig weer gezocht en brengt goed geld op. Vooral in de Toscaanse bergen eet men graag kastanjegerechten, zoals *castagnaccio*, een dunne koek van kastanjemeel. De echte is alleen in de winter te krijgen en dat is ook precies het juiste jaargetijde om het plaatsje te bezoeken, want hier wordt nog traditioneel geleefd en gewerkt, ook al is het enigszins 'museaal' geworden.

Een specialiteit van de Toscaanse bossen: tamme kastanjes

Eremo di Camaldoli

Ma.-za. 9-12, 15-17/18 uur, zon- en feestdagen dezelfde tijden, maar geen bezoek tijdens de missen. Gratis
Ongeveer 300 m hoger, nog dieper in het fraaie, koele bos, ligt de eigenlijke ontstaansplek van de orde, namelijk de hermitage van de heilige Romualdus (952-1027), wiens niet zo heel bescheiden cel bezocht kan worden, evenals de rijk gedecoreerde kerk van San Salvatore. Maar het mooiste van de Eremo is de ligging tegen een helling met uitzicht over de rechts en links van de weg gelegen huisjes van hermitage.

Santuario della Verna ▶ K 5

Klooster dag. 6.30-22, 's winters tot 19.30 uur, Cappella delle Stigmate 8-19, 's winters tot 17 uur, www.santua riolaverna.org. Gratis
Het indrukwekkende kloostercomplex op de 1283 m hoge Monte Penna, waar Franciscus van Assisi volgens de overlevering al in 1214 een hermitage stichtte en waar hij in 1224 de stigmata ontving, is niet alleen voor religieuze pelgrims een belevenis. Het klooster omvat onder andere vijf kloostergangen, dormitoria met cellen voor honderd monniken, refectoria, een hospitaal en een bibliotheek. Wie van de kleurige terracottabeelden van de beroemde kunstenaarsfamilie Della Robbia houdt, moet zeker een bezoek brengen aan La Verna, want hier valt misschien wel de grootste verzameling van hun werken te bewonderen en dan ook nog eens op de plek waarvoor ze gemaakt zijn.

Op 4 oktober kunt u daarentegen beter met een wijde boog om La Verna heen gaan, want op de dag van Franciscus komt er een grote stroom bezoekers naar het klooster.

In het Parco delle Foreste Casentinesi

Overnachten

In het klooster – **Foresteria del Pellegrino:** Santuario della Verna, Chiusi La Verna (AR), tel. 0575 53 42 10, www.san tuariolaverna.org. Volpension per persoon € 57. Gerenoveerd pelgrimshotel in het klooster met 72 kamers (eenpersoons-, tweepersoons- en driepersoonskamers) en zeer goed restaurant (lokale keuken, vast menu), waardoor het verplichte volpension meer dan de moeite waard is. De kamers worden tijdens het verblijf niet schoongemaakt, de gast wordt verondersteld zijn kamer zelf aan kant te houden.

Caprese Michelangelo ▶ K 6

Castello di Caprese Michelangelo

's Zomers 10.30-18.30 uur, 's winters alleen za., zon- en feestdagen. € 4
Het kleine **Caprese Michelangelo** is de geboorteplaats van Michelangelo Buonarroti (1475). In zijn geboortehuis bij de vestingruïne is een klein museum aan hem gewijd. Op de binnenplaats staan beelden van moderne kunstenaars en in het **Palazzo del Podestà** gipsen afgietsels van beroemde beelden van Michelangelo. Allemaal niet meeslepend, maar het is een prachtig hoekje in een vriendelijk, vredig dorp. Caprese is bovendien een goede en niet al te dure uitvalsbasis voor uitstapjes in de omgeving.

Overnachten

Gemoedelijk – **Buca di Michelangelo:** Via Roma 51, Caprese Michelangelo (AR), tel. 0575 79 39 21, www.bucadimichelan gelo.it. Trattoria nov.-mei wo., do. gesl. 2 pk met ontbijt € 55-70, appartement voor twee personen rond € 80. Klein hotel (23 kamers) in een oud gebouw in het centrum met fraai uitzicht. Aan de overkant zit een bij het hotel horende, uitstekende en heel betaalbare **trattoria** (huisgemaakte pasta). Menu vanaf € 21.

Informatie

Comune: Via Capoluogo 87, 52033 Caprese Michelangelo (AR), tel. 0575 79 39 12, fax 0575 79 34 07,www.capresemi chelangelo.net

In het noorden van de Val di Chiana ▶ K 7/8

Castiglion Fiorentino ▶ K 7

Op het eerste gezicht zou je niet zeggen dat dit stadje ruim 13.600 inwoners telt, ook al bezit het de nodige uitbreidingen buiten de middeleeuwse stadsmuren. Castiglion Fiorentino is een levendig provinciestadje met goede levensmiddelenwinkels. Het is vooral bekend om zijn Toscaanse brood uit de houtoven, lamsvlees, verse pasta en de groenten uit het dal.

Het stadje bezit middeleeuwse torens, met natuursteen geplaveide, zeer schone stegen en fraaie renaissancepalazzi, die zo langzamerhand aan restauratie toe zijn. De twee machtige stadspoorten hebben hun deuren behouden. Vanaf de benedenpoort loopt de smalle hoofdstraat omhoog, buigt rond de heuveltop met de resten van de vesting en daalt licht naar de andere poort. Halverwege komt u langs de romaans-gotische **San Francesco** aan het gelijknamige plein. In de kerk hangt een belangrijk werk van Margaritone d'Arezzo.

Op het hoogste punt van de hoofdstraat ligt aan uw linkerhand de ruime **Piazza Comunale** met de schitterende, soms aan Vasari toegeschreven **loggia** met uitzicht over de Val di Chiana.

Pinacoteca Comunale

Okt.-mrt. di.-zo. 10-12.30, 15.30-18, apr.-sept. 10-12.30, 16-18.30 uur. € 3. Torre del Cassero mei-sept. za., zon- en feestdagen 10-13, 16-19 uur, di.-vr. alleen op aanvraag. € 3

Een reeks gebouwen in eigendom van de gemeente, waaronder het **Palazzo Pretorio** en de **Chiesa di Sant'Angelo**, zijn in een jarenlange restauratiecampagne tot een prachtig museum verbouwd, dat alleen al vanwege de architectonische bijzonderheden de moeite waard is. U kunt er bovendien een verbazingwekkend rijke verzameling Toscaanse, maar ook Umbrische kunst zien, want Umbrië is hier vlakbij. Daarnaast bezit het museum een collectie sacrale voorwerpen en kerkmeubilair uit de 12e tot en met 15e eeuw.

De **Torre del Cassero**, de burchttoren uit 1350, heeft inwendig een houten trap waarover u naar de open klokkenstoel op een hoogte van 35 m kunt klimmen. Het fraaie uitzicht over de Val di Chiana en Umbrië maakt de inspannende klim omhoog dik de moeite waard.

Info en festiviteiten

Informatie

Pro Loco: 52043 Castiglion Fiorentino (AR), Piazza Risorgimento 19, tel./fax 0575 65 82 78; www.comune.castigli onfiorentino.ar.it

Festiviteiten

3e zo. van juni: Palio dei Rioni, paardenrennen op de Piazzale Garibaldi en optocht in historische kostuums.

Vervoer

Trein: het station ligt aan de oude spoorverbinding tussen Arezzo en Chiusi, rond de spits rijden de treinen elk uur.

Bus: in de spits rijden er elk half uur bussen naar Arezzo en Cortona.

Cortona ▶ K/L 8

Cortona ligt te midden van uitgestrekte olijfgaarden op een hoogte van 650 m tegen een helling. Het stadje wordt door hoge muren met stadspoorten omgeven en telt 23.000 inwoners. Het fraaie centrum is goed bewaard gebleven en telt veel gebouwen uit de middeleeuwen en renaissance. Cortona leeft nog altijd voor een belangrijk deel van de landbouw en ambachtelijk handwerk. Net als in Arezzo floreert ook in Cortona de antiekhandel.

Geschiedenis

Cortona was al in de 7e eeuw v.Chr. bewoond en groeide in de Etruskische tijd tot een belangrijk cultureel en economisch centrum uit. De 2800 m lange stadsmuren en de talrijke archeologische vondsten in de omgeving, die deels in het plaatselijke Museo Archeologico zijn te zien, getuigen van het toenmalige belang van de stad. In 310 v.Chr. sloot Cortona samen met Arezzo en het nu onder Umbrië vallende Perugia een dertig jaar durend vredesverdrag met Rome. In 89 v.Chr. kregen de inwoners het Romeinse burgerrecht, maar de stad was van weinig belang in het rijk.

In 450 verwoestten de Goten Cortona en pas in de 12e eeuw wisten de burgers van de stad politieke autonomie te bereiken. In 1258 nam Arezzo Cortona in en vanaf 1325 volgde de *signoria* van de Casali, die de stad in 1409 aan de koning van Napels verkochten. Die deed Cortona in 1411 voor 60.000 gulden aan Florence over, waarna de stad in 1538 onderdeel werd van het hertogdom Toscane.

Centro Storico

De rit omhoog naar het centrum vanuit de Val di Chiana gaat over een bochtige weg langs de olijfgaarden, cipressen en parasoldennen die de uitlopers van de Monte Sant'Egidio bedekken. Hier en daar komt u langs villa's en kapelletjes. Aangekomen bij de benedenpoort, de **Porta Sant'Agostino**, kunt u de stad in over de met donkergrijze natuurstenen platen geplaveide Via Guelfa, die steil omhoog loopt naar de **Piazza della Repubblica**, die zich opeens in al zijn glorie ontvouwt. De blik gaat direct naar het gemeentehuis, het **Palazzo Comunale** met zijn brede, steile trap en klokkentorentje. Het bestond al in 1236, werd in de 14e en 15e eeuw verbouwd, in 1896 gerestaureerd en is nog steeds als stadhuis in gebruik. Aan de overkant staat het **Palazzo del Popolo** (1267 en 1514) met een vrijstaande loggia op de eerste verdieping. Op het plein tussen de twee gebouwen klopt het hart van de stad.

Museo dell' Accademia Etrusca e della Città di Cortona MAEC

Apr.-okt. dag. 10-19, nov.-mrt. di.-zo. 10-17 uur, www.cortonamaec.org. € 10, combinatiekaartje € 13

Rechts van de trap van het Palazzo Comunale vindt u de doorgang naar de **Piazza Signorelli** met enkele fraaie palazzi, waaronder het **Palazzo Fierli-Petrella** uit de 15e eeuw en het **Palazzo Pretorio**, ook Palazzo Casali genoemd (13e eeuw, gevel uit de 16e eeuw). Hier zit een modern ingericht museum, kortweg het MAEC genoemd, met diverse afdelingen, waaronder een Egyptische afdeling, een pinacoteca, een bibliotheek, het stadsarchief en een prachtige Etruskische verzameling met de belangrijkste archeologische vondsten uit de omgeving. Het pronkstuk is een 57 kg wegende, rijk versierde bronzen Etruskische luchter (5e eeuw v.Chr.).

Museo Diocesano

Apr.-okt. dag. 10-19, nov.-mrt. di.-zo. 10-17 uur, € 5

Als u het straatje tussen het MAEC en het theater inslaat, komt u via de Piazza Trento e Trieste bij de **Piazza del Duomo** met de **kathedraal** (gesticht 11e eeuw, later sterk verbouwd) aan een groot panoramaterras met een fraai, weids uitzicht over de Val di Chiana. Tegenover de kathedraal staat het Museo Diocesano met een rijke verzameling Toscaanse schilderkunst met onder andere werken van Luca Signorelli, die uit Cortona stamde. Daarnaast zijn er kostbare voorbeelden van sacrale goudsmeedkunst te zien. De goudsmeedkunst was in deze streek al in de Etruskische tijd hoogontwikkeld en is dat altijd gebleven.

Fortezza Medicea di Girifalco

Apr.-juni dag. 10-18, juli-10 okt. 11-13.30, 14.30-19 uur. € 3

Boven de stad, bereikbaar via steile weggetjes, ligt het fortezza, waar u een fraai

De middeleeuwen en renaissance hebben een groot stempel op Cortona gedrukt

uitzicht hebt over Cortona en de Val di Chiana. Cosimo I liet de vesting in 1549-1556 bij de noordoosthoek van de stadsmuren bouwen. De wandeling erheen is inspannend, maar duurt hooguit een half uurtje. U kunt er ook met de auto over een 3 km lange weg komen. De bezoeker kan over de muren van het fort lopen en de exposities van hedendaagse kunst in de ruimten bekijken.

Convento delle Celle

Ruim 2 km van Cortona, bereikbaar via de weg die langs het fortezza gaat; www.lecelle.it. Dagelijks open, tussen de middag kort gesloten. Gratis
Dit klooster is in 1211 door Franciscus gesticht. De cel van de heilige kan bezichtigd worden, maar meer dan een eenvoudig afbeelding van de heilige en een houten ligplank zijn er niet te zien. Maar het kloostercomplex in zijn geheel is mooi hoog boven een riviertje gelegen met de fraaie steeneikenbossen van de Monte Sant'Egidio als decor. Wie zich hier wil terugtrekken voor een stil gebed, kan er ook wat langer verblijven in ruil voor een gift aan de zeven monniken die er nog wonen (tel./fax 0575 60 33 62, info@lecelle.it).

Overnachten

Renaissancepalazzo – **San Michele:** Via Guelfa 15, tel. 0575 60 43 48, fax 0575 63 01 47, www.hotelsanmichele.net. Mrt.-okt. 2 pk met ontbijt € 99-250. Fraai gerenoveerd hotel midden in de oude stad van Cortona met 39 kamers, drie suites en prachtige renaissancesalons. Kleine garage.
Midden in de stad – **Le Gelosie:** Via Dardano 6, tel./fax 0575 63 00 05, www.le gelosie.com. 2 pk met ontbijt € 95-120. Vier prettige kamers in een smal huis met een wit balkenplafond en terracottavloer. Voor het ontbijt moet u naar de bar op de piazza (bij de prijs inbegrepen).

Eten en drinken

Centraal en goed – **Il Cacciatore:** Via Roma 11, tel. 0575 63 05 52. Jan.-half feb. en een week in juli gesl., wo. alleen lunch, do. gesl. Menu € 26. Eenvoudig maar goed restaurant in het centrum met smakelijke Toscaanse gerechten.
Rustiek en niet duur – **La Grotta:** Piazzetta Baldelli 3, tel. 0575 63 02 71. Jan. en tien dagen in juli gesl., di. gesl. Menu vanaf € 17. Eethuisje in het centrum met in de zomer tafeltjes op de piazza.

Winkelen

Antiekmarkt: jaarlijks wordt eind augustus/begin september de **Mostra Mercato del Mobile Antico** in het Palazzo Vagnotti gehouden, waar sinds 1962 de belangrijkste antiquairs van Italië een stand hebben (www.cortonan tiquaria.it).

Info en festiviteiten

Informatie

APT: 52044 Cortona (AR), Via Nazionale 42, tel. 0575 63 03 52, fax 0575 63 06 56, www.comune.cortona.ar.it, www.corto naweb.net

Vervoer

Trein: op het traject Arezzo-Rome stapt u uit in Camucia (5 km van het centrum van Cortona), u kunt vanaf het station van Camucia de fraaie, maar inspannende wandeling omhoog naar Cortona maken of de bus nemen.
Bus: de stad is goed bereikbaar met de bussen van LFI, die frequent vanuit Arezzo vertrekken.

Toeristische woordenlijst

Uitspraakregels

Over het algemeen wordt het Italiaans zo uitgesproken als het wordt geschreven. Als er twee **klinkers** achter elkaar staan, dan worden ze beide uitgesproken (bijv. Europa). De **klemtoon** ligt gewoonlijk op de voorlaatste lettergreep. Als de klemtoon op de laatste lettergreep ligt, wordt dat in het Italiaans meestal met een accent aangegeven (bijv. città).

Medeklinkers

c	voor a, o, u als k, bijv. conto; voor e, i als tsj, bijv. cinque
ch	als k, bijv. chiuso
ci	voor a, o, u als tsj, bijv. doccia
g	voor e, i als dzj, bijv. Germania
gi	voor a, o, u als dzj, bijv. spiaggia
gl	als lj, bijv. taglia
gn	als nj, bijv. bagno
h	wordt niet uitgesproken
sc	voor a, o, u als sk, bijv. scusi; voor e, i als sj, bijv. scelta
sch	als sk, bijv. schiena
sci	voor a, o, u als sj, bijv. scienza
z	deels als dz, bijv. zero; deels als ts, bijv. zitto

Algemeen

goedendag	buon giorno
goedemiddag/-avond	buona sera
goedenacht	buona notte
tot ziens	arrivederci
pardon	scusi
hallo/dag	ciao
alsublieft	prego/per favore
dank u	grazie
ja/nee	si/no
Wat zegt u?	Come dice?

Onderweg

halte	fermata
bus/auto	autobus/macchina
afrit/afslag	uscita
tankstation	stazione di servizio
rechts/links	a destra/a sinistra

rechtdoor	diritto
informatie	informazione
telefoon	telefono
postkantoor	posta
station/luchthaven	stazione/aeroporto
stadsplattegrond	pianta della città
alle richtingen	tutte le direzioni
eenrichtingsweg	senso unico
ingang	entrata
geopend	aperto/-a
gesloten	chiuso/-a
kerk/museum	chiesa/museo
strand	spiaggia
brug	ponte
plein	piazza

Tijd

uur/dag	ora/giorno
week	settimana
maand	mese
jaar	anno
vandaag/gisteren	oggi/ieri
morgen	domani
's morgens	di mattina
's avonds	di sera
om 12 uur	a mezzogiorno
vroeg/laat	presto/tardi
maandag	lunedì
dinsdag	martedì
woensdag	mercoledì
donderdag	giovedì
vrijdag	venerdì
zaterdag	sabato
zondag	domenica

Noodgevallen

help!	soccorso!/aiuto!
politie	polizia
arts	medico
tandarts	dentista
apotheek	farmacia
ziekenhuis	ospedale
ongeluk	incidente
pijn	dolori
panne	guasto

Overnachten

hotel	albergo
pension	pensione
eenpersoonskamer	camera singola
tweepersoonskamer	camera doppia
met/zonder badkamer	con/senza bagno
toilet	bagno, gabinetto
douche	doccia
met ontbijt	con prima colazione
halfpension	mezza pensione
bagage	bagagli

Winkelen

winkel/markt	negozio/mercato
creditcard	carta di credito
geld	soldi
geldautomaat	bancomat
bakker	panificio
kruidenier	alimentari
duur	caro/-a
goedkoop	a buon mercato

maat	taglia
betalen	pagare

Getallen

1	uno	17	diciasette
2	due	18	diciotto
3	tre	19	diciannove
4	quattro	20	venti
5	cinque	21	ventuno
6	sei	30	trenta
7	sette	40	quaranta
8	otto	50	cinquanta
9	nove	60	sessanta
10	dieci	70	settanta
11	ùndici	80	ottanta
12	dòdici	90	novanta
13	trédici	100	cento
14	quattòrdici	150	centocinquanta
15	quindici	200	duecento
16	sédici	1000	mille

De belangrijkste zinnen

Algemeen

Spreekt u ... Duits/Engels?	Parla ... tedesco/inglese?
Ik begrijp het niet.	Non capisco.
Ik spreek geen Italiaans.	Non parlo italiano.
Ik heet ...	Mi chiamo ...
Hoe heet jij/u?	Come ti chiami/ si chiama?
Hoe gaat het met jou/u?	Come stai/sta?
Goed, dank u.	Grazie, bene.
Hoe laat is het?	Che ora è?

Onderweg

Hoe kom ik in ...?	Come faccio ad arrivare a ...?
Waar is ...?	Scusi, dov'è ...?
Kunt u me wijzen waar ... is?	Mi potrebbe indicare ..., per favore?

Noodgevallen

Kunt u me alsublieft helpen?	Mi può aiutare, per favore?
Ik heb een arts nodig.	Ho bisogno di un medico.
Het doet hier pijn.	Mi fa male qui.

Overnachten

Hebt u een kamer vrij?	C'è una camera libera?
Hoeveel kost deze kamer per nacht?	Quanto costa la camera per notte?
Ik heb een kamer gereserveerd.	Ho prenotato una camera.

Winkelen

Hoeveel kost ...?	Quanto costa ...?
Ik zoek ...	Ho bisogno di ...
Wanneer opent/ sluit ...?	Quando apre/ chiude ...?

Culinaire woordenlijst

Bereidingswijzen

affogato	gestoomd
alla griglia	gegrild
amabile/dolce	zoet
arrosto/-a	gebraden
arrostato/-a	geroosterd
bollito/-a	gekookt
caldo/-a	warm
freddo/-a	koud
fritto/-a	gefrituurd
al forno	uit de oven
gratinato/-a	onder de grill
stufato/-a	gestoofd
con	met
senza	zonder

Voorgerechten en soepen

alici	sardientjes in het zuur
antipasti misti	gemengde schotel voorgerechten
antipasti del mare	voorgerechtenschotel met vis, schaal- en schelpdieren
bruschetta	geroosterd witbrood met knoflook en olie
cannellini	witte bonen
carciofi	artisjokken
cozze ripiene	gevulde mosselen
faggiolini bianchi	witte bonen
insalata di polpo	inktvissalade
melanzane alla griglia	gegrilde aubergine
minestrone	groentesoep
pepperonata	gemengde groenten die gesmoord zijn
prosciutto	ham
salame di cinghiale	salami van wild zwijn
vitello tonnato	kalfslapjes met tonijnsaus
zucchini alla griglia	gegrilde courgette
zuppa di pesce	vissoep

Pasta en co

cannelloni	gevulde pastabuisjes
fettucine/tagliatelle	platte pastaslierten
gnocchi	pasta van aardappel
lasagne	pastavellen met daartussen gehakt, tomaten en bechamelsaus
paglia e fieno	gele en groene pastaslierten
pasta fresca (fatta in casa)	verse (huisgemaakte) pasta
pasta ripiena	gevulde pasta, vaak met spinazie en ricotta
polenta	maïspap
risotto ai funghi	paddenstoelenrisotto
risotto alla marinara	risotto met zeedieren
formaggio	kaas

Vis en co

anguilla	paling
aragosta	kreeft
cozza	mossel
gamberetto	garnaal
gambero	gamba
orata	goudbrasem
ostrica	oester
pesce persico	baars
salmone	zalm
seppia	inktvis
sogliola	tong
trota	forel

Vlees en gevogelte

agnello	lam
anatra	eend
arrosto	braadstuk
brasato	stoofvlees
capra	geit
carne	vlees
cinghiale	wild zwijn
coniglio	konijn
coscia/cosciotto	dij
faraona	parelhoen
lepre	haas
maiale/porco	varken
manzo	rund
oca	gans
pernice	patrijs
pollo	kip

quaglia	kwartel	cassata	Siciliaanse taart
salumi	vleeswaren	anguria	watermeloen
spezzatino	stoofpot	fico	vijg
tacchino	kalkoen	fragola	aardbei
vitello	kalf	frutta	fruit
		gelato	ijs

Groenten en bijgerechten

		lampone	framboos
bietola	snijbiet	macedonia	verse fruitsalade
carota	peen	mela	appel
cavolfiore	bloemkool	mellone	meloen
cavolo	kool	panna cotta	roompuddinkje
cipolla	ui	tiramisù	langevingers met
faggioli/fave	bonen/tuinbonen		mascarpone
finocchio	venkel	torta (di frutta)	(vruchten)taart
fungo porcino	eekhoorntjesbrood	zabaione	eiercrème met wijn
insalata mista	gemengde salade		
melanzana	aubergine		

Dranken

pane	brood	acqua (minerale)	(mineraal)water
patata	aardappel	... con gas/gassata	... met prik
pisello	doperwt	... senza gas/liscia	... zonder prik
polenta	maïspap	birra (alla spina)	bier (van de tap)
pomodoro	tomaat	caffè (coretto)	koffie (met grappa)
porro	prei	ghiaccio	ijsblokje
riso	rijst	granita di caffè	ijskoffie
sedano	selderij	grappa	brandewijn
spinaci	spinazie	latte	melk
zucca	pompoen	liquore	likeur
		spumante	mousserende wijn

Nagerechten en fruit

		succo	sap
albicocca	abrikoos	tè	thee
cantuccino	amandelkoekje	vino rosso/bianco	rode/witte wijn

In het restaurant

Ik wil graag een	Vorrei prenotare	dagmenu	menù del giorno
tafeltje reserveren.	un tavolo.	borden en bestek	coperto
De kaart, alstublieft.	Il menù, per favore.	mes	coltello
wijnkaart	lista dei vini	vork	forchetta
Mag ik de rekening	Il conto, per favore.	lepel	cucchiaio
voorgerecht/pasta	antipasto/primo piatto	glas	bicchiere
soep	minestra/zuppa	fles	bottiglia
hoofdgerecht	piatto principale	zout/peper	sale/pepe
nagerecht	dessert/dolce	suiker/zoetje	zucchero/saccarina
bijgerecht	contorno	ober/serveerster	cameriere/cameriera

Fotoverantwoording en colofon

Omslag: oude Toscaanse voordeuren
(Shutterstock)
Binnenzijde voor: straatje in het oude cen-
trum van Lucca bij nacht

Gottfried Aigner, München: 8, 10 r.b., 94, 106
l., 111, 184, 189, 202 l., 217, 219, 223, 224 l.,
234
akg-Images, Berlin: 64 (Rabatti)
Bildagentur Huber, Garmisch-Partenkir-
chen: 10 l.o., 12/13, 76/77, 200 (Puku), 67
(Ripani), 203 l., 220 (Gianni), 260 l., 263
(Baviera), 224 r., 245 (Gräfenhain)
Corbis, Düsseldorf: 54 (Sweeney), 126 l., 136
(The Gallery Collection), 10 r.b., 139
(Morandi/Harding), 11 r.b., 183, 202 r.,
206/207, 212/213 (Atlantide), 167 (Listri),
236 (Merill)
dpa/picture-alliance, Frankfurt a. M.: 68/69
(Rabatti), 70 (MAXPPP)
DuMont Bildarchiv, Ostfildern: 78 l., 82/83

(Cellai), flap voor, 8 l., 11 r.o., 19, 22, 26/27,
35, 36/37, 48, 56, 63, 78 r., 79 l., 89, 91, 100,
103, 107 l., 116, 120, 121, 140, 152 r., 164, 168 l.,
169 l., 172/173, 194/195, 199, 225 l., 228/229,
233, 253, 255, 259, 273, omslag achterzijde
(Widmann)
f1-online, Frankfurt a. M.: 124, 270 (tips
images), 11 o. l., 150 (Kleinhenz)
Getty Images, München: 261, 278 (Epperson)
laif, Köln: 50/51, 75, 153 l., 156 (Harscher), 106
r., 114 (Zanetti), Titelbild, 10 l.b., 119, 126 r.,
127 l., 130, 144/145, 152 l., 160/161 (Celen-
tano), 168 r., 177 (Zuder), 268/269 (Hoff-
mann)
Look, München: 9, 44/45, 260 r., 274 (Age
Fotostock), 72 (Richter)
Mauritius Images, Mittenwald: 47 (Kerth),
52 (Morandi), 53 (Fresh Food), 8 r., 96,
215 (CuboImages)
Schapowalow, Hamburg: 60 (Huber), 11 l.o.,
240/241, 242, 248/249 (Atlantide)

Hulp gevraagd!

De informatie in deze reisgids is aan verandering onderhevig. Het kan dus wel eens gebeuren
dat u ter plaatse een andere situatie aantreft dan de auteur.
Is de tekst niet meer helemaal correct, laat ons dat dan even weten. Ons adres is:

ANWB Media
Uitgeverij reisboeken
Postbus 93200
2509 BA Den Haag
anwbmedia@anwb.nl

Productie: ANWB Media
Uitgever: Marlies Ellenbroek
Coördinatie: Els Andriesse en
Geert van Leeuwen
Tekst: Nana Claudia Nenzel
Vertaling: Joost Zwart, Amsterdam
Eindredactie: Marcel Marchand, Amsterdam
Opmaak: Hubert Bredt, Amsterdam
Ontwerp binnenwerk: Jan Brand, Diemen
Ontwerp omslag: Yu Zhao Design, Den Haag
Concept: DuMont Reiseverlag, Ostfildern
Grafisch concept: Groschwitz/Blachnierek,
Hamburg
Cartografie: DuMont Reisekartografie,
Fürstenfeldbruck

© 2012 DuMont Reiseverlag, Ostfildern
© 2013 ANWB bv, Den Haag
Eerste druk
ISBN: 978-90-18-03681-2